KB087487

#상위권_정복
#신유형_서술형_고난도

일등전략

Chunjae
Makes
Chunjae

▼

[일등전략] 중학 과학 2-1

개발총괄	김덕유
편집개발	김은숙, 김은송, 이강순, 김용하, 김선영, 박준우, 박유미, 김설희, 이영웅
디자인총괄	김희정
표지디자인	윤순미, 권오현
내지디자인	박희춘, 안정승
제작	황성진, 조규영
조판	동국문화

발행일	2022년 1월 1일 초판 2022년 1월 1일 1쇄
발행인	(주)천재교육
주소	서울시 금천구 가산로9길 54
신고번호	제2001-000018호
고객센터	1577-0902
교재 내용문의	02)3282-8718

시험에 잘 나오는

대표 유형 ZIP

중학 과학 2-1

BOOK 1

특목고 대비
일등
전략

천재교육

시험에 잘 나오는
대표 유형 ZIP

중학 **과학** 2-1

BOOK 1
중 간 고 사　대 비

일등
전략

이 책의 **차례** ➺ BOOK 1

대표 유형 01　물 분해 실험

다음은 물 분해 실험에 대한 보고서의 일부이다.

┃ 실험 과정 ┃

그림과 같은 장치를 이용하여 물을 전기 분해하였다.

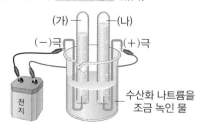

┃ 실험 결과 ┃

• (가)에 모인 기체가 (나)에 모인 기체보다 많았다.
• (가)에 모인 기체에 성냥불을 대 보았더니 폭발하면서 '퍽' 소리를 내는 것으로 보아 이는 ㉠(　　　) 기체임을 알 수 있다.
• (나)에 모인 기체에 불씨만 남은 향불을 대 보았더니 불씨가 다시 잘 타오르는 것으로 보아 이는 ㉡(　　　) 기체임을 알 수 있다.

┃ 결론 도출 ┃

물은 수소와 산소로 분해된다. 따라서 물은 물질을 구성하는 기본 성분인 ㉢(　　　)가 아니다.

㉠~㉢에 들어갈 알맞은 말을 쓰시오.

• ㉠: (　　　　　), ㉡: (　　　　　), ㉢: (　　　　　)

답 ㉠ 수소, ㉡ 산소, ㉢ 원소

1 읽기 전략

① 문제에서 핵심 키워드 찾기
　　물을 전기 분해, 물질을 구성하는 기본 성분

② 물을 전기 분해할 때 생성되는 수소 기체와 산소 기체의 부피비 알기
　　➡ (가)와 (나)에 모인 기체의 종류 파악하기

③ 산소 기체와 수소 기체의 성질 알기
　　➡ (가)와 (나)에 모인 기체의 종류 확인하기

④ 실험 결과를 바탕으로 결론 도출하기
　　➡ 물이 원소인지 아닌지 판단하기

수소 기체와 산소 기체의 성질을 꼭 기억하자.

① 물을 전기 분해할 때 생성되는 물질의 종류 파악하기

▲ 물 분자

→ 물(H_2O)은 수소
(H)와 산소(O)로
구성된다.

→ 물을 전기 분해하면 수소 기체와 산소 기체가 생성된다. 이때 수소 기체는 (−)극에서, 산소 기체는 (+)극에서 생성된다.

② 물을 분해했을 때 생성되는 수소와 산소의 부피비 알기

물 → 수소 + 산소
2 : 2 : 1

→ 물을 분해하면 수소 기체와 산소 기체는 2:1의 부피비로 생성된다.

→ 물 2부피가 분해되면 수소 2부피와 산소 1부피가 생성된다.

→ (가)에 모인 기체가 (나)에 모인 기체보다 많으므로 (가)에 모인 기체는 **❶[   ]**이고, (나)에 모인 기체는 **❷[   ]**이다.

③ 수소 기체와 산소 기체의 성질 알기

수소 기체 → 공기 중에서 불꽃을 만나면 폭발하는 성질이 있다.
산소 기체 → 불씨를 잘 타오르게 하는 성질이 있다.

→ (가)에 모인 기체가 성냥불을 대 보았을 때 폭발하듯이 '펑' 소리를 내며 타므로 수소이고, (나)에 모인 기체는 불씨가 다시 잘 타오르게 하므로 산소이다.

④ 원소의 정의 알기

원소 → 더 이상 다른 물질로 분해되지 않으며, 물질을 구성하는 기본 성분이다.
→ 물이 수소와 산소로 분해되었으므로 물은 **❸[   ]**가 아니다.

답 ❶ 수소 **❷** 산소 **❸** 원소

물은 원소가 아니다.

물을 전기 분해하면

수소는 (−)극에서 2 부피로 폭발

산소는 (+)극에서 1 부피로 활활

→ " 물은 원소가 아니다!! "

대표 유형 02   원소의 불꽃 반응

표는 여러 가지 물질의 불꽃 반응 결과를 나타낸 것이다.

물질	염화 리튬	염화 나트륨	염화 칼륨	염화 구리(Ⅱ)
불꽃색	빨간색	노란색	보라색	청록색
물질	질산 리튬	질산 나트륨	질산 칼륨	질산 구리(Ⅱ)
불꽃색	빨간색	㉠( )	보라색	청록색

이에 대한 설명으로 옳은 것을 |보기|에서 모두 고른 것은?

┌ 보기 ┐
ㄱ. ㉠은 노란색이다.
ㄴ. 불꽃색으로 물질 속에 포함된 원소를 모두 구별할 수 있다.
ㄷ. 불꽃색은 물질에 포함된 금속 원소의 종류에 따라 달라진다.

① ㄱ   ② ㄴ   ③ ㄱ, ㄷ   ④ ㄴ, ㄷ   ⑤ ㄱ, ㄴ, ㄷ

답 ③

---

1 읽기 전략   키워드 → 불꽃 반응, 불꽃색, 금속 원소의 종류

2 해결 전략   금속 원소가 같으면 불꽃색이 같다는 것을 알아 두자.

① 자료 분석
금속 원소의 종류가 같으면 불꽃색이 같다.
• 금속 원소가 리튬일 때 → 빨간색
• 금속 원소가 나트륨일 때 → 노란색
• 금속 원소가 칼륨일 때 → 보라색
• 금속 원소가 구리일 때 → 청록색

② 〈보기〉 분석
ㄱ. 질산 나트륨의 불꽃색은 **❶**   과 같으므로 노란색이다.
ㄴ. 불꽃색으로 금속 원소만 구별할 수 있다.
ㄷ. 불꽃색은 물질에 포함된 **❷**   의 종류에 따라 달라진다.

답 ❶ 염화 나트륨 ❷ 금속 원소

3 암기 전략

금속 원소의 불꽃색

불꽃색은 금속 원소에 따라 달라진다.

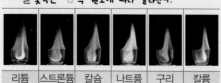

| 리튬 | 스트론튬 | 칼슘 | 나트륨 | 구리 | 칼륨 |

빨 리(튬) 스(트론튬)키 타고
말에   먹자!
노 란티 입은 나(트륨)는
청 바지 구(리)해서
보 라카(칼륨)에 여행갈래.

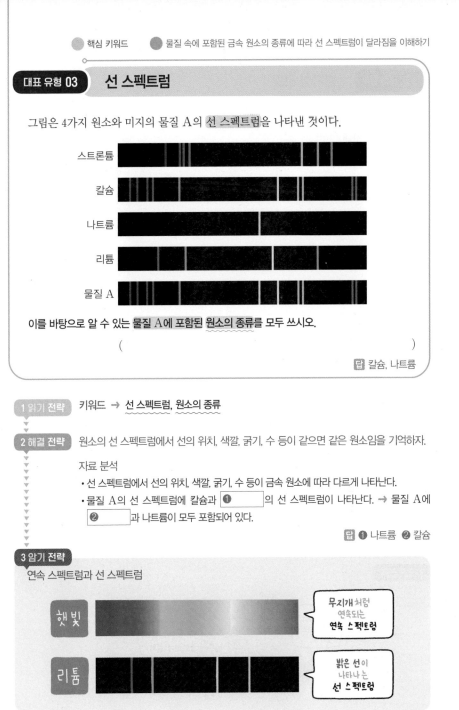

● 핵심 키워드   ● 물질 속에 포함된 금속 원소의 종류에 따라 선 스펙트럼이 달라짐을 이해하기

대표 유형 03 선 스펙트럼

그림은 4가지 원소와 미지의 물질 A의 선 스펙트럼을 나타낸 것이다.

스트론튬

칼슘

나트륨

리튬

물질 A

이를 바탕으로 알 수 있는 물질 A에 포함된 원소의 종류를 모두 쓰시오.

(   )

📝 칼슘, 나트륨

---

1 읽기 전략   키워드 → 선 스펙트럼, 원소의 종류

2 해결 전략   원소의 선 스펙트럼에서 선의 위치, 색깔, 굵기, 수 등이 같으면 같은 원소임을 기억하자.

자료 분석
- 선 스펙트럼에서 선의 위치, 색깔, 굵기, 수 등이 금속 원소에 따라 다르게 나타난다.
- 물질 A의 선 스펙트럼에 칼슘과 **❶** 의 선 스펙트럼이 나타난다. → 물질 A에 **❷** 과 나트륨이 모두 포함되어 있다.

📝 ❶ 나트륨 ❷ 칼슘

3 암기 전략

연속 스펙트럼과 선 스펙트럼

햇빛 → 무지개처럼 연속되는 연속 스펙트럼

리튬 → 밝은 선이 나타나는 선 스펙트럼

대표 유형 04 · 원자의 구조

그림은 원자핵과 전자로 이루어진 어떤 원자의 구조를 모형으로 나타낸 것이다.

이 원자에 대한 설명으로 옳은 것을 |보기|에서 모두 고른 것은?

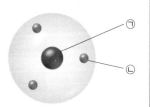

| 보기 |

ㄱ. ㉠은 다른 원자로 이동할 수 있다.
ㄴ. ㉠은 (＋)전하를 띠고 있는 원자핵이다.
ㄷ. ㉡은 전하를 띠지 않는다.
ㄹ. ㉡은 ㉠ 주위를 빠르게 움직이고 있다.

① ㄱ, ㄴ   ② ㄱ, ㄷ   ③ ㄴ, ㄷ   ④ ㄴ, ㄹ   ⑤ ㄷ, ㄹ

답 ④

1 읽기 전략 키워드 → 원자의 구조, 원자 모형

2 해결 전략 원자핵과 전자의 특징을 구분해서 기억하자.

① 원자핵과 전자의 특징
• 원자핵: 원자의 중심에 위치하고, ❶　　　 전하를 띠며, 다른 원자로 이동 불가능하다.
• 전자: ❷　　　 주위에서 운동하고, (－)전하를 띠며, 다른 원자로 이동 가능하다.

② 〈보기〉 분석
ㄱ. ㉠은 원자핵으로 다른 원자로 이동할 수 없다.
ㄷ. ㉡은 전자로 (－)전하를 띤다.

답 ❶ (＋) ❷ 원자핵

3 암기 전략
원자의 구조

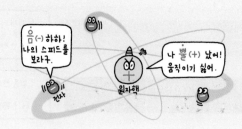

대표 유형 05 **원자 모형**

그림 (가)와 (나)는 원자의 모형을 나타
낸 것이다.

**이에 대한 설명으로 옳은 것을 | 보기 | 에서
모두 고른 것은?**

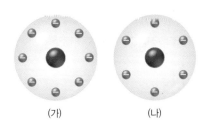

(가)   (나)

┌ 보기 ┌
ㄱ. (가)와 (나)는 같은 종류의 원자로 원자핵의 전하량이 같다.
ㄴ. 전자의 개수는 (가)가 (나)보다 많다.
ㄷ. (나)만 전기적으로 중성이다.

① ㄱ   ② ㄴ   ③ ㄷ   ④ ㄱ, ㄴ   ⑤ ㄴ, ㄷ

답 ②

---

1 읽기 전략 키워드 → 원자의 모형, 전기적으로 중성

2 해결 전략 원자는 원자핵의 (+)전하량과 전자들의 총 (−)전하량이 크기가 같다는 것을 기억하자.

① 자료 분석

원자	(가)	(나)
전자의 개수	8	❶
전자들의 총 전하량	−8	−6
원자핵의 (+)전하량	❷	+6

② 〈보기〉 분석

ㄱ. (가)와 (나)는 다른 종류의 원
자이며, 원자핵의 전하량도
다르다.

ㄷ. (가)와 (나)는 원자의 모형으로
둘 다 전기적으로 중성이다.

답 ❶ 6 ❷ +8

3 암기 전략

원자는 전기적으로 중성이다.

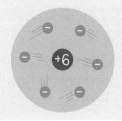

탄소 원자

원자핵의 (+)전하량 = 전자 전체의 (−)전하량
(+6)   (−1)×6개=(−6)

"… 전기적으로 중성"

대표 유형 06　원소 기호

표는 여러 가지 원소의 이름과 기호를 나타낸 것이다.

원소 이름	원소 기호	원소 이름	원소 기호
산소	O	플루오린	㉠(　　)
㉡(　　)	Ca	나트륨	㉢(　　)
㉣(　　)	Ag	마그네슘	㉤(　　)

빈칸에 들어갈 원소 이름이나 원소 기호를 옳게 짝 지은 것은?

① ㉠ – Fl

② ㉡ – 칼륨

③ ㉢ – N

④ ㉣ – 은

⑤ ㉤ – Ma

답 ④

---

1 읽기 전략　키워드 → 원소의 이름과 기호

2 해결 전략　여러 가지 원소 기호를 꼭 기억하자.

① 원소 기호의 표시
- 원소 이름의 첫 글자를 알파벳의 ❶ □□□로 표시한다.
- 첫 글자가 같을 때는 중간 글자를 택하여 첫 글자 다음에 ❷ □□□로 표시한다.

② 선택지 분석
- 플루오린의 원소 기호 → F
- Ca → 칼슘의 원소 기호
- 나트륨의 원소 기호 → Na
- 마그네슘의 원소 기호 → Mg

답 ❶ 대문자 ❷ 소문자

3 암기 전략

원소 기호

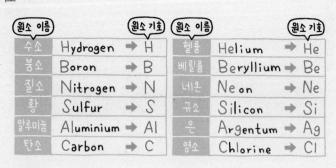

원소 이름		원소 기호	원소 이름		원소 기호
수소	Hydrogen	→ H	헬륨	Helium	→ He
붕소	Boron	→ B	베릴륨	Beryllium	→ Be
질소	Nitrogen	→ N	네온	Neon	→ Ne
황	Sulfur	→ S	규소	Silicon	→ Si
알루미늄	Aluminium	→ Al	은	Argentum	→ Ag
탄소	Carbon	→ C	염소	Chlorine	→ Cl

대표 유형 07 **분자식**

분자와 **분자식**을 옳게 짝 지은 것은?

① 물 – H_2O_2 ② 산소 – O_3 ③ 수소 – H

④ 암모니아 – N_3H ⑤ 이산화 탄소 – CO_2

답 ⑤

---

1 읽기 전략 키워드 → **분자식**

2 해결 전략 자주 다루어지는 물질의 분자식을 기억해 두자.

분자식의 표시 방법
① 분자를 구성하는 원자를 **❶** 로 표시한다.
② 원자의 개수를 원소 기호의 **❷** 에 작은 숫자로 표시한다(단, 1은 생략).

분자	원자의 종류와 개수	분자식
물	수소 원자 **❸** 개, 산소 원자 1개	H_2O
수소	수소 원자 2개	H_2
산소	산소 원자 2개	O_2
암모니아	**❹** 원자 1개, 수소 원자 3개	NH_3
이산화 탄소	탄소 원자 1개, 산소 원자 2개	CO_2

답 ❶ 원소 기호 ❷ 오른쪽 아래 ❸ 2 ❹ 질소

---

3 암기 전략

분자식

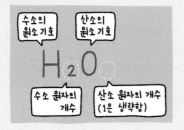

분자	분자식	분자	분자식
수소	H_2	일산화 탄소	CO
산소	O_2	이산화 탄소	CO_2
질소	N_2	물	H_2O
염화 수소	HCl	과산화 수소	H_2O_2
암모니아	NH_3	메테인	CH_4

대표 유형 08   분자 모형

그림은 어떤 용기 안에 들어 있는 물질을 분자 모형으로 나타낸 것이다.

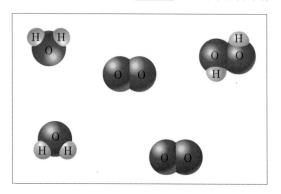

이에 대한 설명으로 옳은 것을 l 보기 l에서 모두 고른 것은?

┌ 보기 ─────────────────────────────────
  ㄱ. 분자의 개수는 총 14개이다.
  ㄴ. 산소 원자가 총 2개 들어 있다.
  ㄷ. 세 종류의 분자가 들어 있다.
  ㄹ. 과산화 수소의 분자식은 $(HO)_2$로 나타낼 수 있다.
  ㅁ. 분자 1개를 이루는 원자의 개수가 가장 많은 것은 과산화 수소이다.
└──────────────────────────────────────

① ㄱ, ㄴ   ② ㄴ, ㄹ   ③ ㄷ, ㄹ
④ ㄷ, ㅁ   ⑤ ㄹ, ㅁ

답 ④

1 읽기 전략

① 문제에서 핵심 키워드 찾기

　　분자 모형, 분자식

② 용기 안에 든 분자의 개수 파악하기
　　→ 분자 개념을 바탕으로 분자의 개수 세기, 이때 원자의 개수를 세지 않도록 주의하기
③ 용기 안에 든 분자의 종류와 개수 파악하기
　　→ 원소 기호를 이용하여 나타낸 분자 모형을 바탕으로 분자식 표현하기
④ 분자를 이루고 있는 원자의 종류와 개수 파악하기
　　→ 각 분자를 이루고 있는 원자의 종류와 개수 세기
⑤ <보기> 분석하기

분자의 정의에 의해 표현되는 분자 모형의 특징을 알아 두자.

① 분자의 개수 파악하기

> 분자 → 독립된 입자로 존재하여 물질의 성질을 나타내는 가장 작은 입자이다.
>
> 원자 → 물질을 구성하는 기본 입자이나.

분자는 독립된 입자로 존재하므로 용기 안에 5개의 분자가 존재함을 알 수 있다.

② 분자의 종류와 개수를 파악하여 분자식으로 표현하기

분자 모형	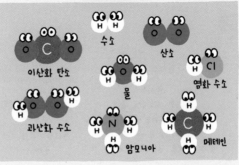		
분자식	$2O_2$	$2H_2O$	H_2O_2

③ 분자를 이루고 있는 원자의 종류와 개수 파악하기

분자식	$2O_2$	$2H_2O$	H_2O_2	합계
분자의 개수	2	2	1	5
산소 원자의 개수	4	2	2	8
수소 원자의 개수	0	4	2	6

④ 〈보기〉 분석

> ㄱ. 분자의 개수는 총 ❶[　　　]개이다.
>
> ㄴ. 산소 원자가 총 ❷[　　　]개 들어 있다.
>
> ㄹ. 과산화 수소의 분자식은 ❸[　　　]로 나타낸다.

답 ❶ 5 ❷ 8 ❸ H_2O_2

원자 모형과 분자 모형

대표 유형 09   분자식의 의미

오른쪽은 어떤 물질을 원소 기호를 이용하여 나타낸 것이다.

$$2NH_3$$

이에 대한 설명으로 옳은 것을 |보기|에서 모두 고른 것은?

┌ 보기 ┐
- ㄱ. 분자의 개수는 2개이다.
- ㄴ. 원자의 총 개수는 6개이다.
- ㄷ. 숫자 3은 암모니아 한 분자에 포함된 수소 원자의 개수를 뜻한다.
- ㄹ. 분자를 이루는 원자는 4종류이다.
- ㅁ. 원소 기호 N의 오른쪽 아래에서 '1'은 생략되었다.

① ㄱ, ㄴ, ㄷ   ② ㄱ, ㄴ, ㄹ   ③ ㄱ, ㄷ, ㅁ   ④ ㄴ, ㄷ, ㄹ   ⑤ ㄷ, ㄹ, ㅁ

답 ③

1 읽기 전략   키워드 → 물질을 원소 기호로 나타낸 것

2 해결 전략   분자식의 의미를 이해하자.

① 자료 분석

원자의 종류 ─┐
$$2NH_3$$
분자의 개수 ─┘   └─ 원자의 개수 (1은 생략)

② 〈보기〉 분석
- ㄴ. $2NH_3$에서 원자의 총 개수는 ❶ 개이다.
- ㄹ. 분자를 이루는 원자는 질소 원자와 수소 원자로 ❷ 종류이다.

답 ❶ 8 ❷ 2

3 암기 전략
분자식의 의미

분자의 종류	물	이산화 탄소	암모니아
분자식	H_2O	CO_2	NH_3
분자를 구성하는 원소	수소, 산소	탄소, 산소	질소, 수소
분자를 구성하는 원자의 종류 수	2종류	2종류	2종류
분자를 구성하는 원자의 개수비	H:O = 2:1	C:O = 1:2	N:H = 1:3
분자 1개를 구성하는 원자의 개수	3개	3개	4개

대표 유형 10 　이온의 형성

그림은 산소 원자를 모형으로 나타낸 것이다.

산소 원자가 전자를 2개 얻어 생성된 이온 모형으로 옳은 것을
| 보기 |에서 골라 기호를 쓰시오.

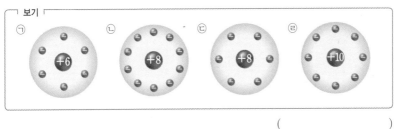

보기

(　　　　　　　　)

답 ㉡

---

1 읽기 전략 　키워드 → 원자 모형, 이온 모형

2 해결 전략 　원자가 이온이 될 때 원자핵의 전하량은 변하지 않는다는 것을 기억하자.

- 원자는 원자핵의 (+)전하량과 전자들의 총 (−)전하량이 크기가 ❶ _____ .
  → 산소 원자의 원자핵의 (+)전하량은 +8이고, 전자는 8개이다.
- 원자가 전자를 얻으면 ❷ _____ 이온이 되고, 원자핵의 (+)전하량은 변하지 않는다.
  → 산소 원자가 전자 2개를 얻으면, 원자핵의 전하량은 +8, 전자는 ❸ _____ 개가 된다.

답 ❶ 같다 ❷ 음 ❸ 10

3 암기 전략

이온의 형성 모형

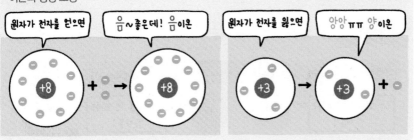

대표 유형 11　양이온과 음이온

표는 이온 (가)~(마)의 원자핵의 전하량과 전자들의 총 전하량을 나타낸 것이다.

이온	원자핵의 전하량	전자들의 총 전하량
(가)	+4	−2
(나)	+5	−6
(다)	+8	−10
(라)	+19	−18
(마)	+20	−18

이에 대한 설명으로 옳은 것은?

① (가)는 전하량이 −2인 음이온이다.
② (나)는 전자를 1개 잃어서 생성된 양이온이다.
③ (다)는 얻은 전자의 개수가 가장 많다.
④ (라)는 칼슘 이온과 전하량이 같다.　→ 전하량이 +2인 양이온
⑤ (마)는 수소 이온과 전하량이 같다.　→ 전하량이 +1인 양이온

답 ③

---

1 읽기 전략　키워드 → 이온, 음이온, 양이온

2 해결 전략　양이온은 원자핵의 (+)전하량이 전자들의 총 (−)전하량보다 크다는 것을 기억하자.

① 자료 분석

이온	전하량 합	이온의 종류
(가)	+2	양이온
(나)	−1	음이온
(다)	−2	❶
(라)	❷	양이온
(마)	+2	양이온

② 선택지 분석

- (가): 전하량이 +2인 양이온이다.
- (나): 전하량이 −1인 음이온으로 전자 1개를 얻어서 생성된다.
- (라): 전하량이 +1인 양이온이므로 칼슘 이온과 전하량이 다르다.
- (마): 전하량이 +2인 양이온이므로 수소 이온과 전하량이 다르다.

답 ❶ 음이온 ❷ +1

---

3 암기 전략

양이온과 음이온

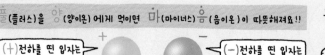

대표 유형 12 이온 모형

그림은 원자핵의 전하량이 +3인 원자와 +8인 원자가 각각 이온이 된 경우를 이온 모형으로 나타낸 것이다.

이에 대한 설명으로 옳은 것을 |보기|에서 모두 고른 것은?

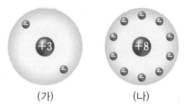

(가)   (나)

┌ 보기 ┐
ㄱ. (가)는 전하량이 +3인 양이온이다.
ㄴ. (나)는 전하량이 −2인 음이온이다.
ㄷ. 원자핵의 전하량은 (가)<(나)이다.
ㄹ. (가)와 (나)는 모두 전기적으로 중성이다.

① ㄱ, ㄴ   ② ㄱ, ㄷ   ③ ㄴ, ㄷ   ④ ㄴ, ㄹ   ⑤ ㄷ, ㄹ

답 ③

---

1 읽기 전략 키워드 → 이온 모형, 양이온, 음이온

2 해결 전략 전자들의 (−)전하량의 합보다 원자핵의 (+)전하량이 더 크면 양이온임을 기억하자.

① 자료 분석
(가) 이온의 전하량 = (+3)+(−2) = ❶ ☐ → 전하량이 +1인 양이온
(나) 이온의 전하량 = (+8)+(−10) = ❷ ☐ → 전하량이 −2인 음이온
② 〈보기〉 분석
ㄱ. (가)는 전하량이 +1인 양이온이다.
ㄹ. (가)는 양이온이고 (나)는 ❸ ☐ 이다.

답 ❶ +1 ❷ −2 ❸ 음이온

3 암기 전략

양이온과 음이온의 형성 모형

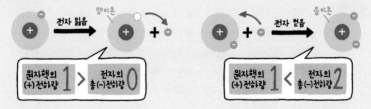

대표 유형 13　이온식

오른쪽은 이온이 되면 전자가 10개가 되는 원자의 원자핵 전하량과 원자가 이온이 되었을 때 이온식을 나타낸 것이다.

이에 대한 설명으로 옳은 것을 |보기|에서 모두 고른 것은?

원자	원자핵 전하량	이온식
O	(가)	O^{2-}
F	+9	(나)
Na	(다)	Na^+
Mg	+12	(라)
Al	+13	(마)

┌ 보기 ┐
ㄱ. (가)는 +8이다.
ㄴ. (나)는 '플루오린 이온'이라고 읽는다.
ㄷ. (다)는 +11이다.
ㄹ. (라)는 전하량이 -2인 음이온이다.
ㅁ. 알루미늄 원자가 (마)가 될 때 원자가 잃은 전자의 개수는 산소 원자가 산화 이온이 될 때 얻은 전자의 개수와 같다.

① ㄱ, ㄷ　　② ㄴ, ㄹ　　③ ㄴ, ㅁ　　④ ㄷ, ㄹ　　⑤ ㄹ, ㅁ

답 ①

1 읽기 전략　① 문제에서 핵심 키워드 찾기

　　이온이 되면 전자가 10개가 되는 원자, 원자핵 전하량, 이온식

② 이온식에 표시된 이온의 전하량을 바탕으로 원자핵 전하량 추론하기
　→ (가)와 (다)에 들어갈 알맞은 값 추론하기
③ 원자핵 전하량을 바탕으로 전자가 10개인 이온의 전하량 추론하기
　→ (나), (라), (마)에 알맞은 이온식 쓰기
④ 이온식 읽는 방법 정리하기
⑤ 원자가 이온이 될 때 잃거나 얻은 전자의 개수 파악하기

2 해결 전략　여러 가지 이온식을 기억하면 문제를 더 쉽게 풀 수 있다는 것을 알아 두자.

① 이온식에 표시된 이온의 전하량을 바탕으로 원자핵의 전하량 추론하기

　　이온의 전하량　＝　원자핵의 (＋)전하량　＋　전자들의 (－)전하량의 합

　• O^{2-}: $-2 = (가)+(-10)$ ➡ (가) = ❶ ☐
　• Na^+: $+1 = (다)+(-10)$ ➡ (다) = $+11$

② 원자핵 전하량을 바탕으로 전자의 개수가 10개인 이온의 전하량 추론하기

(나) 이온의 전하량 $= (+9)+(-10) = -1 \rightarrow$ (나) $= F^-$

(라) 이온의 전하량 $= (+12)+(-10) = +2 \rightarrow$ (라) $=$ ❷

(마) 이온의 전하량 $= (+13)+(-10) = +3 \rightarrow$ (마) $= Al^{3+}$

③ 이온식을 읽는 방법

> 양이온 → 원소의 이름 다음에 '~ 이온'을 붙인다.

> 음이온 → 원소의 이름 다음에 '~ 화 이온'을 붙인다. 단, 원소 이름이 '소'로 끝날 때는 '소'를 빼고 '화'를 붙인다

(나)는 '플루오린화 이온'이라고 읽는다.

④ 양이온이 잃은 전자의 개수와 음이온이 얻은 전자의 개수 비교하기

• 알루미늄 원자가 알루미늄 이온(Al^{3+})이 될 때 잃은 전자의 개수는 ❸ 개이다.

• 산소 원자가 산화 이온(O^{2-})이 될 때 얻은 전자의 개수는 ❹ 개이다.

→ 알루미늄 원자가 (마)가 될 때 잃은 전자의 개수는 산소 원자가 산화 이온(O^{2-})이 될 때 얻는 전자의 개수와 다르다.

> 오답 피하는 법   여러 가지 이온식을 외운다!

양이온			음이온		
이름	이온식	잃은 전자 수	이름	이온식	얻은 전자 수
수소 이온	H^+		플루오린화 이온	F^-	
리튬 이온	Li^+		염화 이온	Cl^-	
나트륨 이온	Na^+	1개	브로민화 이온	Br^-	1개
칼륨 이온	K^+		아이오딘화 이온	I^-	
은 이온	Ag^+		수산화 이온	OH^-	
암모늄 이온	NH_4^+		질산 이온	NO_3^-	
마그네슘 이온	Mg^{2+}		산화 이온	O^{2-}	
칼슘 이온	Ca^{2+}	2개	탄산 이온	CO_3^{2-}	2개
구리 이온	Cu^{2+}		황산 이온	SO_4^{2-}	

답 ❶ $+8$ ❷ Mg^{2+} ❸ 3 ❹ 2

3 암기 전략

전자가 10개인 이온

 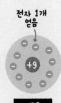  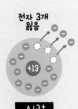

대표 유형 14 　이온의 이동 실험

그림과 같이 질산 칼륨 수용액을 적신 거름종이에 황산 구리(II) 수용액과 과망가니즈산 칼륨 수용액을 중앙에 떨어뜨리고 전류를 흘렸더니 파란색은 (−)극으로 이동하고 보라색은 (+)극으로 이동하였다.

황산 구리(II)
수용액(파란색)

질산 칼륨 수용액을
적신 거름종이

(−)극　　　　　　　　　　　　　　　　(+)극

과망가니즈산 칼륨 수용액(보라색)

이에 대한 설명으로 옳은 것을 | 보기 | 에서 모두 고른 것은?

┌─ 보기 ┌
ㄱ. 파란색 성분은 (+)전하를 띤다.
ㄴ. 보라색 성분은 과망가니즈산 이온이다.
ㄷ. 질산 칼륨 수용액은 전류가 잘 흐르도록 해 준다.
ㄹ. 황산 이온과 칼륨 이온은 (+)극과 (−)극 중 어느 쪽으로도 이동하지 않는다.
ㅁ. (+)극과 (−)극의 위치를 바꾸더라도 파란색 성분과 보라색 성분의 이동 방향은 변하지 않는다.

① ㄱ, ㄴ　　　　　　　② ㄴ, ㄹ　　　　　　　③ ㄷ, ㅁ
④ ㄱ, ㄴ, ㄷ　　　　　⑤ ㄷ, ㄹ, ㅁ

답 ④

1 읽기 전략　① 문제에서 핵심 키워드 찾기

수용액에 전류를 흘려 줌, 파란색은 (−)극으로 이동하고 보라색은 (+)극으로 이동

② (−)극과 (+)극으로 이동하는 물질이 띠고 있는 전하 파악하기
→ 전기적 인력에 의해 (+)전하를 띤 물질은 (−)극으로, (−)전하를 띤 물질은 (+)극으로 이동

③ (−)극과 (+)극으로 이동하는 물질이 어떤 이온인지 추론하기
→ 수용액에 들어 있는 이온 중 (+)전하 또는 (−)전하를 띤 이온 찾기

④ <보기> 분석하기

수용액에 들어 있는 이온의 종류를 파악하자.

① 이온식에 표시된 이온의 전하량을 바탕으로 원자핵 전하량 추론하기

> 전기적 인력에 의해
> - (+)전하를 띤 양이온 → (−)극 쪽으로 이동한다.
> - (−)전하를 띤 음이온 → (+)극 쪽으로 이동한다.

② (−)극과 (+)극으로 이동하는 이온이 무엇인지 추론하기
- 황산 구리(II) 수용액에서 (+)전하를 띤 양이온은 Cu^{2+}이다.
  → (−)극으로 이동하는 파란색 성분은 Cu^{2+}이다.
- 과망가니즈산 칼륨 수용액에서 (−)전하를 띤 음이온은 MnO_4^{-}이다.
  → (+)극으로 이동하는 보라색 성분은 MnO_4^{-}이다.

③ 〈보기〉 분석
ㄱ. 파란색 성분은 (−)극 쪽으로 이동하므로 **❶ [   ]** 전하를 띤다.
ㄴ. 보라색 성분은 (+)극으로 이동하므로 (−)전하를 띠는 음이온이다. 과망가니즈산 칼륨 수용액에서 음이온은 과망가니즈 이온이다.
ㄷ. 질산 칼륨 수용액을 거름종이에 적셨기 때문에 거름종이가 도선의 역할을 한다.
ㄹ. 황산 이온(SO_4^{2-})은 (−)전하를 띠는 음이온이므로 **❷ [   ]** 극 쪽으로 이동하고, 칼륨 이온(K^+)은 (+)전하를 띠는 양이온이므로 **❸ [   ]** 극 쪽으로 이동한다.
ㅁ. (+)극과 (−)극의 위치를 바꾸면 파란색 성분인 **❹ [   ]** 과 보라색 성분인 **❺ [   ]** 의 이동 방향은 반대로 변한다.

오답 피하는 법 물에 녹았을 때 생성되는 이온의 종류와 색깔을 기억하자.

구분	양이온 → (−)극 쪽으로 이동	음이온 → (+)극 쪽으로 이동
질산 칼륨 수용액	K^+(무색)	NO_3^{-}(무색)
황산 구리(II) 수용액	Cu^{2+}(**❻ [ ]**)	SO_4^{2-}(무색)
과망가니즈산 칼륨 수용액	K^+(무색)	MnO_4^{-}(**❻ [ ]**)

답 ❶ (+) **❷** (+) **❸** (−) **❹** Cu^{2+} **❺** MnO_4^{-} **❻** 파란색 **❼** 보라색

3 암기 전략

양이온은 (−)극으로 이동하고, 음이온은 (+)극으로 이동!

> 이온은 자신의 전하와 부호가 반대인 극에 끌려요.

(−)극 ← Cu^{2+} MnO_4^{-} → (+)극

대표 유형 15　　앙금 생성 반응

그림 A~D와 같이 수용액을 각각 떨어뜨린 후 용액의 색깔 변화를 관찰하였다.

이에 대한 설명으로 옳은 것을 |보기|에서 모두 고른 것은?

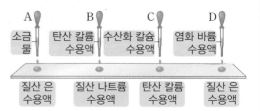

A 소금물	B 탄산 칼륨 수용액	C 수산화 칼슘 수용액	D 염화 바륨 수용액
질산 은 수용액	질산 나트륨 수용액	탄산 칼륨 수용액	질산 은 수용액

┌ 보기 ┌
ㄱ. A~D에서 모두 흰색 앙금이 생성된다.
ㄴ. C에서 칼륨 이온은 앙금 생성 반응에 참여하지 않는다.
ㄷ. A에서 생성되는 앙금과 D에서 생성되는 앙금은 다른 물질이다.
ㄹ. D에서 염화 바륨 수용액 대신 염화 칼륨 수용액을 사용해도 생성되는 앙금의 종류는 같다.

① ㄱ, ㄴ　　② ㄱ, ㄷ　　③ ㄴ, ㄷ　　④ ㄴ, ㄹ　　⑤ ㄷ, ㄹ

답 ④

---

1 읽기 전략　① 문제에서 핵심 키워드 찾기

　　이온, 앙금 생성 반응, 앙금의 종류

② 두 가지 수용액이 만났을 때 앙금 생성 반응이 일어나는지 판단하기
③ 생성되는 앙금의 색깔 기술하기 → 생성된 앙금의 색깔 떠올리기
④ 앙금 생성 반응에 참여하지 않고 용액 속에 남아 있는 이온의 종류 파악하기
⑤ <보기> 분석하기

2 해결 전략　앙금 생성 반응에 참여하는 이온, 생성된 앙금의 종류와 색을 꼭 기억하자.

① 두 가지 수용액이 만났을 때 앙금 생성 반응이 일어나는지 판단하기
　㉠ 양이온과 음이온이 만나 앙금을 생성하는 경우

양이온	음이온	앙금
Ag^+	Cl^-, I^-	$AgCl$(흰색), AgI(노란색)
Ca^{2+}	CO_3^{2-}, SO_4^{2-}	$CaCO_3$(흰색), $CaSO_4$(흰색)
Ba^{2+}		$BaCO_3$(흰색), $BaSO_4$(흰색)
Mg^{2+}	CO_3^{2-}	$MgCO_3$(흰색)
Pb^{2+}	I^-, S^{2-}	PbI_2(노란색), PbS(검은색)
Cu^{2+}, Cd^{2+}, Zn^{2+}	S^{2-}	CuS(검은색), CdS(노란색), ZnS(흰색)

ⓒ 문제 상황에서 앙금 생성 여부 판단하기

구분	양이온	음이온	앙금
A	질산 은 수용액의 Ag^+	소금물의 Cl^-	$AgCl$
B	×	×	×
C	수산화 칼슘 수용액의 Ca^{2+}	탄산 칼륨 수용액의 CO_3^{2-}	$CaCO_3$
D	질산 은 수용액의 Ag^+	염화 바륨 수용액의 Cl^-	❶

② 생성되는 앙금의 종류와 색깔 정리하기

구분	앙금	앙금의 색깔
A	$AgCl$	흰색
B	×	×
C	$CaCO_3$	흰색
D	$AgCl$	❷

③ 앙금 생성 반응에 참여하지 않은 이온의 종류 파악하기

구분	양이온	음이온
A	Na^+	NO_3^-
B	K^+, Na^+	CO_3^{2-}, NO_3^-
C	❸	OH^-
D	Ba^{2+}	NO_3^-

④ 〈보기〉 분석

ㄱ. A~D 중 A, C, D에서만 흰색 앙금이 생성된다.

ㄷ. A에서 생성되는 앙금과 D에서 생성되는 앙금은 흰색의 염화 은($AgCl$)으로 같다.

ㄹ. D에서 염화 바륨($BaCl_2$) 수용액 대신 염화 칼륨(KCl) 수용액을 사용해도 생성되는 앙금의 종류는 같다. D에서는 염화 바륨 대신 염화 칼륨 수용액을 사용해도 염화 이온(Cl^-)이 반응에 참여하여 ❹ 앙금이 생성된다.

답 ❶ $AgCl$ ❷ 흰색 ❸ K^+ ❹ $AgCl$

3 암기 전략

흰색을 띠는 앙금-염화 은($AgCl$), 탄산 칼슘($CaCO_3$)

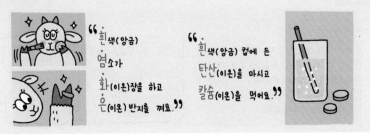

"흰색(앙금) 염소가 화(이온)장을 하고 은(이온) 반지를 껴요."

"흰색(앙금) 컵에 든 탄산(이온)을 마시고 칼슘(이온)을 먹어요."

대표 유형 16 앙금 생성 반응 모형

그림은 아이오딘화 칼륨 수용액과 질산 납 수용액의 반응을 모형으로 나타낸 것이다.

이에 대한 설명으로 옳은 것을 |보기|에서 모두 고른 것은?

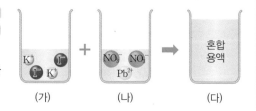

(가)   (나)   (다)

┌ 보기 ┌
ㄱ. (가)에 전류를 흘려 주면 전류가 흐른다.
ㄴ. (다)에 들어 있는 앙금은 노란색이다.
ㄷ. (다)에 전류를 흘려 주면 전류가 흐르지 않는다.
ㄹ. (다)에서 양이온과 음이온이 1 : 1의 개수비로 결합하여 앙금이 생성된다.

① ㄱ, ㄴ   ② ㄱ, ㄷ   ③ ㄴ, ㄷ   ④ ㄴ, ㄹ   ⑤ ㄷ, ㄹ

답 ①

---

1 읽기 전략 키워드 → **앙금 생성 반응 모형, 전류, 앙금**

2 해결 전략 아이오딘화 칼륨 수용액과 질산 납 수용액을 혼합할 때 생성되는 앙금을 알아 두자.

① 생성되는 앙금의 화학식 쓰기
$Pb^{2+} + 2I^- \rightarrow PbI_2$ → 양이온과 음이온이 1:2의 개수비로 결합, 노란색 앙금
② 혼합 용액에 들어 있는 이온의 이온식 쓰기
K^+와 ❶ [   ]은 앙금 생성 반응에 참여하지 않으므로 용액에 이온 상태로 들어 있다.
③ 이온이 들어 있는 용액에서는 전류가 흐를 수 있음을 이해하기
용액 (가)와 (다)에는 ❷ [   ]이 들어 있다. → 전류가 흐른다.

답 ❶ NO_3^- ❷ 이온

3 암기 전략

앙금 생성 반응 모형

아이오딘화 칼륨(KI) 수용액과 질산 납(Pb(NO₃)₂) 수용액을 혼합하면 노란색 PbI₂ 앙금이 생성되고, K⁺과 NO₃⁻은 반응에 참여하지 않고 남아 있다.

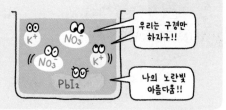

대표 유형 17 **앙금 생성 반응에서 이온 수의 변화**

그래프는 질산 은 수용액이 들어 있는 비커에 염화 나트륨 수용액을 조금씩 떨어뜨릴 때 혼합 용액 속의 이온 수 변화를 나타낸 것이다.

A~D에 해당하는 이온을 옳게 짝 지은 것은?

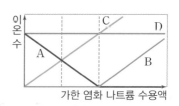

	A	B	C	D
①	NO_3^-	Ag^+	Cl^-	Na^+
②	NO_3^-	Cl^-	Ag^+	Na^+
③	Ag^+	Na^+	NO_3^-	Cl^-
④	Ag^+	Cl^-	Na^+	NO_3^-
⑤	Na^+	NO_3^-	Ag^+	Cl^-

답 ④

1 읽기 전략 키워드 → 혼합 용액 속의 이온 수 변화

2 해결 전략 먼저 생성되는 앙금이 무엇인지 파악하자.

① 앙금 생성 반응의 화학 반응식 세우기

$$Ag^+ + Cl^- \rightarrow AgCl$$

② 넣어 준 염화 나트륨 수용액의 양에 따른 이온 수 변화 예측하기

• 가한 염화 나트륨 수용액의 양이 0일 때 이온 수가 0인 것은 염화 이온과 **❶** 이온이다. 염화 나트륨 수용액의 양이 증가할수록 반응에 참여하지 않는 나트륨 이온의 양은 증가한다. 용액에 처음부터 있던 이온 중 반응에 참여하는 **❷** 이온의 양은 점점 감소한다.

답 ❶ 나트륨 ❷ 은

3 암기 전략

일정한 양의 염화 나트륨 수용액에 질산 은 수용액을 조금씩 넣어 줄 때 이온 수의 변화

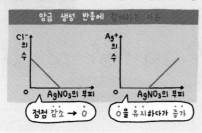

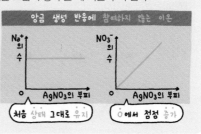

대표 유형 18 **마찰 전기의 발생**

그림은 **털가죽으로 고무풍선을 문질렀을** 때의 **전하** 분포를 나타낸 것이다.

이에 대한 설명으로 옳은 것을 |보기|에서 모두 고른 것은?

┌ 보기 ┐
ㄱ. **전자**는 털가죽에서 고무풍선으로 이동한다.
ㄴ. 마찰 후 털가죽은 (＋)전하, 고무풍선은 (－)전하를 띤다.
ㄷ. 털가죽과 고무풍선 사이에는 **밀어내는 힘**이 작용한다.

① ㄱ　　② ㄴ　　③ ㄱ, ㄴ　　④ ㄴ, ㄷ　　⑤ ㄱ, ㄴ, ㄷ

답 ③

1 읽기 전략　키워드 → 전하, 전자, 마찰, 밀어내는 힘

2 해결 전략　마찰 전기의 발생 과정을 이해하자.

① 털가죽으로 고무풍선을 문지르면 털가죽에서 고무풍선으로 **❶**　가 이동한다.
② 털가죽은 전자를 잃었으므로 **❷**　전하를 띠고, 고무풍선은 전자를 얻었기 때문에 **❸**　전하를 띤다.
③ 마찰 후 털가죽과 고무풍선은 서로 다른 전하를 띠기 때문에 인력이 작용하여 서로 당긴다.

답 ❶ 전자 ❷ (＋) ❸ (－)

3 암기 전략

대전되는 과정_전자 이동

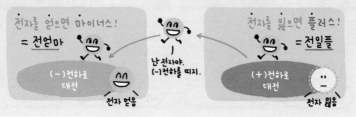

대표 유형 19 전하를 띤 물체 사이에 작용하는 힘

그림은 털가죽으로 문지른 고무풍선 A와 비닐로 문지른 고무풍선 B를 가까이했을 때 나타나는 모습이다.

이에 대한 설명으로 옳은 것을 | 보기 | 에서 모두 고른 것은?

┌ 보기 ┐
ㄱ. 고무풍선 A와 B는 서로 다른 전하로 대전되었다.
ㄴ. 고무풍선 A와 B 사이에는 전기적 인력이 작용한다.
ㄷ. 고무풍선 A가 B를 당기는 힘과 B가 A를 당기는 힘의 크기는 같다.

① ㄱ   ② ㄷ   ③ ㄱ, ㄷ   ④ ㄴ, ㄷ   ⑤ ㄱ, ㄴ, ㄷ

답 ⑤

---

1 읽기 전략 키워드 → 대전, 전기적 인력, 힘의 크기

2 해결 전략 마찰 전기의 발생과 전기력을 이해하자.

① 고무풍선 A와 B가 서로 당기고 있으므로 A와 B는 전기적으로 서로 **①** 전하를 띠고 있다.

② 털가죽으로 문지른 고무풍선과 비닐로 문지는 고무풍선은 서로 다른 전하로 대전된다.

③ 서로 다른 전하 사이에는 **②** 이 작용한다. A가 B를 당기는 힘은 B가 A를 당기는 힘과 크기가 같다.

답 ❶ 다른 ❷ 인력

3 암기 전략
전기력의 종류

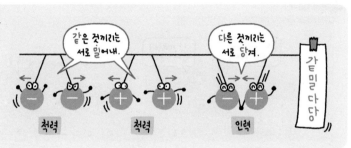

대표 유형 20　금속 막대에서 정전기 유도

그림과 같이 전하를 띠지 않은 금속 막대에 (ㅡ)대전체를 가까이하였다.

A 금속 막대　B　(ㅡ)대전체

이에 대한 설명으로 옳은 것을 | 보기 | 에서 모두 고른 것은?

┌ 보기 ┌
ㄱ. 전자는 A에서 B로 이동한다.
ㄴ. A 쪽은 (ㅡ)전하, B 쪽은 (＋)전하를 띤다.
ㄷ. 대전체와 금속 막대 사이에는 끌어당기는 힘이 작용한다.

① ㄱ　② ㄴ　③ ㄱ, ㄷ　④ ㄴ, ㄷ　⑤ ㄱ, ㄴ, ㄷ

답 ④

1 읽기 전략 키워드 → 전하, 금속 막대, 대전체, 전자, 끌어당기는 힘

2 해결 전략 금속에서 정전기 유도를 전자의 이동 방향으로 확인하자.

금속　대전체

① 대전체의 (ㅡ)전하에 의해 금속의 전자가 대전체에서 **❶　　** 쪽으로 이동한다.
② 대전체에서 먼 쪽은 대전체와 같은 전하를, 대전체와 가까운 쪽은 대전체와 다른 전하를 띤다.
③ 대전체와 금속 사이에 인력이 작용하여 금속이 대전체 쪽으로 **❷　　**.

답 ❶ 먼 ❷ 끌려온다

3 암기 전략

대전체와 금속 사이에는 항상 당기는 힘

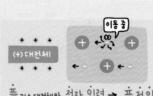

대표 유형 21 ## 알루미늄 공에서 정전기 유도

그림과 같이 알루미늄 공을 실에 매달고 (−)전하로 대전된 빨대를 가까이하였다. 이때 알루미늄 공이 빨대에 끌려오는 과정을 순서와 상관없이 |**보기**|와 같이 나타내었다.

(−)전하를
띤 빨대

┌ 보기 ┐
(가) 알루미늄 공이 빨대에 끌려온다.
(나) 알루미늄 공의 전자가 빨대에서 먼 쪽으로 밀려난다.
(다) (−)전하를 띠는 빨대와 알루미늄 공의 전자 사이에 전기력이 작용한다.
(라) 알루미늄 공에서 빨대에 가까운 쪽은 (+)전하를 띠고, 먼 쪽은 (−)전하를 띤다.

알루미늄 공이 빨대에 끌려오는 과정을 순서대로 옳게 나열하시오.

답 (다)─(나)─(라)─(가)

---

1 읽기 전략　키워드 → (−)전하, 대전, 전자, 전기력

2 해결 전략　정전기 유도가 일어나는 과정을 이해하자.

(−)전하를
띤 빨대

① 알루미늄과 같은 금속에는 ❶　　　가 많이 있다.
② 알루미늄 공에 대전체를 가까이하면 알루미늄 공 내부의 전자들이 대전체의 전하로부터 전기력을 받아 이동한다.
③ 알루미늄 공의 양쪽 끝은 대전체가 띠는 전하의 종류에 따라 서로 다른 종류의 전하가 유도된다.
④ 대전체에 가까운 쪽은 대전체와 ❷　　　전하가 유도되므로 알루미늄 공은 대전체 쪽으로 끌려온다.

답 ❶ 전자 ❷ 다른

3 암기 전략
금속 구에서의 정전기 유도

"대전체와 가까운 쪽은
대전체와 반대 전하!"

"대전체와 먼 쪽은
대전체와 같은 전하!"

대표 유형 22   검전기

그림과 같이 검전기는 금속판에 달린 금속 막대를 유리병에 넣어 만든 것으로, 금속 막대 끝에 얇고 가벼운 금속박이 두 장 붙어 있는 구조로 되어 있다.

이와 같은 검전기로 알 수 있는 것을 |보기|에서 모두 고른 것은?

금속판

금속 막대

금속박

┌─ 보기 ┐
ㄱ. 물체의 대전 유무
ㄴ. 대전체가 띠는 전하의 양
ㄷ. 대전체가 띠는 전하의 종류

① ㄱ   ② ㄴ   ③ ㄱ, ㄷ   ④ ㄴ, ㄷ   ⑤ ㄱ, ㄴ, ㄷ

답 ⑤

---

1 읽기 전략   키워드 → 검전기, 금속판, 금속박

2 해결 전략   검전기의 구조와 사용법을 익혀 두자.

① 물체의 대전 유무
검전기에 가까이 하는 물체가 (−)전하나 (+)전하로 대전되었다면 검전기 금속박이 ❶_____.

② 대전체가 띠는 전하의 양
금속박이 벌어진 정도로 대전체가 띠는 ❷_____을 비교할 수 있다.

③ 전하의 종류
한 종류의 전하로 대전된 검전기를 이용하면 대전체가 띠는 전하의 종류를 알 수 있다.

전하의 양이 많다.   전하의 양이 적다.

답 ❶ 벌어진다 ❷ 전하의 양

3 암기 전략

검전기 이용

①대전된 물체

②전하의 양이 많은 물체

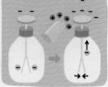
③다른 전하로 대전된 물체

대표 유형 23   검전기에 대전체를 가까이할 때

그림은 대전되지 않은 <u>검전기의 금속판</u>에 (+)전하를 띤 유리 막대를 가까이할 때의 모습을 나타낸 것이다.

금속판

(+) 대전체

금속박

검전기 내에서의 **전자의 이동 방향** 및 금속판과 금속박이 띠는 전하의 종류를 옳게 짝 지은 것은?

	전자의 이동 방향	금속판	금속박
①	금속판 → 금속박	(+)전하	(−)전하
②	금속판 → 금속박	(−)전하	(+)전하
③	금속박 → 금속판	(+)전하	(−)전하
④	금속박 → 금속판	(−)전하	(+)전하
⑤	금속박 → 금속판	(−)전하	(−)전하

답 ④

---

1 읽기 전략   키워드 → **검전기, 전자의 이동 방향**

2 해결 전략   검전기에 (−) 또는 (+)대전체를 가까이할 때 나타나는 현상을 이해하자.

(+) 대전체

① 전자 이동
대전체와 ❶ [   ]의 전자 사이에 인력이 작용하므로 금속박의 전자가 금속판 쪽으로 이동한다.

② 검전기에서 정전기 유도
검전기의 금속판은 전자를 얻어 ❷ [   ]전하를 띠고, 금속박은 전자를 잃어 ❸ [   ]전하를 띠게 된다. 두 가닥의 금속박은 벌어진다.

답 ❶ 금속판 ❷ (−) ❸ (+)

3 암기 전략

검전기에서의 정전기 유도

(+)대전체 접근:
금속박의 전자가
금속판 쪽으로 이동

"플대박
전자 판"

"마대판
전자 박"

(−)대전체 접근:
금속판의 전자가
금속박 쪽으로 이동

대표 유형 24 **전자의 이동과 전류의 방향**

그림은 전기 회로의 도선 속에서 전자의 움직임을 나타낸 것이다.

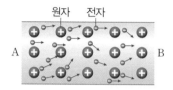

도선에 흐르는 전류의 방향과 A, B에 연결된 전지의 극을 옳게 짝 지은 것은?

	전류의 방향	A에 연결된 전지의 극	B에 연결된 전지의 극
①	A → B	(+)극	(+)극
②	A → B	(−)극	(+)극
③	B → A	(+)극	(−)극
④	B → A	(−)극	(+)극
⑤	전류가 흐르지 않는다.	전지에 연결되어 있지 않다.	

답 ④

1 읽기 전략   키워드 → 전기 회로, 전자, 전류의 방향, 전지의 극

2 해결 전략   전자의 이동 방향과 전류의 방향이 다름을 이해하자.

① 전자는 전지의 (−)극에서 (+)극 쪽으로 이동한다.
② 전류는 전지의 **❶**[   ]극에서 **❷**[   ]극으로 흐른다.
③ 전류의 방향과 전자의 이동 방향은 서로 **❸**[   ]이다.

답 ❶ (+) ❷ (−) ❸ 반대

3 암기 전략

전선에서 전류의 흐름

전류는 (+)에서 (−)로!
➡ 류플마 !!

전자는 (−)에서 (+)로!
➡ 자마플 !!

대표 유형 25　　**전압과 전류의 관계 그래프**

저항이 일정한 니크롬선에 걸리는 전압(V)과 전류(I)의 세기의 관계를 나타낸 그래프로 옳은 것은?

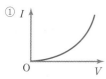

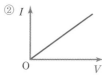

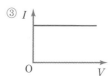

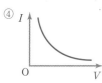

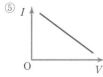

답 ②

1 읽기 전략　　키워드 → 저항, 전압, 전류의 세기

2 해결 전략　　옴의 법칙에서 전압, 전류, 저항의 관계 그래프를 알아 두자.

① 니크롬선에 걸리는 전압을 2배, 3배로 높이면 니크롬선에 흐르는 전류의 세기도 2배, 3배로 증가한다.

② 회로에 흐르는 전류의 세기는 전압에 **①**　한다.

③ 옴의 법칙: 회로에 흐르는 전류의 세기는 전압에 비례하고 저항에 **②**　한다.

답 ① 비례 ② 반비례

3 암기 전략

전압 – 전류 그래프

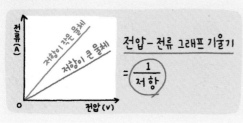

전압 – 전류 그래프 기울기 $= \dfrac{1}{저항}$

전류는 저항에 반비례하므로 기울기가 클수록 저항이 작은 거야.

대표 유형 26　　전압과 전류의 관계

그림과 같이 전기 회로를 구성하고 니크롬선에 걸리는 전압을 변화하면서 전류의 세기를 측정하였더니, 표와 같은 결과를 얻었다.

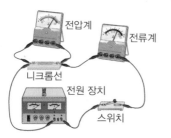

전압(V)	전류의 세기(A)
0	0
1.5	1.0
3.0	2.0
4.5	3.0

이에 대한 설명으로 옳은 것을 |보기|에서 모두 고르시오.

┌─ 보기 ┌
ㄱ. 니크롬선의 저항의 크기는 1.5 Ω이다.
ㄴ. 저항이 일정할 때 전류의 세기는 전압에 비례한다.
ㄷ. 9 V의 전압이 걸리면 니크롬선에는 4.5 A의 전류가 흐른다.

답 ㄱ, ㄴ

1 읽기 전략　　키워드 → 전압, 전류, 저항

2 해결 전략　　전류와 전압의 관계는 옴의 법칙을 이용하자.

・저항=$\dfrac{전압}{전류}=\dfrac{1.5\ V}{1.0\ A}=$ ❶ [　　] Ω

・표로부터 전압이 2배, 3배가 되면 전류도 2배, 3배가 되므로 전류의 세기는 전압에 비례한다.

・전압이 4.5 V일 때 회로에 흐르는 전류는 3.0 A이므로 9.0 V가 되면 회로에 흐르는 전류는 ❷ [　　] A가 된다.

답 ❶ 1.5　❷ 6.0

3 암기 전략
옴의 법칙

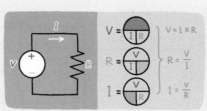

어떤 회로에서 1볼트의 전압이 걸렸을 때 전류가 1 암페어 흘렀다면 저항은 1옴이야.

대표 유형 27　　**전구의 직렬연결**

그림과 같이 동시에 반짝이는 장식용 전구늘이 있나.

장식용 전구들의 연결에 대한 설명으로 옳은 것을 |보기|에서 모두 고른 것은?

> **보기**
> ㄱ. 모든 전구들은 직렬연결되어 있다.
> ㄴ. 각 전구에 흐르는 전류의 세기는 같다.
> ㄷ. 하나의 전구가 고장 나더라도 다른 전구에는 영향을 미치지 않는다.

① ㄱ　　　② ㄷ　　　③ ㄱ, ㄴ　　　④ ㄴ, ㄷ　　　⑤ ㄱ, ㄴ, ㄷ

답 ③

---

1 읽기 전략　키워드 → **직렬연결, 전류의 세기**

2 해결 전략　저항의 직렬연결의 특징을 이해하자.

전류가 흐르는 길이 하나

• 크리스마스트리에 사용하는 장식용 전구들은 주로 직렬로 연결되어 있으므로 각 전구에 흐르는 전류의 세기는 **❶** .

• 전구 한 개의 전선이 끊어지면 회로 전체에 **❷** 가 흐르지 않기 때문에 모든 전구의 불이 꺼진다.

답 ❶ 같다 ❷ 전류

3 암기 전략

저항의 직렬연결

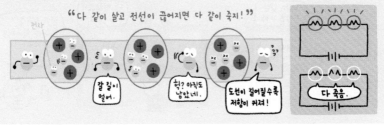

대표 유형 28 **가정용 전기 기구의 연결**

그림은 가정에 들어오는 전선에 전기 기구들이 연결된 모습을 나타낸 것이다.

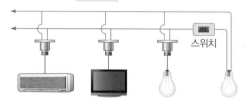

스위치

이에 대한 설명으로 옳은 것을 | 보기 | 에서 모두 고른 것은?

┌ 보기 ┐
ㄱ. 전기 기구에 흐르는 전류의 세기는 모두 같다.
ㄴ. 가정에서 사용하는 전기 기구는 모두 병렬연결되어 있다.
ㄷ. 연결하는 전기 기구의 개수가 많아질수록 전체 전압은 커진다.
ㄹ. 연결된 여러 전기 기구 중 한 개가 고장 나도 나머지 전기 기구는 작동한다.

① ㄱ, ㄴ　　　② ㄱ, ㄷ　　　③ ㄱ, ㄹ　　　④ ㄴ, ㄹ　　　⑤ ㄷ, ㄹ

답 ④

---

1 읽기 전략 키워드 → 전기 기구, 전류의 세기, 병렬연결, 전체 전압

2 해결 전략 가정용 전기 기구는 병렬연결한다. 경험을 바탕으로 병렬연결의 특징을 알아 두자.

• 가정용 전기 기구는 모두 병렬연결하므로 걸리는 ❶　　　은 같다.
• 연결하는 전기 기구의 수가 많아질수록 회로에 흐르는 전체 전류의 세기는 ❷　　　.

답 ❶ 전압 ❷ 커진다

3 암기 전략

저항의 병렬연결

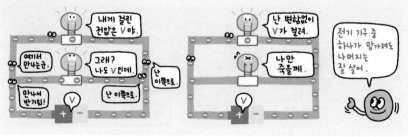

대표 유형 29   직선 도선 주위에 생기는 자기장

그림은 전류가 흐르는 직선 도선 주위에 나침반을 놓았
을 때 자침이 늘어선 모양을 나타낸 것이다.

이에 대한 설명으로 옳은 것을 |보기|에서 모두 고른 것은?

┌─ 보기
│ ㄱ. 자기장의 방향은 도선을 중심으로 시계 방향이다.
│ ㄴ. 직선 도선 주위에는 동심원 모양의 자기장이 생긴다.
│ ㄷ. 도선에 흐르는 전류의 방향에 따라 자기장의 방향이 달라진다.

① ㄱ   ② ㄴ   ③ ㄷ   ④ ㄱ, ㄴ   ⑤ ㄴ, ㄷ

답 ⑤

1 읽기 전략   키워드 → 직선 도선, 나침반, 자침, 시계 방향, 동심원, 자기장

2 해결 전략   직선 도선 주위에 생기는 자기장의 모양과 방향을 이해하자.

• 직선 도선 주위에는 도선을 중심으로 ❶ [　　　] 모양의 자기장이 생긴다.
• 오른손의 엄지손가락을 전류의 방향으로 할 때 네 손가락이 감기는 방향이 자기장의 방향이다.
• 전류의 방향을 반대로 바꾸면 전류 주위의 자기장의 방향도 ❷ [　　　]로 바뀐다.

답 ❶ 동심원 ❷ 반대

3 암기 전략

직선 도선 주위의 자기장

전류: 아래에서 위로, 자기장: 반시계 방향

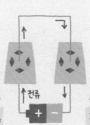

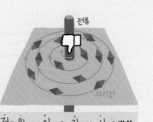

전류: 위에서 아래로, 자기장: 시계 방향

대표 유형 30 　직선 도선 주위의 자기장 방향

그림 (가)는 **직선 도선** 위에 **나침반을** 놓은 것이고, (나)는 직선 도선 아래에 **나침반을**
놓고 화살표 방향으로 **전류를** 흘려 주었다.

(가)와 (나)에서 **자침의 N극이** 가리키는 방향을 각각 쓰시오. (단, 지구 자기장은 무시한다.)

• (가): (　　　　), (나): (　　　　)

🖉 (가) 동쪽, (나) 동쪽

1 읽기 전략 　키워드 → 직선 도선, 나침반, 전류, 자침의 N극

2 해결 전략 　직선 도선 주위에 생기는 자기장의 방향에 영향을 주는 요인을 알아 두자.

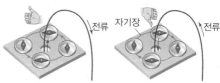

오른손의 엄지손가락을 전류의 방향으로
하고 도선을 감아쥘 때 네 손가락이 감기　→
는 방향이 　❶　의 방향이다.

전류의 방향이 반대로 바뀌면 자기장의
방향도 　❷　 바뀐다.

🖉 ❶ 자기장 ❷ 반대로

3 암기 전략

직선 도선 주위의 자기장 방향 찾기

대표 유형 31 **코일 주위에 놓은 나침반 자침의 방향**

그림과 같이 코일 주위에 나침반을 놓고 화살표 방향으로 전류를 흘려 주었다.

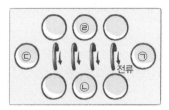

㉠~㉣에 놓은 나침반 자침의 N극이 가리키는 방향을 화살표로 옳게 짝 지은 것은?

	㉠	㉡	㉢	㉣
①	←	→	←	→
②	→	←	→	←
③	→	→	→	←
④	←	←	←	←
⑤	→	←	←	→

답 ②

1 읽기 전략 키워드 → 코일, 자침의 N극이 가리키는 방향

2 해결 전략 오른손을 이용하여 코일 주위의 자기장 방향을 알아내자.

• 코일 주위에 생기는 자기장의 방향은 ❶ [   ] 주위의 자기장의 모습처럼 자석의 N극에서 S극으로 들어가는 방향이다.

• 오른손의 네 손가락을 전류의 방향으로 코일을 감아쥘 때 엄지손가락이 향하는 방향이 ❷ [   ]의 방향이다.

답 ❶ 막대자석 ❷ 자기장

3 암기 전략

코일 주위의 자기장 방향 찾기

오른손을 펴고 엄지를 네 손가락과 직각되게 펴.

네 손가락을 전류의 방향으로 내려쥐게 하면 엄지는 자기장의 N극 방향이야.

자기장의 방향은 자석의 N극에서 나와 S극으로 들어가.

대표 유형 32 **코일 주위의 자기장 모습**

그림은 전류가 흐르는 코일 주변에 놓은 나침반의 자침과 철가루가 배열된 모습을 나타낸 것이다.

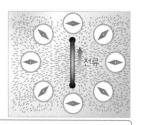

이에 대한 설명으로 옳은 것을 |보기|에서 모두 고른 것은?

┌─ 보기 ┌─
ㄱ. 전류가 흐르는 코일 주위에는 자기장이 생긴다.
ㄴ. 나침반 자침의 N극이 가리키는 방향이 자기장의 방향이다.
ㄷ. 코일 주위에 생기는 자기장의 모습은 막대자석 주위의 자기장 모습과 비슷하다.

① ㄱ   ② ㄴ   ③ ㄱ, ㄷ   ④ ㄴ, ㄷ   ⑤ ㄱ, ㄴ, ㄷ

답 ⑤

1 읽기 전략 키워드 → **코일, 철가루, 자기장, 막대자석**

2 해결 전략 코일 주위에 생기는 자기장의 모습과 방향을 이해하자.

① 전류가 흐르는 코일 주위에는 **❶** 이 생긴다.
② 코일 주위에 생기는 자기장의 모습은 막대자석 주위에 생기는 자기장의 모습과 비슷하다.
③ 자기장의 방향은 막대자석 주위에 나침반을 놓았을 때 나침반 자침의 **❷** 극이 가리키는 방향이다.

답 ❶ 자기장 ❷ N

3 암기 전략

코일 안쪽에서의 자기장 방향

코일 속에 마치 막대자석이 들어 있는 것처럼 자기장이 생겼어.

"전류가 아래에서 위로, 자기장 왼쪽"

전류의 방향이 바뀌면 자기장의 방향도 바뀌네.

"전류가 위에서 아래로, 자기장 오른쪽"

대표 유형 33　코일 주위의 자기장

그림과 같이 전류가 흐르는 코일의 오른쪽에 나침반을 놓았더니 나침반 자침의 N극이 서쪽을 가리켰다.

코일에 흐르는 전류의 방향과 코일의 왼쪽 A 지점에 놓은 나침반 자침의 N극이 가리키는 방향, 자기장의 세기가 가장 센 곳을 각각 쓰시오.

(1) ㉠, ㉡ 중 코일에 흐르는 전류의 방향: (　　　)
(2) A 지점에 놓은 나침반 자침의 N극이 가리키는 방향: (　　　)
(3) A, B, C 중 자기장의 세기가 가장 센 곳: (　　　)

답 (1) ㉠ (2) 서쪽 (3) C

---

1 읽기 전략　키워드 → **코일, 나침반 자침, 전류의 방향, 자기장의 세기**

2 해결 전략　코일 주위에 생기는 자기장의 방향에 영향을 미치는 요인을 알아 두자.

코일 주위에는 코일의 한쪽에서 나와 다른 쪽으로 들어가는 모양의 **❶**　　　이 생긴다.

↓

자기장의 방향은 오른손의 네 손가락을 **❷**　　　의 방향으로 감아질 때 엄지손가락이 가리키는 방향이다. 코일 안쪽은 자기장이 거의 균일하고 자기장의 세기가 주위보다 강하다.

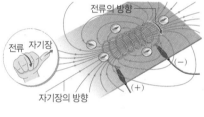

답 ❶ 자기장 **❷** 전류

3 암기 전략
코일에 의한 자기장의 세기

직선 전류에 의한 자기장　+　원형 전류에 의한 자기장　=　코일에 의한 자기장

코일 내부는 자기력선이 촘촘하여 코일 바깥보다 자기장의 세기가 커!!

대표 유형 34 **자기장에서 코일이 받는 힘**

다음은 자기장 안에서 전류가 흐르는 코일이 받는 힘을 알아보는 실험이다.

> | 실험 과정 |
> (가) 전기 그네의 양쪽 단자를 전원 장치에 연결한다.
> (나) 전원 장치를 켜고 전기 그네가 어느 방향으로 움직이는지 관찰한다.
> (다) 전류의 방향을 바꾸어 전기 그네가 움직이는 방향을 관찰한다.
> (라) 말굽자석의 N극과 S극 위치를 바꾼 후 전기 그네가 움직이는 방향을 관찰한다.
>
> | 실험 결과 |

전기 그네

(−) (+)

전기 그네가 움직이는 방향	과정 (나)	과정 (다)	과정 (라)
	말굽자석 안쪽	말굽자석 바깥쪽	말굽자석 바깥쪽

이 실험 결과에 대한 설명으로 옳은 것을 | 보기 |에서 모두 고른 것은?

> 보기
> ㄱ. 자기장 속에서 전류가 흐르는 코일은 힘을 받는다.
> ㄴ. 코일이 받는 힘의 방향은 전류의 방향과 자기장의 방향에 따라 달라진다.
> ㄷ. 전류의 방향과 자기장의 방향을 모두 바꾸면 코일은 말굽자석 바깥쪽으로 움직인다.

① ㄱ   ② ㄷ   ③ ㄱ, ㄴ   ④ ㄴ, ㄷ   ⑤ ㄱ, ㄴ, ㄷ

답 ③

---

1 읽기 전략 키워드 → 자기장, 코일, 힘, 전류의 방향, 말굽자석의 N극, S극

① 실험 설계의 자료 분석 문항의 변인 통제 찾기
• 조건: 전류의 방향을 바꾼다. →
 코일에 흐르는 전류의 방향이 바뀐다.
• 조건: 자석의 N극과 S극의 위치를 바꾼다. →
 자기장의 방향이 바뀐다.
② 자기장 속에 놓여 있는 코일에 전류가 흐르면 코일은 힘을 받아 움직인다.

변인 통제

실험 결과를 분석하여 답을 찾아야 하는 경우 필수

① 자기장에서 코일이 받는 힘의 방향

• 자기장 속에 놓여 있는 코일에 **❶ [   ]** 가 흐르면 코일은 힘을 받는다.
• 힘이 작용하는 방향은 오른손의 네 손가락을 **❷ [   ]** 방향으로 향하게 펴고, 엄지손가락을 전류의 방향으로 향하게 하였을 때 손바닥이 향하는 방향이다.

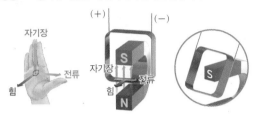

② 전류의 방향과 자기장의 방향을 바꿀 때

구분	전류의 방향을 바꿀 때	자기장의 방향을 바꿀 때	전류와 자기장의 방향을 모두 바꿀 때
움직이는 방향			

• 전류의 방향이 바뀔 때 코일이 움직이는 방향이 바뀌지 않는다고 생각하면
 → 오른손에서 전류의 방향을 잘못한 것이니 다시 한 번 오른손의 엄지손가락 방향 점검
• 자기장의 방향이 바뀔 때 코일이 움직이는 방향이 바뀌지 않는다고 생각하면
 → 오른손에서 자기장의 방향을 잘못한 것이니 다시 한 번 오른손의 네 손가락 방향 점검

답 ❶ 전류 **❷** 자기장

3 암기 전략

오른손을 이용하여 전류가 받는 힘의 방향 찾기

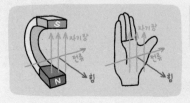

오른손으로 자기장 안에서
전류가 받는 힘의 방향 찾기
= F B I

┌ 전류(I): 엄지 손가락
├ 자기장(B): 네 손가락
└ 힘(F): 손바닥

대표 유형 35　　자기장에서 도선이 받는 힘

그림과 같이 말굽자석의 두 극 사이에 놓여 있는 도선에 전류가 흐르면 도선은 힘을 받아 움직인다. 이때 도선에 연결된 전지의 극을 반대로 하거나 자석의 극을 바꾸면 도선이 움직이는 방향은 바뀐다.

도선이 힘을 받아 움직이는 방향을 A~D에서 찾아 쓰시오.

(1) 도선이 움직이는 방향: (　　　　)

(2) 전지의 극을 반대로 했을 때 도선이 움직이는 방향: (　　　　)

(3) 자석의 극을 바꾸었을 때 도선이 움직이는 방향: (　　　　)

답 (1) C (2) A (3) A

---

1 읽기 전략　키워드 → **전류, 힘, 전지의 극, 자석의 극,**

2 해결 전략　오른손을 이용해 전류가 받는 힘의 방향을 찾는 방법을 꼭 알아 두자.

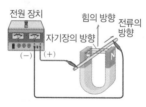

오른손의 네 손가락을 자기장의 방향으로 펴고 엄지손가락을 전류의 방향으로 향하게 할 때 손바닥이 향하는 방향이 힘의 방향이다.

도선에 흐르는 **❶**　　　의 방향이나 **❷**　　　의 방향에 따라 도선이 받는 힘의 방향도 달라진다.

답 ❶ 전류 ❷ 자기장

3 암기 전략

자기장 속에서 전류가 힘을 받는 까닭

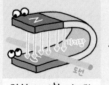

자석에 의한 자기장

+

전류에 의한 자기장

=

힘 발생!!

대표 유형 36 **전동기의 회전 원리**

그림과 같이 **자기장** 속에 도선을 넣고 화살표 방향으로 **전류**를 흐르게 하였다.

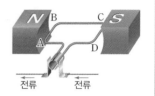

이에 대한 설명으로 옳은 것을 |보기|에서 모두 고른 것은?

┌─ 보기 ─────────────────────────────────────
│ ㄱ. 도선 AB은 아래로 **힘**을 받는다.   ㄴ. 도선 BC는 **힘**을 받지 않는다.
│ ㄷ. 도선 CD는 위로 **힘**을 받는다.   ㄹ. 도선은 **시계 방향**으로 **회전한다.**
└──

① ㄱ, ㄴ   ② ㄱ, ㄷ   ③ ㄱ, ㄹ   ④ ㄴ, ㄹ   ⑤ ㄷ, ㄹ

답 ④

1 읽기 전략 키워드 → **자기장, 전류, 힘, 시계 방향, 회전**

2 해결 전략 전동기의 회전 원리를 이해하자.

자기장 속에 도선을 넣고 전류를 흐르게 하면 도선은 힘을 받아 **❶ [   ]** 한다.

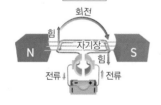

→

• 오른손을 이용하여 전류가 자기장에서 받는 힘의 **❷ [ ]** 을 찾는다.
• 전류의 방향과 자기장의 방향이 나란하면 도선은 힘을 받지 않는다. 따라서 도선 BC는 힘을 받지 않는다.

답 ❶ 회전 ❷ 방향

3 암기 전략

전동기

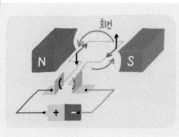

〈 전동기의 회전 〉
자기장 내에서 마주 보는 두 도선에 흐르는 전류가 서로 **반대**
➡ 작용하는 **힘**이 서로 **반대**
➡ 도선은 **회전!!**

" **전반 힘반 회전!!** "

대표 유형 37　　간이 전동기

에나멜선을 여러 번 감아 코일을 만들고 전지 위에 네오디뮴 자석을 고정하여 그림과 같은 간이 전동기를 만들었다.

이에 대한 설명으로 옳은 것을 | 보기 | 에서 모두 고른 것은?

┌ 보기 ┌──────────────────────────────────
ㄱ. 자석의 극이 바뀌면 코일이 회전하는 방향이 바뀐다.
ㄴ. 전류의 방향이 바뀌면 코일이 회전하는 방향이 바뀐다.
ㄷ. 코일의 감은 수가 많을수록 코일의 움직임은 느려진다.
ㄹ. 전류의 세기가 달라져도 코일이 회전하는 빠르기는 영향을 받지 않는다.
└───

① ㄱ, ㄴ　　　② ㄱ, ㄷ　　　③ ㄱ, ㄹ　　　④ ㄴ, ㄷ　　　⑤ ㄷ, ㄹ

답 ①

---

1 읽기 전략　키워드 → 코일, 간이 전동기, 자석의 극, 전류의 방향, 코일의 감은 수, 전류의 세기

2 해결 전략　간이 전동기를 만드는 방법을 알아 두자.

① 간이 전동기에서 코일의 위쪽과 아래쪽에 흐르는 전류의 방향은 ❶ 　　　 이다.
② 자석의 위쪽이 N극이면 자기장은 ❷ 　　　 을 향한다.
③ 오른손을 이용해 힘의 방향을 구한다. → 전류의 세기가 커질수록, 코일의 감은 수가 많을수록 회전하는 속력은 빨라진다.

답 ❶ 반대 ❷ 위쪽

3 암기 전략
전동기 회전

전동기 회전자를 바르게
회전시키는 세 가지 방법!!

1. 전류를 세게 한다.
2. 코일의 감은 수를 늘린다.
3. 센 자석을 사용한다.

" 전세, 코감기, 센자! "

대표 유형 38   일상생활에서 전동기의 사용

일상생활에서 사용하는 여러 가지 전기 기구들 중 전동기가 사용되는 경우가 <u>아닌</u> 것은?

①
토스터

②
휴대 전화

③
세탁기

④
전기 자동차

⑤
로봇 청소기

답 ①

1 읽기 전략   키워드 → 전기 기구, 전동기

2 해결 전략   경험을 바탕으로 일상생활에서 전동기가 사용되는 기구들을 찾아보자.

① 전동기가 사용되는 예
- 로봇 청소기: 청소기 운동에 사용
- 세탁기: 세탁통 회전에 사용
- 휴대 전화: ❶ ☐☐☐ 을 일으킴
- 전기 자동차: 자동차를 움직이는 데 사용

② 전동기가 사용되지 않는 예
- 토스터: 전기로 달궈진 코일이 내는 적외선 복사열에 의해 빵이 구워지고 ❷ ☐☐☐ 을 이용해 구워진 빵이 올라옴

답 ❶ 진동 ❷ 전자석

3 암기 전략

우리 주변에서 전동기가 쓰이는 예

특목고 대비
일등
전략

시험에 잘 나오는
대표 유형 ZIP

중학 과학 2-1

BOOK 1
중간고사 대비

이 책의 구성과 활용

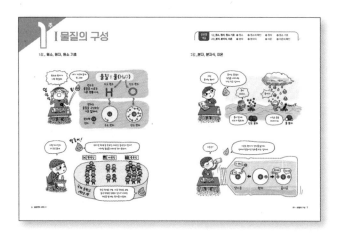

주 도입

이번 주에 배울 내용이 무엇인지 안내하는 부분입니다. 재미있는 개념 삽화를 통해 앞으로 배울 학습 내용을 미리 떠올려 봅니다.

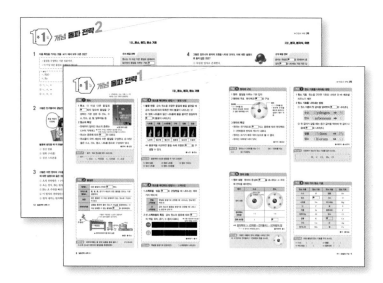

1일 개념 돌파 전략

주제별로 꼭 알아야 하는 핵심 개념을 익히고 문제를 풀며 개념을 잘 이해했는지 확인합니다.

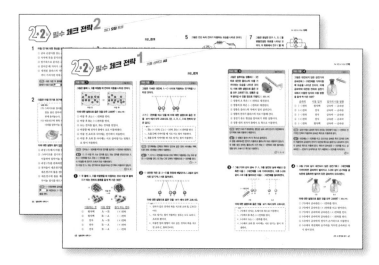

2일, 3일 필수 체크 전략

꼭 알아야 할 대표 기출 유형 문제를 쌍둥이 문제와 함께 풀어 보며 문제에 접근하는 과정과 방법을 체계적으로 연습합니다.

부록 시험에 잘 나오는 대표 유형 ZIP

부록을 뜯으면 미니북으로 활용할 수 있습니다. 시험 전에 대표 유형을 확실하게 익혀 보세요.

주 마무리 코너

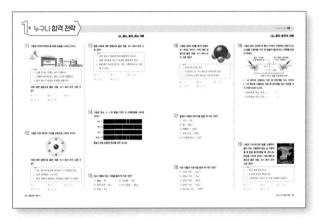

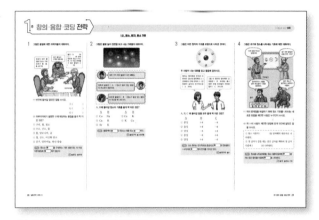

누구나 **합격 전략**

기초 이해력을 점검할 수 있는 종합 문제로 학습 자신감을 가질 수 있습니다.

창의·융합·코딩 **전략**

융·복합적 사고력과 문제 해결력을 길러 주는 문제로 구성하였습니다.

중간고사 마무리 코너

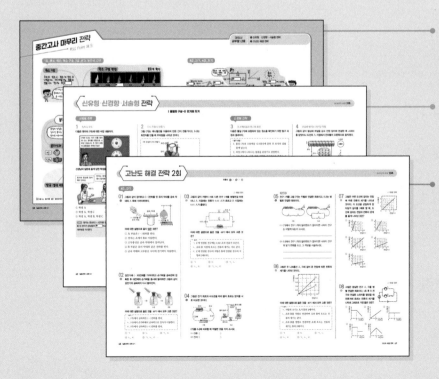

중간고사 마무리 **전략**

학습 내용을 마인드 맵으로 정리하여 앞에서 공부한 개념을 한눈에 파악할 수 있습니다.

신유형·신경향·서술형 **전략**

신유형 · 신경향 · 서술형 문제를 집중적으로 풀며 문제 적응력을 높일 수 있습니다.

고난도 해결 **전략**

실제 시험에 대비할 수 있는 고난도의 실전 문제 2회로 구성하였습니다.

이 책의 차례

BOOK 1

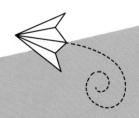

1^주 I 물질의 구성

1강_ 원소, 원자, 원소 기호

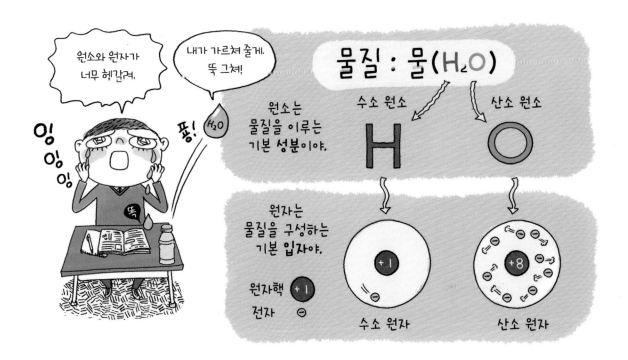

2강_분자, 분자식, 이온

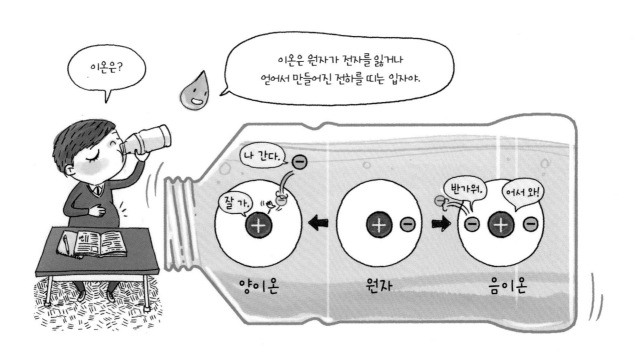

개념 ① 원소

1 원소 더 이상 다른 물질로 **①**   되지 않으며 물질을 구성하는 기본 성분 ⓓ 산소, 수소, 탄소, 금, 철, 알루미늄 등

2 원소의 특징

(−)극에서는 수소 기체, (+)극에서는 산소 기체가 발생한다.

빨대
침핀
수산화 나트륨을 조금 녹인 물

▲ 물 분해 실험

• 현재까지 알려진 원소의 종류는 120여 가지이다. ➡ 90여 가지는 자연에서 발견된 것이고, 20여 가지는 인공적으로 만들어 낸 것이다.

• 원소는 종류에 따라 **②**   이 다르다.

• 원소들이 모여 세상의 모든 물질을 구성한다. ⓓ 바닷물은 수소, 산소, 염소, 나트륨 등으로 구성되어 있다.

❶분해 ❷성질

확인Q1 | 보기 |에서 원소를 모두 고르시오.

┌ 보기 ─────────────────────
│ ㄱ. 산소   ㄴ. 바닷물   ㄷ. 나트륨   ㄹ. 소금
└─────────────────────────

개념 ② 물질관

탈레스	모든 물질의 근원은 **❶** 이다.
아리스토텔레스	물, 불, 흙, 공기가 세상의 모든 물질을 만드는 기본 성분이다.
보일	모든 물질은 더 이상 분해되지 않는 원소로 구성되어 있다.
라부아지에	실험을 통하여 물이 원소가 아님을 증명하였고, 더 이상 분해할 수 없는 물질을 **❷** 로 정의하였다.

가열된 주철관은 산소와 결합하여 녹이 슬며 질량이 증가한다.

물
주철관
벽화로
냉각수
수소

▲ 라부아지에의 물 분해 실험

❶물 ❷원소

확인Q2 라부아지에는 물 분해 실험을 통해 물이 (   )가 아니라 수소와 산소로 이루어진 물질임을 증명하였다.

개념 ③ 원소를 확인하는 방법(1) – 불꽃 반응

1 불꽃 반응 금속 원소를 포함한 물질에 불을 붙였을 때 금속 원소에 따라 독특한 색의 불꽃이 나타나는 것 ⓓ 염화 나트륨과 질산 나트륨에 불을 붙이면 동일하게 **①**   색 불꽃이 나타난다.

나트륨	리튬	스트론튬	구리	칼륨	칼슘
노란색	빨간색	빨간색	청록색	보라색	주황색

➡ 불꽃색을 비교하면 물질 속에 포함된 **②**   를 구별할 수 있다.

❶노란 ❷원소

확인Q3 불꽃색이 비슷한 물질을 두 가지 고르면?

① 염화 칼륨   ② 염화 나트륨   ③ 염화 구리(Ⅱ)
④ 질산 나트륨   ⑤ 염화 스트론튬

개념 ④ 원소를 확인하는 방법(2) – 스펙트럼

1 스펙트럼 빛을 **❶**   로 관찰했을 때 나타나는 여러 가지 색의 띠

연속 스펙트럼	햇빛을 분광기로 관찰할 때 나타나는 연속적인 색의 띠
선 스펙트럼	금속 원소의 불꽃을 분광기로 관찰할 때 나타나는 밝은색 선의 띠

2 선 스펙트럼의 특징 금속 원소의 종류에 따라 **❷**   의 색깔, 위치, 굵기, 수 등이 다르다. ➡ 이를 이용하면 원소를 쉽게 구별할 수 있다.

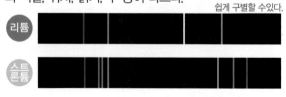

리튬
스트론튬

❶분광기 ❷선

확인Q4 햇빛을 분광기로 관찰하면 (   ) 스펙트럼이 나타난다.

개념 **5** 원자의 구조

1 원자 물질을 이루는 기본 입자

2 원자의 구조 원자핵과 **❶** [ ]로 구성

원자핵
- (+) 전하를 띰
- 원자의 중심에 위치하고 질량 대부분을 차지

전자
- (−) 전하를 띰
- 원자핵 주위를 빠르게 움직이고 질량이 매우 작음

3 원자의 특징

- 원자는 전기적으로 **❷** [ ]이고, 종류에 따라 원자핵의 (+)전하량과 전자의 개수가 다르다.
- 원자는 크기가 매우 작아 눈으로 볼 수 없다.
- 원자는 대부분 비어 있다.

❶전자 ❷중성

확인 Q 5 원자는 (+)전하를 띠는 ㉠ ( )과 (−)전하를 띠는 ㉡ ( )로 구성된다.

개념 **6** 원자 모형

1 원자 모형 원자의 중심에 **❶** [ ]을 표시하고 그 주위에 전자를 배치한다.

원자	수소	탄소
원자 모형	전자 1개의 전하량은 −1이다. (+1)	(+6)
원자핵의 전하량	+1	+6
전자 수(개)	1	**❷** [ ]

➡ <u>원자핵의 (+)전하량＝전자들의 (−)전하량의 합</u>
└ 한 원자의 전하량은 0이다.

❶원자핵 ❷6

확인 Q 6 그림은 리튬의 원자 모형을 나타낸 것이다. 이 원자의 전자들의 (−)전하량의 합을 쓰시오.

개념 **7** 원소 기호를 나타내는 방법

1 원소 기호 원소를 간단한 기호로 나타낸 것 ➡ 베르셀리우스가 제안

2 원소 기호를 나타내는 방법

① 원소 이름의 첫 글자를 알파벳의 **❶** [ ]로 나타낸다.

수소	Hydrogen	➡	H
탄소	Carboneum	➡	C

② 첫 글자가 같을 때는 중간 글자를 택하여 첫 글자 다음에 **❷** [ ]로 나타낸다.

헬륨	Helium	➡	He
염소	Chlorum	➡	Cl

❶대문자 ❷소문자

확인 Q 7 다음에서 염소의 원소 기호를 골라 쓰시오.

H, C, CL, He, Cl

개념 **8** 여러 가지 원소 기호

원소 이름	원소 기호	원소 이름	원소 기호
수소	H	헬륨	He
질소	**❶** [ ]	산소	O
나트륨	Na	마그네슘	Mg
인	P	황	S
리튬	Li	플루오린	F
알루미늄	Al	염소	Cl
칼륨	K	**❷** [ ]	Ca
구리	Cu	은	Ag
망가니즈	Mn	철	Fe

❶N ❷칼슘

확인 Q 8 다음 물질의 원소 기호를 각각 쓰시오.

(1) 수소 ( )   (2) 헬륨 ( )
(3) 마그네슘 ( )   (4) 플루오린 ( )

개념 ❶ 분자

1 분자 독립된 입자로 존재하여 물질의 ❶□□□을 나타내는 가장 작은 입자

산소 원자 2개가 산소 분자를 이루면 비로소 산소 기체의 성질을 나타낸다.

산소 원자
산소 원자
산소 분자

2 분자의 특징
• 대부분 2개 이상의 원자가 결합하여 이루어진다. ➡ 단, 헬륨, 네온 등은 원자 1개로 이루어진 분자(일원자 분자)이다.
• 분자가 ❷□□로 나누어지면 물질의 성질을 잃는다.
• 결합하는 원자의 종류와 수에 따라 분자의 종류가 달라진다. ➡ 같은 종류의 원자로 이루어져 있어도 원자 수나 배열이 다르면 서로 다른 물질이다. (예 $O_2 \neq O_3$)

❶성질 ❷원자

확인Q 1 물질의 성질을 나타내지 않는 것은? [정답 2개]

① 물 분자   ② 수소 원자   ③ 산소 분자
④ 산소 원자   ⑤ 오존 분자

개념 ❷ 분자식을 나타내는 방법

1 분자식 원소 기호를 이용하여 분자를 이루는 원자의 종류와 ❶□□를 나타낸 것

2 분자식을 나타내는 방법
① 분자를 구성하는 원자의 종류를 원소 기호로 쓴다.
② 분자를 이루는 원자의 개수를 원소 기호의 오른쪽 ❷□□에 작은 숫자로 쓴다.(단, 원자의 개수가 1개일 때는 숫자 '1'을 생략한다.)
③ 분자의 개수는 분자식 앞에 숫자로 쓴다.

물 분자의 개수 ┄┄ 수소와 산소의 원소 기호

$$2H_2O$$

물 분자 2개
수소 원자의 개수
산소 원자의 개수 (단, 1은 생략)

❶개수 ❷아래

확인Q 2 그림은 암모니아의 분자 모형이다. 이를 분자식으로 옳게 표현하시오.

개념 ❸ 여러 가지 분자의 분자식과 모형

구분	산소 분자	질소 분자	물 분자
모형			
구성 원자	산소 원자 2개	질소 원자 2개	산소 원자 1개, 수소 원자 2개
분자식	O_2	❶□	H_2O

구분	이산화 탄소 분자	일산화 탄소 분자	암모니아 분자
모형			
구성 원자	산소 원자 2개, 탄소 원자 1개	산소 원자 1개, 탄소 원자 1개	질소 원자 1개, 수소 원자 3개
분자식	CO_2	❷□	NH_3

❶N_2 ❷CO

확인Q 3 그림은 이산화 탄소의 분자 모형이다. 이를 분자식으로 옳게 표현하시오.

개념 ❹ 여러 가지 분자의 특징과 이용

구분	이용
산소 (O_2)	다른 물질이 타도록 돕는 성질이 있으며, 생물이 ❶□□할 때 필요하다.
수소 (H_2)	가장 가벼운 원소이며, 연소할 때 대기 오염 물질을 발생시키지 않아 미래의 에너지원으로 주목받고 있다.
물 (H_2O)	생명체의 생명 활동에 꼭 필요한 물질이다.
질소 (N_2)	공기의 대부분을 차지하며, 다른 물질과 반응하지 않아 과자 봉지 등의 ❷□□로 사용한다.
메테인 (CH_4)	천연가스의 주성분이며 연료로 이용하고, 지구 온난화의 원인 물질 중 하나이다.
암모니아 (NH_3)	자극적인 냄새가 나는 기체로 물에 잘 녹으며, 염색제나 비료의 원료, 냉각제 등으로 사용된다.
헬륨 (He)	가볍고 불에 잘 타지 않아 비행선, 풍선 등에 넣어 사용한다.

❶호흡 ❷충전제

확인Q 4 물질의 연소나 생물의 호흡에 이용되는 물질의 분자식을 쓰시오.

개념 ⑤ 이온

1 이온 원자가 전자를 잃거나 얻어서 만들어진 ❶ ⬚를 띠는 입자

| 원자 | 양이온 | 원자 | 음이온 |

전자를 잃음 / 전자를 얻음

2 이온의 표현

| 이온식 | Na^+ S^{2-} |

Na^+ — 전하의 종류 / 잃은 전자 수 (1은 생략함) / 원소 기호 / 나트륨 이온

S^{2-} — 전하의 종류 / 얻은 전자 수 / 원소 기호 / 황화 이온

➡ 양이온은 원소 이름 뒤에 '❷ ⬚'을 붙이고, 음이온은 원소 이름 뒤에 '~화 이온'을 붙인다.

❶전하 ❷이온

확인Q 5 원자가 전자를 잃으면 (+)전하를 띠는 ㉠ ( )이 되고, 원자가 전자를 얻으면 (−)전하를 띠는 ㉡ ( )이 된다.

개념 ⑥ 이온식과 이온의 이동

1 여러 가지 이온의 이온식

양이온		음이온	
수소 이온	H^+	염화 이온	Cl^-
나트륨 이온	Na^+	산화 이온	❶
암모늄 이온	NH_4^+	수산화 이온	OH^-

2 전하를 띤 이온의 이동 이온이 들어 있는 수용액에 전류를 흘려 주면 양이온은 (−)극 쪽으로, ❷ ⬚은 (+)극 쪽으로 이동한다.

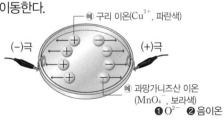

예 구리 이온(Cu^{2+}, 파란색)

(−)극　　　　(+)극

예 과망가니즈산 이온 (MnO_4^-, 보라색)

❶O^{2-} ❷음이온

확인Q 6 염화 나트륨(NaCl) 수용액에 전류를 흘려 주었을 때 (+)극 쪽으로 이동하는 이온의 이온식을 쓰시오.

개념 ⑦ 이온의 확인

1 앙금 물에 녹지 않는 ❶ ⬚ 물질

2 앙금 생성 반응 이온이 들어 있는 두 수용액을 섞었을 때 양이온과 음이온이 반응하여 물에 녹지 않는 물질인 앙금을 생성하는 반응 ➡ 수용액에 들어 있는 이온의 ❷ ⬚를 확인

예 염화 나트륨 수용액과 질산 은 수용액의 반응

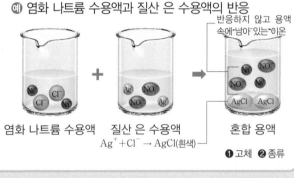

반응하지 않고 용액 속에 남아 있는 이온

| 염화 나트륨 수용액 | 질산 은 수용액 | 혼합 용액 |

$Ag^+ + Cl^- → AgCl$(흰색)

❶고체 ❷종류

확인Q 7 수용액 속에서 특정한 양이온과 음이온이 반응하면 물에 녹지 않는 ( )을 생성한다.

개념 ⑧ 이온의 검출

1 여러 가지 앙금 생성 반응 ─ 앙금을 생성하지 않는 이온: Na^+, K^+, NH_4^+, NO_3^-

양이온	음이온	앙금	색깔
Ag^+	Cl^-	염화 은($AgCl$)	흰색
Ca^{2+}	CO_3^{2-} SO_4^{2-}	탄산 칼슘($CaCO_3$) 황산 칼슘($CaSO_4$)	❶
Ba^{2+}	CO_3^{2-} SO_4^{2-}	탄산 바륨($BaCO_3$) 황산 바륨($BaSO_4$)	흰색
Pb^{2+}	I^-	아이오딘화 납(PbI_2)	노란색
	S^{2-}	황화 납(PbS)	검은색

2 이온의 검출 앙금을 생성할 수 있는 양이온과 음이온을 반응시켜 앙금의 생성 여부와 ❷ ⬚을 이용하여 용액 속의 이온을 확인할 수 있다. 예 수돗물 속의 염화 이온을 확인할 때 은 이온을 넣어 염화 은의 흰색 앙금을 생성하는지 확인한다.

❶흰색 ❷색깔

확인Q 8 아이오딘화 이온, 염화 이온, 납 이온 중 은 이온과 만나 흰색의 앙금을 생성하는 이온은 ( ) 이온이다.

1 다음 특징을 가지는 것을 |보기|에서 모두 고른 것은?

> • 물질을 구성하는 기본 성분이다.
> • 더 이상 다른 물질로 분해되지 않는다.

> 보기
> ㄱ. H_2O　　　　　ㄴ. H　　　　　ㄷ. NaCl
> ㄹ. Fe　　　　　ㅁ. N_2　　　　　ㅂ. F

① ㄱ, ㄴ, ㄷ　　　　　② ㄴ, ㄷ, ㅁ
③ ㄴ, ㄹ, ㅂ　　　　　④ ㄷ, ㄹ, ㅂ
⑤ ㄹ, ㅁ, ㅂ

문제 해결 전략

원소는 더 이상 다른 물질로 분해되지 않으면서 물질을 이루는 기본 **❶** 으로, 원소의 종류에 따라 **❷** 이 다르다.

🔑답 ❶성분 ❷성질

---

2 그림은 친구들끼리 생일잔치를 하는 모습을 나타낸 것이다.

> 촛불 색깔이 다양해.

> 노랑, 보라, 청록, 빨강이야.

불꽃에 넣었을 때 위 촛불에 나타난 불꽃색을 관찰할 수 <u>없는</u> 물질은?

① 질산 칼륨　　　　　② 염화 칼슘
③ 염화 구리(Ⅱ)　　　　　④ 염화 나트륨
⑤ 질산 스트론튬

문제 해결 전략

금속 원소를 포함한 물질을 불꽃에 넣었을 때 금속 원소의 **❶** 에 따라 특정한 불꽃색이 나타나는 현상을 불꽃 반응이라고 하며, 이때 나타나는 불꽃색으로 물질 속에 포함된 **❷** 를 구별할 수 있다.

🔑답 ❶종류 ❷원소

---

3 그림은 어떤 원자의 구조를 모형으로 나타낸 것이다. 이에 대한 설명으로 옳은 것을 모두 고르면? [정답 2개]

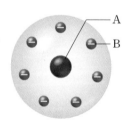

① A의 전하량은 +1이다.
② A는 전자, B는 원자핵이다.
③ B는 A 주위를 빠르게 움직인다.
④ 이 원자의 전하량은 0이다.
⑤ 원자 내부는 원자핵과 전자로 꽉 차 있다.

문제 해결 전략

원자는 원자핵의 (＋)전하량과 전자들의 (－)전하량의 합이 **❶** 때문에 전기적으로 **❷** 이다.

🔑답 ❶ 같기 ❷중성

4 그림은 암모니아 분자의 모형을 나타낸 것이다. 이에 대한 설명으로 옳지 <u>않은</u> 것은?

① 독립된 입자로 존재한다.

② 2종류의 원소로 이루어져 있다.

③ 이 모형을 분자식으로 나타내면 NH_3이다.

④ 암모니아의 성질을 나타내는 가장 작은 입자이다.

⑤ 암모니아 분자가 질소 원자와 수소 원자로 나누어져도 암모니아의 성질을 유지한다.

문제 해결 전략

분자는 독립된 **❶** 로 존재하여 물질의 **❷** 을 나타내는 가장 작은 입자이다.

답 ❶ 입자 ❷ 성질

5 다음은 이온 형성 과정을 식으로 나타낸 것이다.

$$A \rightarrow A^{3+} + 3\ominus$$

위와 같은 방법으로 이온을 형성하는 원자는?

① S   ② Mg   ③ Al

④ Na   ⑤ Pb

문제 해결 전략

전하를 띤 입자를 **❶** 이라고 하며, 원자가 전자를 잃어 (+)전하를 띤 입자를 **❷** , 원자가 전자를 얻어 (−)전하를 띤 입자를 음이온이라고 한다.

답 ❶ 이온 ❷ 양이온

6 그림은 아이오딘화 칼륨 수용액에 질산 납 수용액을 넣었을 때 혼합 수용액에서 노란색 앙금이 생기는 것을 모형으로 나타낸 것이다.

이 때 생성된 노란색 앙금을 원소 기호를 이용하여 옳게 나타낸 것은?

① PbI_2 ② KNO_3 ③ NaCl

④ AgCl   ⑤ $CaCO_3$

문제 해결 전략

수용액 속에서 특정한 **❶** 과 음이온이 반응하여 앙금이 생기는 반응을 **❷** 이라고 한다.

답 ❶ 양이온 ❷ 앙금 생성 반응

대표 기출 ①
| 원소 |

그림은 물질을 이루는 여러 가지 원소를 나타낸 것이다.

이와 같은 원소에 대한 설명으로 옳은 것을 모두 고르면?

[정답 3개]

① 물질을 구성하는 기본 성분이다.
② 원소는 인공적으로 만들 수 없다.
③ 더 이상 다른 물질로 분해되지 않는다.
④ 원소는 종류에 따라 고유한 성질을 가진다.
⑤ 원소의 종류는 물질의 종류보다 많다.
⑥ 현재까지 알려진 원소의 종류는 90여 가지이다.
⑦ 원소와 원소가 결합하면 새로운 원소가 만들어진다.

Tip 120여 가지의 원소들이 모여 세상의 모든 물질을 구성한다.

풀이 ②, ⑥ 현재까지 알려진 원소의 종류는 120여 가지로서, 90여 가지는 자연에서 발견한 것이고, 20여 가지는 인공적으로 만들어 낸 것이다.
⑤, ⑦ 원소끼리 결합해도 다른 원소가 만들어지지 않으며, 물질의 종류가 원소의 종류보다 매우 많다.

답 ①, ③, ④

대표 기출 ②
| 라부아지에의 물 분해 실험 |

그림은 라부아지에의 물 분해 실험을 나타낸 것이다.

이에 대한 설명으로 옳은 것을 |보기|에서 모두 고르시오.

┌ 보기 ┐
ㄱ. 실험을 통해 물이 물질을 이루는 기본 성분임을 증명하였다.
ㄴ. 실험을 통해 물을 수소와 산소로 분리하였다.
ㄷ. 가열된 주철관은 산소와 결합하여 질량이 증가한다.
ㄹ. 물이 분해되면 기체가 발생하므로 물은 원소이다.
ㅁ. 이 실험을 통해 아리스토텔레스의 생각이 옳지 않음이 증명되었다.
ㅂ. 이 실험을 통해 물이 다른 원소로 변할 수 있다는 사실을 알 수 있다.

Tip 라부아지에는 물 분해 실험을 통해 물이 물질을 이루는 기본 성분이라는 아리스토텔레스의 생각에 의문을 제기하였다.

풀이 ㄱ, ㄹ. 물은 수소와 산소로 분해되므로 원소가 아니다.
ㅂ. 물이 다른 원소로 분해될 수 있다는 사실을 알 수 있다. **답** ㄴ, ㄷ, ㅁ

②-1 그림은 물질의 기본 성분에 대한 라부아지에의 실험이다.

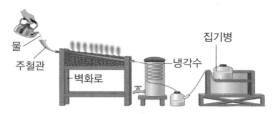

실험 결과에 맞게 빈칸에 알맞은 말을 각각 쓰시오.

실험 결과 주철관 안에 ㉠(   )이 슬고, 집기병에 ㉡(   ) 기체가 모아졌다.

①-1 그림은 바닷물을 나타낸 것이다. 이를 구성하는 원소로 옳지 않은 것을 |보기|에서 모두 고르시오.

┌ 보기 ┐
ㄱ. 물   ㄴ. 수소   ㄷ. 산소
ㄹ. 염소   ㅁ. 나트륨   ㅂ. 소금

대표 기출 ❸ | 물의 전기 분해 |

그림과 같이 시험관에 수산화 나트륨을 조금 녹인 물을 가득 채우고, 전원 장치에 연결한 후 시험관 안에 기체가 모이는 것을 관찰하였다. 이 실험에 대한 설명으로 옳지 않은 것을 모두 고르면? [정답 2개]

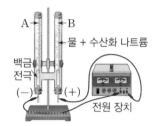

① 실험을 통해 물이 원소가 아님을 알 수 있다.

② 물에서 전류가 잘 흐르게 하기 위해 수산화 나트륨을 넣는다.

③ B에 모인 기체는 꺼져가는 불씨를 타오르게 하는 성질이 있다.

④ A에 모인 기체는 향불을 가까이 가져가면 '퍽' 소리를 내며 탄다.

⑤ B에 모인 기체의 양이 A에 모인 기체의 양보다 많다.

⑥ B에는 수소 기체가, A에는 산소 기체가 모인다.

> **Tip** 실험에서 물이 전기 분해가 되어 수소와 산소로 분해된다. 수소 기체는 불꽃을 대면 폭발하면서 '퍽' 소리를 내며 타고, 산소 기체는 불꽃을 대면 불꽃이 잘 타오른다.

> **풀이** ⑤ (+)극 쪽(B)에는 기체가 적게 모이고, (−)극 쪽(A)에는 기체가 많이 모인다.
> ⑥ (+)극 쪽(B)에는 산소 기체가, (−)극 쪽(A)에는 수소 기체가 모인다.
> **답** ⑤, ⑥

대표 기출 ❹ | 여러 가지 원소의 불꽃색 |

그림은 여러 가지 원소의 불꽃 반응을 나타낸 것이다.

빨간색 / 청록색 / 보라색

▲ 리튬　　▲ 구리　　▲ 칼륨

이에 대한 설명으로 옳은 것을 모두 고르면? [정답 3개]

① 불꽃색으로 모든 원소를 확인할 수 있다.

② 불꽃색이 비슷한 원소는 분광기로 관찰하여 구분한다.

③ 불꽃색이 같으면 모두 같은 종류의 물질이다.

④ 금속 원소의 종류에 따라 특정한 불꽃색이 나타난다.

⑤ 실험 방법이 비교적 복잡하다.

⑥ 적은 양으로도 원소를 확인할 수 있다.

⑦ 물질에 포함된 금속 원소는 확인할 수 없다.

> **Tip** 리튬과 스트론튬은 불꽃색이 빨간색으로 같지만, 다른 물질이다.

> **풀이** ①, ⑦ 불꽃 반응으로 물질에 포함된 금속 원소를 쉽게 구별할 수 있지만, 모든 원소를 확인할 수는 없다.
> ③ 불꽃색이 같은 금속 원소는 선 스펙트럼을 비교하여 구별한다.
> ⑤ 불꽃 반응 실험은 방법이 비교적 쉽고 간단하다.
> **답** ②, ④, ⑥

❸-1 그림은 수산화 나트륨을 조금 녹인 물을 전기 분해하는 실험을 나타낸 것이다. 기체가 적게 모인 빨대 쪽에 마개를 열고 성냥불을 가까이 가져갔을 때 나타나는 현상으로 옳은 것을 |보기|에서 고르시오.

> ┌ 보기 ──────────────
> ㄱ. 폭발하면서 '퍽' 소리를 낸다.
> ㄴ. 불꽃이 다시 활활 타오른다.
> ㄷ. 아무 변화가 없다.
> └──────────────────

❹-1 그림과 같이 불꽃 반응 실험을 했을 때 불꽃색이 보라색으로 나타나는 물질로 옳은 것은?

니크롬선 / 뷰테인 토치

① 질산 칼륨

② 염화 칼슘

③ 질산 나트륨

④ 염화 구리(Ⅱ)

⑤ 염화 스트론튬

대표 기출 ❺ | 스펙트럼 |

그림은 스펙트럼의 종류를 나타낸 것이다.

(가) 연속 스펙트럼

(나) 선 스펙트럼

이에 대한 설명으로 옳은 것을 | 보기 |에서 모두 고르시오.

┌ 보기 ─────────────────
ㄱ. 햇빛을 분광기로 관찰하면 (가)를 볼 수 있다.
ㄴ. 스펙트럼의 모습이 비슷한 물질들은 불꽃색으로 구별한다.
ㄷ. 불꽃색이 같은 물질들은 선 스펙트럼의 모양이 모두 같다.
ㄹ. 원소의 불꽃색을 분광기로 관찰하면 선 스펙트럼이 나타난다.
ㅁ. 원소의 종류에 따라 선 스펙트럼에서 나타나는 선의 위치, 굵기, 수가 서로 다르다.
ㅂ. 같은 금속 원소가 포함된 물질들은 선 스펙트럼의 모양이 모두 같다.
└──────────────────────

Tip 분광기로 햇빛을 관찰하면 연속 스펙트럼이 나타나고, 원소의 불꽃색을 관찰하면 선 스펙트럼이 나타난다. 원소에 따라 선 스펙트럼에서 나타나는 선의 위치, 색깔, 굵기, 수 등이 다르다.

풀이 ㄴ, ㄷ. 불꽃색이 잘 나타나지 않거나 리튬과 스트론튬처럼 불꽃색이 비슷한 경우에는 선 스펙트럼으로 구별할 수 있다.
ㅂ. 같은 금속 원소가 포함되어 있어도 다른 금속 원소에 의해 나타나는 선 스펙트럼이 있을 수 있으므로 선 스펙트럼의 모양이 모두 같은 것은 아니다.

답 ㄱ, ㄹ, ㅁ

대표 기출 ❻ | 원자의 구조 |

그림은 어떤 원자의 구조를 모형으로 나타낸 것이다.

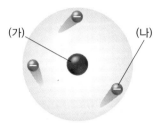

이에 대한 설명으로 옳은 것을 | 보기 |에서 모두 고르시오.

┌ 보기 ─────────────────
ㄱ. 원자는 전기적으로 중성이다.
ㄴ. 원자는 물질의 성질을 나타내는 가장 작은 입자이다.
ㄷ. (가)는 전자, (나)는 원자핵이다.
ㄹ. 원자를 구성하는 원자핵의 (+)전하량과 전자들의 (−)전하량의 합은 같다.
ㅁ. (가)의 전하량은 +3이고, (나)의 전하량은 −3이다.
ㅂ. (가)는 원자의 대부분을 차지한다.
ㅅ. (나)는 (가) 주위를 빠르게 움직이고 있다.
└──────────────────────

Tip 원자는 (+)전하를 띠는 원자핵과 (−)전하를 띠는 전자로 구성되어 있으며, 원자핵은 원자의 중심에 위치하고, 전자는 원자핵 주위를 빠르게 움직이고 있다.

풀이 ㄴ. 원자는 물질을 구성하는 기본 입자이다.
ㄷ. (가)는 원자핵, (나)는 전자이다.
ㅁ. (가)의 전하량은 +3이고, (나)의 전하량은 −1이며, (나)의 개수가 3개이므로 이 원자는 전기적으로 중성이다.
ㅂ. 원자는 대부분 비어 있다.

답 ㄱ, ㄹ, ㅅ

❺-1 그림은 여러 가지 물질의 선 스펙트럼을 나타낸 것이다.

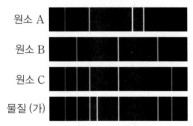

원소 A
원소 B
원소 C
물질 (가)

물질 (가)에 포함된 원소를 모두 쓰시오.

❻-1 표는 여러 가지 원자의 원자핵의 전하량과 전자의 개수를 나타낸 것이다.

원자	수소	산소	마그네슘
원자핵의 전하량	+1	( )	+12
전자의 수(개)	( )	8	( )

빈칸에 들어갈 숫자들의 합을 쓰시오.

대표 기출 ❼ | 원소 기호를 나타내는 방법 |

그림은 원소를 나타내는 기호를 각 시대별로 조사하여 나타낸 것이다.

	황	수은	금	은	구리
연금술사	△	☿	☉	☽	♀
돌턴	⊕	✷	Ⓖ	Ⓢ	Ⓒ
현대	S	Hg	Au	Ag	Cu

이에 대한 설명으로 옳지 <u>않은</u> 것은?

① 중세의 연금술사는 원소를 그림으로 나타내었다.

② 현대의 원소 기호는 알파벳 첫 글자를 소문자로 쓴다.

③ 현대의 원소 기호는 베르셀리우스가 제안한 방식을 따른다.

④ 돌턴은 원 안에 알파벳이나 다른 표시를 붙여 원소를 구별했다.

⑤ 최근에는 영어나 독일어로 된 원소 이름의 알파벳을 이용하여 나타내기도 한다.

Tip 베르셀리우스는 라틴어로 된 원소 이름의 알파벳을 이용하여 원소를 나타내는 방법을 제안하였고, 최근에는 영어나 독일어 등 다른 언어로 된 이름을 이용하여 나타내기도 한다.

풀이 ② 원소 기호를 나타낼 때에는 원소 이름의 첫 글자를 알파벳의 대문자로 나타내고, 첫 글자가 같을 때는 중간 글자를 택하여 첫 글자 다음에 소문자로 나타낸다.

답 ②

대표 기출 ❽ | 여러 가지 원소 기호 |

표는 여러 가지 원소 이름과 원소 기호를 나타낸 것이다.

원소 이름	원소 기호	원소 이름	원소 기호
질소	N	헬륨	㉠( )
㉡( )	Cl	산소	㉢( )
㉣( )	Na	㉤( )	Mg
구리	㉥( )	플루오린	㉦( )

㉠~㉦에 들어갈 원소 이름이나 원소 기호로 옳은 것을 모두 고르면?

① ㉠ − H   ② ㉡ − 탄소

③ ㉢ − O_2 ④ ㉣ − 나트륨

⑤ ㉤ − 마그네슘   ⑥ ㉥ − cu

⑦ ㉦ − F

Tip 원소 기호를 나타낼 때에는 원소 이름의 첫 글자를 알파벳의 대문자로 나타낸다.

풀이 ① H는 수소의 원소 기호이고, He는 헬륨의 원소 기호이다.

② 탄소의 원소 기호는 C이고, Cl의 원소 이름은 염소이다.

③ 산소의 원소 기호는 O이고, O_2는 산소 분자의 분자식이다.

⑥ 원소 기호를 나타낼 때 원소 이름의 첫 글자는 알파벳의 대문자로, 첫 글자가 같을 때는 중간 글자를 택하여 첫 글자 다음에 소문자로 나타낸다. 구리의 원소 기호는 Cu이다.

답 ④, ⑤, ⑦

❼-1 원소 기호를 나타내는 방법에 대한 설명으로 옳은 것을 | 보기 |에서 모두 고르시오.

┌─ 보기 ──────────────────────┐
ㄱ. 현대의 원소 기호를 나타내는 방법은 베르셀리우스가 제안하였다.

ㄴ. 라틴어나 영어 등으로 된 원소 이름의 첫 글자를 알파벳의 대문자로 나타낸다.

ㄷ. 첫 글자가 같을 경우 중간 글자를 택하여 첫 글자 다음에 소문자로 나타낸다.
└──────────────────────────┘

❽-1 원소 이름과 원소 기호를 옳게 말한 학생은?

① 칼륨의 원소 기호는 Ca!

② 칼슘의 원소 기호는 K!

③ 철의 원소 기호는 Fe!

④ 은의 원소 기호는 Au!

⑤ 망가니즈의 원소 기호는 Mg!

1 고대 그리스의 철학자인 아리스토텔레스는 세상의 모든 물질을 만드는 기본 성분에 대해 주장하였다.

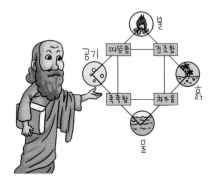

이에 대한 설명으로 옳은 것을 모두 고르면? [정답 2개]

① 모든 물질의 근원은 물이라고 주장하였다.

② 값싼 금속을 금이나 은으로 바꿀 수 있다고 주장하였다.

③ 세상의 모든 물질은 물, 불, 흙, 공기로 이루어졌다고 주장하였다.

④ 물질을 이루는 기본 성분인 원소는 더 이상 분해되지 않는다고 주장하였다.

⑤ 라부아지에는 물 분해 실험을 통해 아리스토텔레스의 주장에 의문을 제기하였다.

> **Tip** 라부아지에는 ❶　　　　을 매우 높은 온도로 가열하여 분해하면 다른 물질(산소와 ❷　　　　)이 생긴다는 사실을 실험으로 알아내었다.
>
> 답 ❶ 물 ❷ 수소

2 원소에 대한 설명으로 옳은 것을 보기에서 모두 고른 것은?

┌ 보기 ┐
ㄱ. 돌턴은 원소가 더 이상 쪼갤 수 없는 입자라고 주장하였다.
ㄴ. 화학적 방법으로 분해되지 않는다.
ㄷ. 모든 물질은 원소로 이루어져 있다.
└──────┘

① ㄱ　　　　② ㄴ　　　　③ ㄱ, ㄴ

④ ㄴ, ㄷ　　　　⑤ ㄱ, ㄴ, ㄷ

> **Tip** 원소는 물질을 이루는 기본 ❶　　　　이고, 원자는 물질을 이루는 기본 ❷　　　　이다.
>
> 답 ❶ 성분 ❷ 입자

3 불꽃색이나 스펙트럼을 이용하여 원소를 구별하는 방법에 대한 설명으로 옳은 것은?

① 불꽃 반응에서 나타나는 원소의 불꽃색을 비교하여 모든 종류의 원소를 구별할 수 있다.

② 원소의 불꽃색을 분광기로 관찰하면 햇빛과 같이 연속적인 스펙트럼이 나타난다.

③ 리튬과 스트론튬은 선 스펙트럼이 비슷하지만 불꽃색은 뚜렷하게 구별된다.

④ 염화 나트륨과 질산 나트륨의 불꽃색을 비교하면 염소와 질소를 구별할 수 있다.

⑤ 원소의 종류에 따라 선 스펙트럼에 나타나는 선의 색깔, 위치, 굵기, 수 등이 다르다.

> **Tip** 불꽃색이 잘 나타나지 않거나 리튬과 ❶　　　　처럼 불꽃색이 비슷한 경우에는 ❷　　　　스펙트럼을 이용하면 원소를 쉽게 구별할 수 있다.
>
> 답 ❶ 스트론튬 ❷ 선

4 그림은 임의의 원소 A, B와 미지의 물질 (가)~(다)의 선 스펙트럼을 나타낸 것이다.

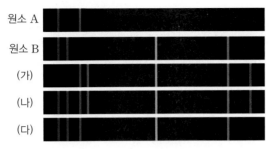

원소 A와 B가 모두 포함된 물질을 모두 고른 것은?

① (가)　　② (나)　　③ (다)

④ (가), (다)　　⑤ (나), (다)

> **Tip** 물질에 여러 가지 원소가 섞여 있어도 각 원소의 선 **❶**□□□□이 모두 나타나므로 물질에 포함된 원소의 **❷**□□ 를 확인할 수 있다.
>
> 답 ❶스펙트럼 ❷종류

5 표는 여러 가지 원자의 원자 모형을 나타낸 것이다.

수소	질소	리튬	산소
(+1)	(+)	(+3)	(+8)

이에 대한 설명으로 옳지 <u>않은</u> 것을 모두 고르면? [정답 2개]

① 전자의 개수는 수소가 가장 적다.

② 모든 원자의 (+)전하량의 합은 +17이다.

③ 각 원자의 질량 대부분은 전자가 차지한다.

④ 원자핵의 (+)전하량이 가장 큰 것은 산소이다.

⑤ 원자에는 빈 공간이 많이 있으며 전자는 원자핵 주위를 빠르게 움직이고 있다.

> **Tip** 원자의 종류에 따라 원자를 구성하는 원자핵의 **❶**□□ 전하량이 다르고 **❷**□□의 개수도 다르다.
>
> 답 ❶(+) ❷전자

6 원소 기호와 그 표기법에 대한 설명으로 옳지 <u>않은</u> 것은?

① 원소 기호는 세계 공통으로 사용할 수 있어 나타 내기 편리하다.

② 원소 기호의 첫 글자는 대문자로, 두 번째 글자는 소문자로 나타낸다.

③ 최근에 알려진 원소는 영어나 독일어에서 이름을 따서 나타내기도 한다.

④ 오래 전부터 알려진 원소는 라틴어로 된 원소 이 름의 알파벳을 따서 나타낸다.

⑤ 첫 글자가 같을 때는 원소 이름의 알파벳 첫 글자 와 두 번째 글자를 택하여 함께 나타낸다.

> **Tip** 탄소의 원소 이름(라틴어)은 carboneum이고 원 소 기호는 **❶**□□이다. **❷**□□의 원소 이름(라틴어)은 chlorum이고 원소 기호는 Cl이다.
>
> 답 ❶C ❷염소

7 표는 여러 가지 원소의 원소 기호를 잘못 나타낸 것이다.

원소 이름	①	②	③	④	⑤
원소 기호	cU	si	f	fe	Cal

①~⑤에 해당하는 원소 이름과 원소 기호를 옳게 고쳐 쓴 것은?

	원소 이름	원소 기호
①	구리	CU
②	황	Si
③	질소	F
④	철	Fe
⑤	칼륨	Ca

> **Tip** 현재까지 사용하는 원소를 기호로 나타내는 방법은 스 웨덴의 과학자 **❶**□□□□□□가 제안하였다.
>
> 답 ❶베르셀리우스

대표 기출 ❶ | 분자 |

그림은 수소 분자의 구성을 나타낸 것이다.

 +

수소 원자   수소 원자   수소 분자

이와 같은 분자에 대한 설명으로 옳은 것을 모두 고르면?

[정답 3개]

① 대부분의 원자는 물질의 성질을 나타낸다.

② 수소 분자가 원자로 분해되면 물질의 성질을 잃는다.

③ 수소 분자와 다르게 원자 1개로 이루어진 분자도 있다.

④ 분자는 독립된 입자로 존재하여 물질의 성질을 나타내는 가장 작은 입자이다.

⑤ 분자는 서로 다른 종류의 원자끼리 결합할 때만 만들어진다.

⑥ 결합하는 원자의 종류가 같으면 결합한 원자의 수가 달라도 같은 분자이다.

> Tip 수소 원자 2개가 결합하여 수소 분자를 이루면 비로소 수소 기체의 성질을 나타낸다.

> 풀이 ① 대부분 물질의 성질을 나타내는 것은 분자이다.
> ⑤ 분자는 대부분 2개 이상의 원자로 이루어져 있고, 같은 종류의 원자로 이루어진 것도 있다.
> ⑥ 분자는 같은 종류의 원자로 이루어져 있어도 원자 수나 배열이 다르면 다른 분자이다. 예를 들어 산소(O_2)와 오존(O_3)은 다른 분자이다.
> 답 ②, ③, ④

대표 기출 ❷ | 분자식과 모형 |

다음 분자 모형에 대한 설명으로 옳지 <u>않은</u> 것을 모두 고르면? [정답 3개]

① 분자의 수는 2개이다.

② 총 원자의 수는 6개이다.

③ 이 화합물의 이름은 물이다.

④ 수소 원자의 총 개수는 2개이다.

⑤ 분자를 구성하는 원소는 수소와 산소이다.

⑥ 분자 1개를 구성하는 원자의 수는 2개이다.

⑦ 분자를 구성하고 있는 원소의 종류는 2가지이다.

⑧ 위 분자 모형을 분자식으로 나타내면 $2H_2O_2$이다.

> Tip 분자 모형을 보고 분자를 구성하는 원자의 종류와 수를 파악할 수 있어야 한다. 제시된 분자 모형은 물 분자 2개를 나타낸다.

> 풀이 ④ 수소 원자의 총 개수는 4개, 산소 원자의 총 개수는 2개이다.
> ⑥ 분자 1개를 구성하는 원자는 수소 원자 2개와 산소 원자 1개이다.
> ⑧ 분자 모형을 분자식으로 나타내면 $2H_2O$이다.
> 답 ④, ⑥, ⑧

❶-1 그림은 산소 분자의 모형을 나타낸 것이다. 이처럼 2개 이상의 원자들이 결합하여 만들어진 분자가 <u>아닌</u> 것을 |보기|에서 모두 고르시오.

| 보기 |
| ㄱ. 물   ㄴ. 헬륨   ㄷ. 암모니아 |
| ㄹ. 산소   ㅁ. 네온   ㅂ. 염화 나트륨 |

❷-1 분자를 이루는 원자의 총 개수가 다음 분자식과 같은 것은?

$$2CH_4$$

① $4NH_3$ ② $5O_2$

③ $3HCl$ ④ $2CO_2$

⑤ $3H_2O$

대표 기출 ❸ | 여러 가지 분자의 이용 |

|보기|는 여러 가지 분자의 성질이나 이용을 정리한 것이다.

┌─ 보기 ─────────────────────────────
ㄱ. 화석연료가 불완전 연소될 때 생기는 물질로 독성
　이 강하다.
ㄴ. 다른 물질이 타도록 돕는 성질이 있으며, 생물이
　호흡할 때 필요하다.
ㄷ. 천연가스의 주성분이며 연료로 이용한다. 지구 온
　난화의 원인이기도 하다.
ㄹ. 공기의 78%를 차지하며 다른 물질과 반응하지 않
　아 과자 봉지 등의 충전재로 사용한다.
ㅁ. 생명체의 생명활동에 꼭 필요한 물질이며, 여러 가
　지 물질을 녹일 수 있는 용매이다.
└──────────────────────────────────

ㄱ~ㅁ에 해당하는 분자를 옳게 짝 지은 것은?

① ㄱ – CO_2　　② ㄴ – N_2　　③ ㄷ – CH_4

④ ㄹ – He　　⑤ ㅁ – NH_3

> **Tip** 일상생활에서 산소, 물, 메테인 등의 분자로 이루어진 여러 가지 물질을 이용한다.

> **풀이** ㄱ은 일산화 탄소(CO), ㄴ은 산소(O_2), ㄹ은 질소(N_2), ㅁ은 물(H_2O)에 대한 설명이다.

답 ③

대표 기출 ❹ | 이온의 형성 |

그림은 원자 A와 B가 이온이 되는 과정을 모형으로 나타낸 것이다.

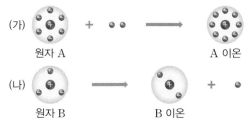

이에 대한 설명으로 옳은 것을 모두 고르면? [정답 3개]

① 원자 A보다 A 이온의 전자의 수가 더 많다.
② 원자 A는 전자 2개를 얻어 양이온이 된다.
③ 원자 B는 전자 1개를 잃어 음이온이 된다.
④ B 이온을 이온식으로 나타내면 B^-이다.
⑤ B 이온은 (＋)전하량이 (－)전하량보다 크다.
⑥ (가)와 (나)에서 전자 1개의 전하량은 계속 변한다.
⑦ (가)와 (나)에서 원자핵의 전하량은 변하지 않는다.

> **Tip** 전기적으로 중성인 원자가 전자를 잃으면 (＋)전하를 띠고, 전자를 얻으면 (－)전하를 띤다.

> **풀이** ② 원자 A는 전자 2개를 얻어 음이온이 된다.
③ 원자 B는 전자 1개를 잃어 양이온이 된다.
④ B 이온을 이온식으로 나타내면 B^+이다.
⑥ 전자 1개의 전하량은 －1로 변하지 않는다.

답 ①, ⑤, ⑦

---

❸-1 그림은 일상생활에서 이용하는 연탄과 드라이 아이스에서 나오는 두 가지 분자를 나타낸 것이다.

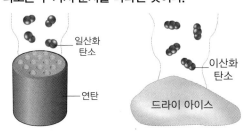

이에 대한 설명으로 옳은 것을 |보기|에서 모두 고르시오.

┌─ 보기 ─────────────────────────────
ㄱ. 같은 종류의 원자로 이루어져 있다.
ㄴ. 두 물질의 성질은 같다.
ㄷ. 분자를 구성하는 원자의 개수와 배열이 다르므
　로 다른 물질이다.
└──────────────────────────────────

❹-1 그림은 임의의 원자 A가 이온이 되는 과정을 모형으로 나타낸 것이다. A의 이온식으로 옳은 것은?

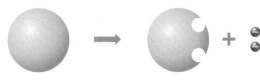

① A^{3-}　　② A^{2-}

③ A^-　　④ A^+

⑤ A^{2+}

대표 기출 ❺ | 원자와 이온의 비교 |

그림은 산소 원자 모형과 산화 이온의 이온식을 나타낸 것이다.

 O^{2-}

이에 대한 설명으로 옳은 것을 |보기|에서 모두 고른 것은?

┌─ 보기 ─────────────────────────┐
ㄱ. 산화 이온이 산소 원자보다 전자의 개수가 더 많다.
ㄴ. 산화 이온이 산소 원자보다 원자핵의 개수가 더 적다.
ㄷ. 산화 이온은 (−)전하를 띤 입자이다.
ㄹ. 산화 이온은 산소 원자가 전자를 2개 잃을 때 생성된다.
ㅁ. 산화 이온의 전자의 개수는 10개이다.
└────────────────────────────────┘

① ㄱ, ㄴ   ② ㄱ, ㄷ   ③ ㄹ, ㅁ
④ ㄱ, ㄷ, ㅁ   ⑤ ㄴ, ㄹ, ㅁ

> **Tip** 산소 원자는 원자핵의 전하량이 +8이고, 전자의 개수는 8개이므로, 원자핵의 (+)전하량과 전자들의 (−)전하량이 같아서 산소 원자의 전하량은 중성이다. 이온을 표현할 때 원소 기호의 오른쪽 위에 잃거나 얻은 전자의 개수와 전하의 종류를 함께 나타낸다.

> **풀이** ㄴ. 원자가 이온이 되어도 원자핵의 개수, 원자핵의 전하량은 바뀌지 않는다.
> ㄹ. 산소 원자가 전자를 2개 얻을 때 산화 이온(O^{2-})이 생성된다.

답 ④

❺-1 이온식과 이온의 이름을 옳게 짝 지은 것은?

① S^{2-} – 황 이온   ② H^+ – 수화 이온
③ Pb^{2+} – 납 이온   ④ Cl^- – 염소 이온
⑤ Cu^{2+} – 칼슘 이온

대표 기출 ❻ | 이온의 이동 |

그림과 같이 페트리 접시에 10 % 질산 칼륨(KNO_3) 수용액을 반쯤 채운 후, 전원 장치를 연결하고 페트리 접시 중앙에 과망가니즈산 칼륨($KMnO_4$) 수용액과 황산 구리(Ⅱ) ($CuSO_4$) 수용액을 한 방울씩 떨어뜨렸다. 이에 대한 설명으로 옳은 것을 |보기|에서 모두 고르시오.

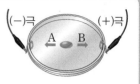

┌─ 보기 ─────────────────────────┐
ㄱ. 파란색은 (−)극 쪽으로 이동한다.
ㄴ. 칼륨 이온과 황산 이온은 이동하지 않는다.
ㄷ. 보라색은 (+)극 쪽으로 이동한다.
ㄹ. (+)극 쪽으로 이동하는 물질은 양이온이다.
ㅁ. 파란색을 띠는 이온은 음이온이다.
ㅂ. 보라색을 띠는 이온은 칼륨 이온이다.
ㅅ. 질산 칼륨 수용액을 사용하는 까닭은 전류를 잘 흐르게 하기 위해서이다.
└────────────────────────────────┘

> **Tip** 수용액에 전원 장치를 연결하면 (+)전하를 띤 양이온은 (−)극 쪽으로 이동하고, (−)전하를 띤 음이온은 (+)극 쪽으로 이동한다.

> **풀이** ㄴ. 칼륨 이온(K^+)은 양이온이므로 (−)극 쪽으로, 황산 이온(SO_4^{2-})은 음이온이므로 (+)극 쪽으로 이동한다.
> ㄹ. 양이온은 (+)극 쪽으로 이동하고, 음이온은 (−)극 쪽으로 이동한다.
> ㅁ, ㅂ. 구리 이온(Cu^{2+})은 파란색을 띠고, 과망가니즈산 이온(MnO_4^-)은 보라색을 띤다.

답 ㄱ, ㄷ, ㅅ

❻-1 그림과 같이 염화 나트륨 수용액에 전원 장치를 연결하였다. 이에 대한 설명으로 옳은 것은?

① 수용액 속의 분자가 이동한다.
② 음이온은 (−)극 쪽으로 이동한다.
③ 양이온은 (+)극 쪽으로 이동한다.
④ 설탕 수용액에서 볼 수 있는 현상이다.
⑤ 이온이 전하를 띠고 있음을 알 수 있다.

대표 기출 ❼　　　　　　　　　| 앙금 생성 반응 |

그림은 (가) 염화 칼슘 수용액과 (나) 탄산 나트륨 수용액을 혼합시키는 반응을 모형으로 나타낸 것이다.

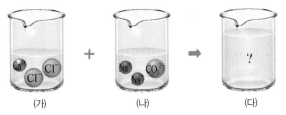

이에 대한 설명으로 옳지 **않은** 것을 모두 고르면? [정답 3개]

① (나)와 (다)의 불꽃 반응에서 같은 색의 불꽃색을 볼 수 있다.

② (다)에서 흰색 앙금이 생성된다.

③ 나트륨 이온과 염화 이온은 반응에 참여하지 않는다.

④ (다)에 전원 장치에 연결된 전극을 연결하면 전류가 흐르지 않는다.

⑤ (나)의 불꽃 반응에서 나타나는 불꽃색은 주황색이다.

⑥ (다)에 생긴 앙금은 염화 은이다.

⑦ (다)에 들어 있는 이온의 종류는 2가지이다.

Tip (가)와 (다)에는 모두 칼슘 원소가 포함되어 있다. (다)에서 칼슘 이온(Ca^{2+})과 탄산 이온(CO_3^{2-})이 반응하면 흰색의 탄산 칼슘($CaCO_3$) 앙금이 생기고, 나트륨 이온(Na^+)과 염화 이온(Cl^-)이 남는다.

풀이 ④ (다) 혼합 용액에는 양이온(Na^+)과 음이온(Cl^-)이 있어 전류가 흐를 수 있다.
⑤ (나)에는 나트륨 이온이 들어 있어 불꽃색이 노란색이다.
⑥ (다)에 생긴 앙금은 탄산 칼슘($CaCO_3$)이다.

답 ④, ⑤, ⑥

대표 기출 ❽　　　　　　　　　| 이온의 검출 |

그림은 아이오딘화 칼륨 수용액과 미지의 수용액을 혼합하여 노란색 앙금이 생성되는 반응을 모형으로 나타낸 것이다.

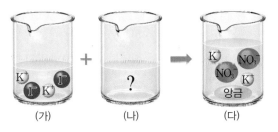

이에 대한 설명으로 옳은 것을 모두 고르면? [정답 2개]

① (가)의 불꽃색은 주황색이다

② (나)에는 Pb^{2+}과 NO_3^-이 들어 있을 것으로 예측된다.

③ (다)에서 생긴 앙금은 KNO_3이다.

④ (다) 용액에는 이온이 없다.

⑤ (다)의 불꽃 반응에서 보라색이 나타난다.

⑥ 아이오딘화 이온과 칼륨 이온이 반응하여 앙금이 생성된다.

Tip 수용액 속의 이온은 눈으로 볼 수 없지만 앙금이 생성되는 반응을 이용하면 수용액 속에 어떤 이온이 들어 있는지 알 수 있다.

풀이 ① (가)에는 칼륨 이온이 들어 있으므로 불꽃색은 보라색이다.
③ (다)에서 생긴 노란색 앙금은 아이오딘화 납(PbI_2)이다.
④ (다) 용액에는 칼륨 이온(K^+)과 질산 이온(NO_3^-)이 들어 있다.
⑥ 납 이온(Pb^{2+})과 아이오딘화 이온(I^-)이 반응하여 앙금이 생성된다.

답 ②, ⑤

---

❼-1 그림과 같이 물질 X에 질산 은 수용액을 떨어뜨렸을 때 앙금이 생성되는 수용액으로 옳은 것을 모두 고르면? [정답 2개]

① 질산 칼슘 수용액

② 염화 칼슘 수용액

③ 염화 나트륨 수용액

④ 질산 나트륨 수용액

⑤ 질산 암모늄 수용액

질산 은 수용액

---

❽-1 그림과 같은 폐수 속에 있는 납 이온을 확인하기 위해 앙금 생성 반응을 이용하려고 한다. 이때 사용할 수 있는 이온으로 옳은 것은?

① K^+　　　② H^+

③ I^-　　　④ NO_3^-

⑤ NH_4^+

1 분자에 대한 설명으로 옳은 것은?

① 암모니아 분자는 4종류의 원소로 이루어져 있다.

② 물 분자 1개를 구성하는 총 원자 수는 2개이다.

③ 분자는 더 이상 분해되지 않으며 물질의 성질을 나타낸다.

④ 이산화 탄소 분자 1개는 탄소 원자 1개, 산소 원자 2개로 이루어져 있다.

⑤ 분자는 물질을 구성하는 가장 작은 단위로 더 이상 쪼개지지 않는 기본 입자이다.

> **Tip** 암모니아의 분자식은 NH_3이고, 물의 분자식은 **❶** 이며 이산화 탄소의 분자식은 **❷** 이다.
>
> 답 ❶H_2O ❷CO_2

2 그림은 산소 원자로 구성된 분자 모형을 나타낸 것이다.

물질 A   물질 B

이에 대한 설명으로 옳은 것을 모두 고르면? [정답 2개]

① 물질 A와 B는 성질이 비슷하다.

② 물질 A와 B는 서로 다른 물질이다.

③ 물질 A와 B의 성분 원소의 종류는 같다.

④ 물질 A는 오존의 분자 모형이고, 물질 B는 산소의 분자 모형이다.

⑤ 분자 1개를 구성하는 원자의 개수는 물질 A가 물질 B보다 많다.

> **Tip** 결합하는 **❶** 의 종류와 수에 따라 분자의 종류가 **❷** .
>
> 답 ❶원자 ❷달라진다

3 물질의 이름과 분자식을 옳게 짝 지은 것은?

① 메테인 – CH_3

② 암모니아 – NH_4

③ 염화 수소 – HCl

④ 일산화 탄소 – CO_2

⑤ 과산화 수소 – H_2O

> **Tip** 원소 기호를 이용하여 분자를 이루는 원자의 **❶** 와 수를 나타낸 것을 **❷** 이라고 한다.
>
> 답 ❶종류 ❷분자식

4 그림은 원자 A와 B가 이온이 되는 과정을 모형으로 나타낸 것이다.

원자 A

원자 B

이에 대한 설명으로 옳은 것은?

① 원자 B의 전자는 10개이다.

② 이온 A를 이온식으로 표현하면 A^-이다.

③ 이온 B를 이온식으로 표현하면 B^{2+}이다.

④ 이온 A는 (+)전하량이 (−)전하량보다 많다.

⑤ 원자 B는 이온 B보다 전자의 개수가 더 많다.

> **Tip** 원자는 원자핵의 (+)전하량과 전자들의 (−)전하량의 합이 **❶** 이고, 양이온은 원자핵의 (+)전하량이 전자들의 (−)전하량의 합보다 더 **❷** .
>
> 답 ❶0 ❷크다

5 그림과 같이 질산 칼륨 수용액을 적신 거름종이를 유리판 위에 놓고 황산 구리(Ⅱ) 수용액(A)과 과망가니즈산 칼륨 수용액(B)을 떨어뜨리고 전원 장치를 연결하였다.

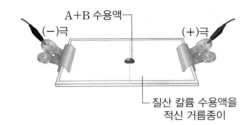

이에 대한 설명으로 옳은 것을 |보기|에서 모두 고른 것은?

┌ 보기 ┐
ㄱ. 파란색은 (+)극 쪽으로 이동한다.
ㄴ. 칼륨 이온은 이동하지 않는다.
ㄷ. 구리 이온이 (+)전하를 띠는 것을 알 수 있다.
ㄹ. 전극을 바꾸면 이온의 이동 방향이 바뀐다.
ㅁ. 보라색를 띠는 이온은 MnO_4^-이다.

① ㄱ, ㄴ, ㄷ   ② ㄴ, ㄷ, ㄹ
③ ㄴ, ㄷ, ㅁ   ④ ㄷ, ㄹ, ㅁ
⑤ ㄴ, ㄷ, ㄹ, ㅁ

Tip 구리 이온은 양이온으로 색깔은 **❶** 을 띤다. 칼륨 이온은 **❷** 이온으로 색깔을 띠지 않는다.

답 ❶파란색 ❷양

6 그림은 염화 칼슘 수용액과 탄산 나트륨 수용액의 반응을 나타낸 것이다.

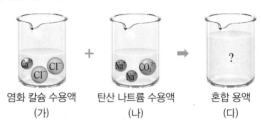

염화 칼슘 수용액   탄산 나트륨 수용액   혼합 용액
(가)   (나)   (다)

이에 대한 설명으로 옳은 것을 |보기|에서 모두 고른 것은?

┌ 보기 ┐
ㄱ. (가)와 (나) 용액의 불꽃색은 같다.
ㄴ. (다)에서 흰색 앙금이 생성된다.
ㄷ. 나트륨 이온과 염화 이온은 반응에 참여하지 않는다.
ㄹ. (다)에는 이온이 포함되어 있지 않다.

① ㄱ, ㄴ   ② ㄴ, ㄷ   ③ ㄴ, ㄹ
④ ㄱ, ㄴ, ㄷ   ⑤ ㄴ, ㄷ, ㄹ

Tip 칼슘 원소의 불꽃색은 **❶** 이고, 나트륨 원소의 불꽃색은 **❷** 이다.

답 ❶주황색 ❷노란색

7 표는 염화 칼륨 수용액, 질산 나트륨 수용액, 염화 칼슘 수용액을 구별하기 위해 질산 은 수용액이나 탄산 나트륨 수용액과 반응시켰을 때 나타나는 결과이다.

구분	(가) 수용액	(나) 수용액	(다) 수용액
질산 은 수용액	흰색 앙금	변화 없음	흰색 앙금
탄산 나트륨 수용액	변화 없음	변화 없음	흰색 앙금

(가)~(다)에 해당하는 물질을 각각 쓰시오.

(가) : (   ), (나) : (   ),
(다) : (   )

Tip 염화 이온(Cl^-)과 은 이온(Ag^+)이 반응하면 **❶** 의 앙금이 생기고, 칼슘 이온(Ca^{2+})과 탄산 이온(CO_3^{2-})이 반응하면 흰색의 **❷** 이 생긴다.

답 ❶흰색 ❷앙금

01 그림은 라부아지에의 물 분해 실험을 나타낸 것이다.

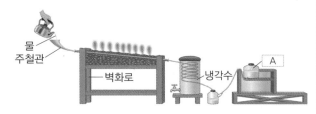

물
주철관
벽화로
냉각수
A

┌ 보기 ┐
ㄱ. A에 모이는 기체는 산소 기체이다.
ㄴ. 주철관 내부에 있는 철은 수소와 결합한다.
ㄷ. 물이 원소가 아님을 증명한 실험이다.

이에 대한 설명으로 옳은 것을 |보기|에서 모두 고른 것은?

① ㄱ   ② ㄴ   ③ ㄷ
④ ㄱ, ㄷ   ⑤ ㄴ, ㄷ

02 그림은 어떤 원자의 구조를 모형으로 나타낸 것이다.

이에 대한 설명으로 옳은 것을 |보기|에서 모두 고른 것은?

┌ 보기 ┐
ㄱ. A는 원자의 중심에 위치하고 (+)전하를 띤다.
ㄴ. A의 전하량은 +6 이다.
ㄷ. 원자 질량의 대부분은 전자들의 질량이 차지한다.

① ㄱ   ② ㄴ   ③ ㄱ, ㄴ
④ ㄱ, ㄷ   ⑤ ㄴ, ㄷ

03 불꽃 반응에 대한 설명으로 옳은 것을 |보기|에서 모두 고른 것은?

┌ 보기 ┐
ㄱ. 금속 원소의 종류에 따라 불꽃색이 다르다.
ㄴ. 염화 나트륨과 질산 나트륨은 불꽃색이 같다.
ㄷ. 불꽃색이 비슷한 원소는 연속 스펙트럼으로 구분할 수 있다.

① ㄱ   ② ㄴ   ③ ㄱ, ㄴ
④ ㄱ, ㄷ   ⑤ ㄴ, ㄷ

04 그림은 원소 A~C와 물질 (가)의 선 스펙트럼을 나타낸 것이다.

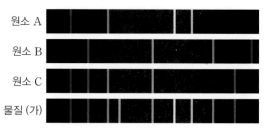

원소 A
원소 B
원소 C
물질 (가)

물질 (가)에 포함된 원소를 모두 쓰시오.

05 원소 이름과 원소 기호를 옳게 짝 지은 것은?

① 헬륨 – H   ② 나트륨 – Ne
③ 플루오린 – Fe   ④ 마그네슘 – Mn
⑤ 칼슘 – Ca

06 그림은 암모니아를 분자 모형으로 나타낸 것이다. 이에 대한 설명으로 옳은 것을 |보기|에서 모두 고른 것은?

┌─ 보기 ─────────────────────────┐
ㄱ. 분자식은 CH_3이다.
ㄴ. 이 분자는 두 가지 원소로 이루어져 있다.
ㄷ. 이 분자는 4개의 원자로 이루어져 있다.
└──────────────────────────────┘

① ㄱ   ② ㄴ   ③ ㄱ, ㄴ

④ ㄱ, ㄷ   ⑤ ㄴ, ㄷ

07 물질의 이름과 분자식을 <u>잘못</u> 짝 지은 것은?

① 산소 − O_2

② 물 − H_2O

③ 메테인 − CH_4

④ 암모니아 − NH_3

⑤ 이산화 탄소 − CO

08 이온 이름과 이온식을 옳게 짝 지은 것은?

① 구리 이온 − Cu^{2+}

② 칼슘 이온 − Ca^+

③ 질산 이온 − NO_2^-

④ 탄산 이온 − CO_2^-

⑤ 암모늄 이온 − NH^{3+}

09 그림과 같이 장치한 후 황산 구리(Ⅱ) 수용액과 과망가니즈산 칼륨 수용액을 각각 한 방울씩 떨어뜨리고 전류를 흐르게 하였다.

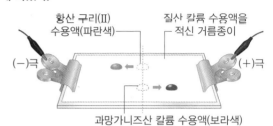

(−)극 쪽으로 이동하는 이온 중 파란색을 띠는 이온과 (+)극 쪽으로 이동하는 이온 중 보라색을 띠는 이온을 각각 이온식으로 쓰시오.

- 파란색을 띠는 이온 : (   )
- 보라색을 띠는 이온 : (   )

10 그림은 아이오딘화 칼륨 수용액이 들어 있는 시험관에 질산 납 수용액을 몇 방울 떨어뜨렸을 때 나타나는 현상을 나타낸 것이다. 이에 대한 설명으로 옳은 것을 |보기|에서 모두 고른 것은?

┌─ 보기 ─────────────────────────┐
ㄱ. 앙금 생성 반응이다.
ㄴ. 노란색 앙금은 PbI_2이다.
ㄷ. 수용액에는 이온이 더 이상 존재하지 않는다.
└──────────────────────────────┘

① ㄱ   ② ㄴ   ③ ㄱ, ㄴ

④ ㄱ, ㄷ   ⑤ ㄴ, ㄷ

1 그림은 물질에 대한 과학자들의 대화이다.

(1) 빈칸에 들어갈 알맞은 말을 쓰시오.

ㄱ (   )

ㄴ (   )

ㄷ (   )

(2) 라부아지에가 설명한 ㄷ에 해당하는 물질을 옳게 짝 지은 것은?

① 구리, 철, 질소

② 수소, 산소, 물

③ 물, 암모니아, 금

④ 철, 산소, 이산화 탄소

⑤ 공기, 알루미늄, 탄산 칼슘

> **Tip** 원소는 ❶ [   ] 을 구성하는 기본 성분으로, 더 이상 다른 물질로 ❷ [   ] 되지 않는다.
>
> 답 ❶물질 ❷분해

2 그림은 불꽃 놀이 장면을 보고 나눈 가족들의 대화이다.

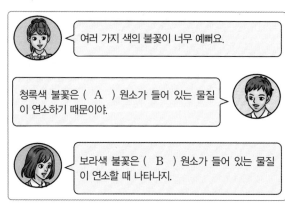

여러 가지 색의 불꽃이 너무 예뻐요.

청록색 불꽃은 (A) 원소가 들어 있는 물질이 연소하기 때문이야.

보라색 불꽃은 (B) 원소가 들어 있는 물질이 연소할 때 나타나지.

A, B에 들어갈 원소의 기호를 옳게 짝 지은 것은?

	A	B		A	B
①	Cu	Na	②	Cu	K
③	Ca	K	④	K	Cu
⑤	Sr	K			

> **Tip** 불꽃색이 ❶ [   ] 인 원소는 리튬 또는 ❷ [   ] 이다.
>
> 답 ❶빨간색 ❷스트론튬

3 그림은 어떤 원자의 구조를 모형으로 나타낸 것이다.

두 사람이 나눈 대화를 읽고 물음에 답하시오.

> 원자는 원자핵과 전자로 이루어져 있는데 원자핵의 (＋) 전하량과 전체 전자의 (－)전하량이 같아서 전기적으로 (A)이야.

> 그럼 이 원자의 원자핵의 전하량은 (B)이겠네. 왜냐하면 전체 전자들의 전하량 합이 (C)이니까.

A, B, C에 들어갈 말을 모두 옳게 짝 지은 것은?

	A	B	C
①	중성	＋6	－6
②	음성	＋6	－6
③	양성	－6	＋6
④	중성	－6	＋6
⑤	양성	＋6	－6

> **Tip** 산소 원자는 전기적으로 중성이고 ❶☐☐☐의 전하량이 ＋8이므로 ❷☐개의 전자를 가지고 있다.
>
> 답 ❶ 원자핵 ❷ 8

4 그림은 과거에 원소를 나타내는 기호에 대한 대화이다.

> 이게 금을 만드는 방법이야.

> 응? 어떤 물질로 금을 만든 거야?

연금술사

> 알파벳이나 그림을 넣어 원소들의 기호를 정리하자.

> 많은 원소가 발견되니 표현하기 어렵네.

돌턴

⊕ ☿ ☉ Ⓢ ⓒ
황 수은 금 은 구리

(1) 위의 문제점을 해결하기 위해 원소 기호를 나타내는 새로운 방법을 제안한 사람은 누구인지 쓰시오.

(   )

(2) 위 (1)의 사람이 제안한 방법에 맞게 빈칸에 알맞은 말을 쓰시오.

> ① 원소 이름의 (   )를 알파벳의 대문자로 나타낸다.
> ② 첫 글자가 같을 때는 중간 글자를 택하여 첫 글자 다음에 (   )로 나타낸다.

> **Tip** 원소를 나타낼 때에는 원소 이름의 알파벳 ❶☐ 글자나 중간 글자를 이용해 ❷☐☐☐로 나타낸다.
>
> 답 ❶ 첫 ❷ 원소 기호

5 그림은 일상생활에서 사용하는 물질에 대한 것이다.

공기 중에 ㉠( )가 부족해서 숨쉬기 힘들어.

고산지대

목이 말라.

㉡( )이 필요해.

사막

풍선이 떠 있어요!

풍선 속에 가벼운 ㉢( ) 기체가 들어 있어.

㉣( )는 가장 가벼운 물질로, 미래의 에너지야.

H₂

㉠~㉣에 들어갈 물질을 옳게 짝 지은 것은?

	㉠	㉡	㉢	㉣
①	수소	산소	물	헬륨
②	질소	물	헬륨	산소
③	이산화 탄소	산소	헬륨	메테인
④	산소	물	헬륨	수소
⑤	물	산소	수소	헬륨

Tip 가장 가벼운 원소는 ❶[ ]이고, 헬륨은 수소보다 무겁지만, 풍선에 넣을 때 수소 대신 헬륨을 사용하는 이유는 수소가 쉽게 ❷[ ]하여 위험하기 때문이다.

답 ❶수소 ❷연소

6 다음은 어떤 입자에 대해 설명한 글이다.

> 나는 누구일까요?
>
> 우리 몸의 뼈 속에 들어 있는 어떤 원자가 전자 2개를 잃으면 내가 돼요.
> 나는 원자핵의 (+)전하량이 전자들의 (−)전하량의 합보다 더 커요.
> 격렬한 운동을 하는 운동선수와 같이 짧은 시간에 땀을 많이 흘리는 사람들이 마시는 이온 음료에도 내가 포함되어 있어요.
> 물 속에서 탄산 이온(CO_3^{2-})을 만나면 나는 흰색 앙금이 돼요.
>
> 나는 누구일까요?

여기서 말하는 '나'는 무엇인지 이름을 쓰고, 원소 기호를 이용하여 나타내시오.

( )

Tip 탄산 이온과 칼슘 이온이 반응하면 ❶[ ] 앙금이 생성되고, 바륨 이온과 탄산 이온이 반응하면 ❷[ ] 앙금이 생성된다.

답 ❶흰색 ❷흰색

7 그림은 용액 A와 B에 들어 있는 이온의 종류를 확인하는 과정을 나타낸 것이다. (단, 용액 B에 있는 음이온의 전하량은 −1이다.)

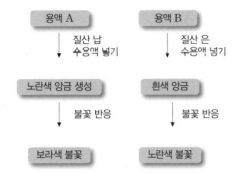

(1) 용액 A에 들어 있을 것으로 예상되는 양이온과 음이온을 쓰시오.

- 양이온 : (   )

- 음이온 : (   )

(2) 용액 B에 들어 있을 것으로 예상되는 양이온과 음이온을 쓰시오.

- 양이온 : (   )

- 음이온 : (   )

> **Tip** 아이오딘화 납은 ❶[   ] 앙금이고, 염화 은은 ❷[   ] 앙금이다.
>
> 답 ❶노란색 ❷흰색

8 다음은 이온에 대해 알아보는 실험의 과정과 결과이다.

| 실험 과정 |
두 개의 페트리 접시에 전극을 설치하고, 각각 질산 칼륨 수용액을 페트리 접시 높이의 절반 정도까지 넣은 후 전류를 흐르게 한다. 한 페트리 접시에는 황산 구리(II) 수용액을, 다른 페트리 접시에는 과망가니즈산 칼륨 수용액을 몇 방울 떨어뜨린 후 변화를 관찰한다.

| 실험 결과 |

이 실험 결과에 대한 대화 중 옳지 <u>않은</u> 것은?

① 파란색을 띠는 이온은 양이온이므로 (−)극 쪽으로 이동해.

② 파란색을 띠는 이온은 구리 이온(Cu^{2+})이야.

③ 보라색을 띠는 이온은 음이온이므로 (+)극 쪽으로 이동해.

④ 보라색을 띠는 이온은 과망가니즈산 이온(MnO_4^-)이야.

⑤ 칼륨 이온(K^+)과 질산 이온(NO_3^-)은 이동하지 않아.

> **Tip** 수용액에 전류를 흐르게 하면 ❶[   ]이온은 (−)극 쪽으로, ❷[   ]이온은 (+)극 쪽으로 이동한다.
>
> 답 ❶양 ❷음

2주

II 전기와 자기

3강_전기

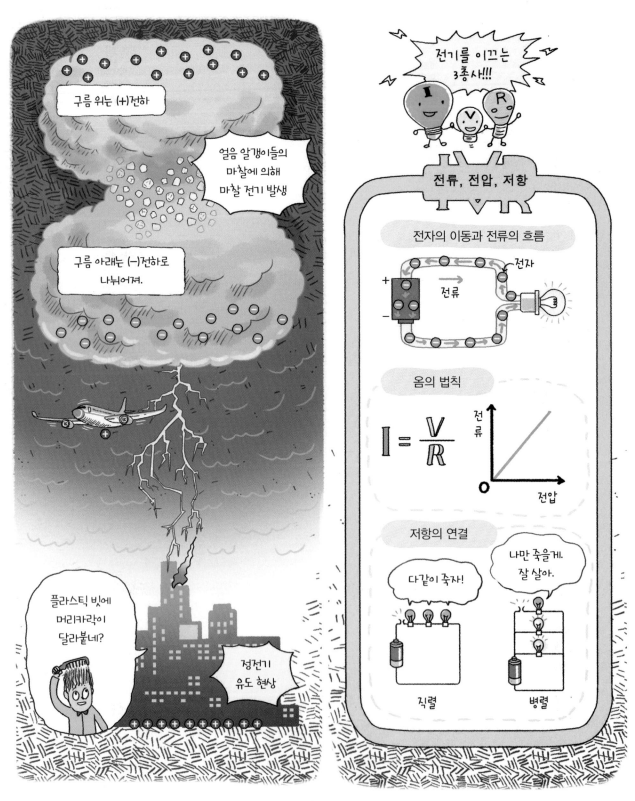

4강_자기

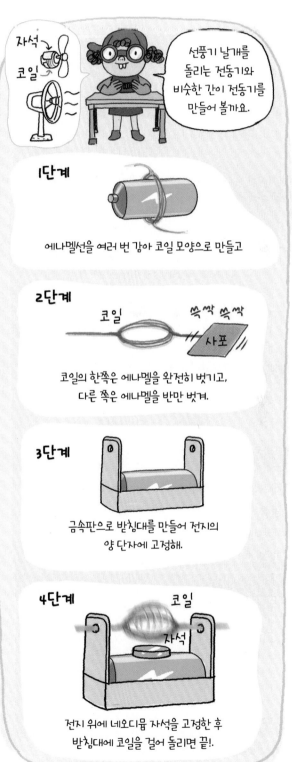

개념 ❶ 마찰 전기

1 원자의 구조 원자핵과 ❶□로 구성

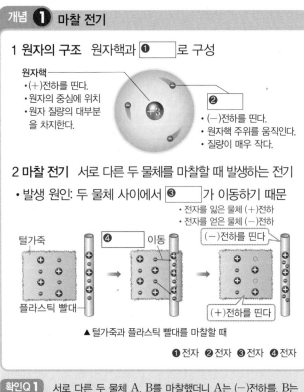

원자핵
- (+)전하를 띤다.
- 원자의 중심에 위치
- 원자 질량의 대부분을 차지한다.

❷□
- (−)전하를 띤다.
- 원자핵 주위를 움직인다.
- 질량이 매우 작다.

2 마찰 전기 서로 다른 두 물체를 마찰할 때 발생하는 전기
- 발생 원인: 두 물체 사이에서 ❸□가 이동하기 때문
  - 전자를 잃은 물체 (+)전하
  - 전자를 얻은 물체 (−)전하

털가죽 ❹□ 이동 (−)전하를 띤다

플라스틱 빨대 (+)전하를 띤다

▲ 털가죽과 플라스틱 빨대를 마찰할 때

❶전자 ❷전자 ❸전자 ❹전자

확인Q 1 서로 다른 두 물체 A, B를 마찰했더니 A는 (−)전하를, B는 (+)전하를 띠었다. 빈칸에 전자의 이동 방향을 화살표로 나타내시오.

- 물체 A ( ) 물체 B 답

개념 ❷ 전기력

1 전기력 전하를 띤 물체 사이에 작용하는 힘

2 종류 인력, 척력
- 인력: ❶□ 전하 사이에 작용하는 서로 당기는 힘
- 척력: ❷□ 전하 사이에 작용하는 서로 밀어내는 힘

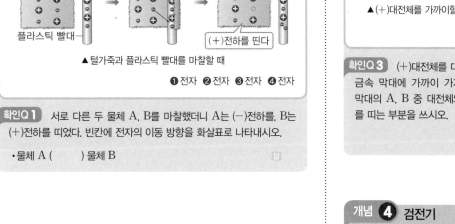

인력	척력
다른 전하 사이에 작용	같은 전하 사이에 작용

❶다른 ❷같은

확인Q 2 고무풍선으로 머리카락을 문질렀더니 머리카락이 낱낱이 흩어졌다. 머리카락들 사이에 작용하는 힘과 그 종류를 쓰시오.

개념 ❸ 정전기 유도

1 정전기 마찰 전기와 같이 한 곳에 머물러 있는 전기

2 정전기 유도 대전되지 않은 금속에 대전체를 가까이할 때 금속의 양쪽 끝이 서로 다른 전하를 띠는 현상
- 발생 원인: 금속 내의 전자와 대전체가 띠는 전하 사이에 ❶□이 작용하여 ❷□가 이동하기 때문

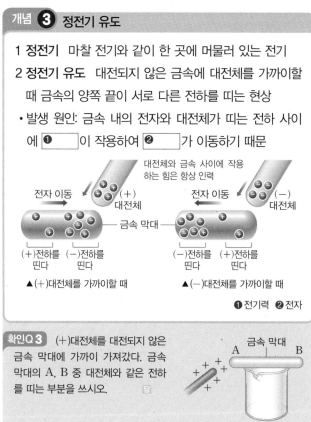

대전체와 금속 사이에 작용하는 힘은 항상 인력

전자 이동 (+)대전체

전자 이동 (−)대전체

금속 막대

(+)전하를 띤다 (−)전하를 띤다

(−)전하를 띤다 (+)전하를 띤다

▲ (+)대전체를 가까이할 때

▲ (−)대전체를 가까이할 때

❶전기력 ❷전자

확인Q 3 (+)대전체를 대전되지 않은 금속 막대에 가까이 가져갔다. 금속 막대의 A, B 중 대전체와 같은 전하를 띠는 부분을 쓰시오. 답

금속 막대 A B

개념 ❹ 검전기

1 검전기 금속판, 금속 막대, 금속박으로 이루어진 장치

2 검전기의 이용 ❶□ 현상을 이용해 물체의 대전 여부, 대전된 전하의 양과 ❷□를 알 수 있다.

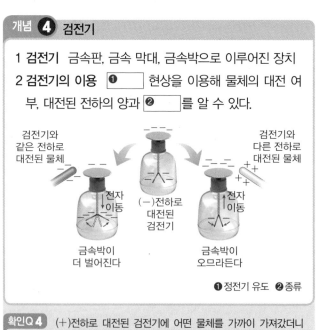

검전기와 같은 전하로 대전된 물체

검전기와 다른 전하로 대전된 물체

전자 이동 (−)전하로 대전된 검전기 전자 이동

금속박이 더 벌어진다

금속박이 오므라든다

❶정전기 유도 ❷종류

확인Q 4 (+)전하로 대전된 검전기에 어떤 물체를 가까이 가져갔더니 두 가닥의 금속박이 살짝 오므라들었다. 이 물체가 띠고 있는 전하를 쓰시오. 답

개념 **5** 전류

1 전류 전하의 흐름

- 전류의 세기: 1초 동안 도선의 한 단면을 통과하는 **❶** 의 양, 전류계로 측정

- 전류의 단위: A(암페어), mA(밀리암페어)

2 전선 속 전류 무형 전선 속 전자가 전지의 (−)극에서 (+)극 쪽으로 이동

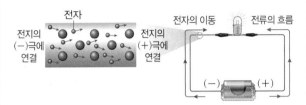

- 전류의 방향: 전지의 (+)극에서 (−)극 쪽으로 흐름

- 전자의 이동 방향: 전지의 (−)극에서 (+)극으로 이동

- 전류와 전자의 이동이 반대인 까닭: 전류의 방향을 정한 후 **❷** 를 발견, 전자는 (−)전하를 띠고 있다.

❶ 전하 **❷** 전자

확인Q 5 1초 동안 도선의 단면을 통과하는 전하의 양이 1 C일 때 전류의 세기가 1 A이면 전하의 양이 0.1 C일 때 전류의 세기는? 답

개념 **6** 전압

1 전압 전기 회로에서 **❶** 를 흐르게 하는 능력, 단위는 V(볼트)를 사용, 전압계로 측정

2 수로와 전기 회로의 비교

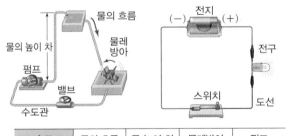

수로	물의 흐름	물 높이 차	물레방아	펌프
전기 회로	전류	**❷**	전구	전지

❶ 전류 **❷** 전압

확인Q 6 그림은 전압계의 (−)단자들 중 3 V 단자에 연결했을 때의 눈금판이다. 이때 전압은 얼마인지 쓰시오. 답

개념 **7** 옴의 법칙

1 전압과 전류의 관계 전기 회로에 걸리는 전압이 커지면 전류도 커진다. 즉, **❶** 의 세기는 전압에 비례한다.

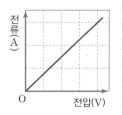

2 전기 저항 전류의 흐름을 방해하는 정도, 단위는 Ω(옴) 전기 저항의 크기는 도선의 길이가 길수록, 도선의 굵기가 작을수록 크다.

- 전기 저항이 생기는 까닭: 전류가 흐를 때 이동하는 **❷** 들이 원자들과 충돌하기 때문이다.

3 옴의 법칙 전류의 세기=$\dfrac{\text{전압}}{\text{❸}}$ 전류의 세기는 전압에 비례하고, 전기 저항에 반비례한다.

❶ 전류 **❷** 전자 **❸** 전기 저항

확인Q 7 그림은 어떤 전기 회로에서 두 도선 A, B에 걸어준 전압과 전류의 관계를 나타낸 것이다. A의 저항이 1 Ω이면 B의 저항은 얼마인지 쓰시오. 답

개념 **8** 저항의 연결

1 저항의 직렬연결 저항의 **❶** 가 길어지는 것과 같으므로 전체 저항의 크기가 커진다.

2 저항의 병렬연결 저항의 **❷** 가 굵어지는 것과 같으므로 전체 저항의 크기가 작아진다.

저항의 직렬연결	저항의 병렬연결
각 저항에 흐르는 전류는 전체 전류의 세기와 **❸** . $$I=I_1=I_2$$	각 저항에 흐르는 전류의 세기는 저항의 크기에 반비례한다. $$I_1=\dfrac{V}{R_1},\ I_2=\dfrac{V}{R_2}$$

❶ 길이 **❷** 굵기 **❸** 같다

확인Q 8 전기 회로에 연결된 두 저항에 흐르는 전류가 전체 전류와 같았다. 이때 두 저항은 어떻게 연결되었는지 쓰시오. 답

개념 ❶ 자기장과 자기력선

1 **자기력** 자석과 자석 사이에 작용하는 미치는 힘

2 **자기장** ❶[ ]이 작용하는 공간 ·자석 사이에는 인력이나 척력이 작용한다.

• 방향: 나침반 자침의 ❷[ ]이 가리키는 방향

• 크기: 자석의 양쪽 극에 가까울수록 세다.

3 **자기력선** 자기장을 선으로 나타낸 것

• 자기력선은 자석의 N극에서 나와 S극으로 들어간다.

• 자기력선이 촘촘할수록 ❸[ ]의 세기가 세다.

• 자기력선은 중간에 끊어지거나 교차하지 않는다. ❶자기력 ❷N극 ❸자기장

확인Q1 그림은 두 자석 (가), (나) 사이의 자기력선을 나타낸 것이다. A에서 자기장의 방향을 자침의 극을 사용하여 나타내시오. 답

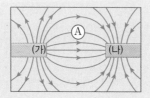

개념 ❷ 직선 도선 주위의 자기장

1 **직선 도선 주위의 자기장** 전류가 흐르는 직선 도선 주위에는 동심원 모양의 ❶[ ]이 생긴다.

 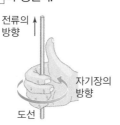

• 자기장의 방향: 오른손의 엄지손가락을 전류의 방향으로 향하고 네 손가락으로 도선을 감아쥘 때 네 손가락이 감기는 방향

2 **자기장의 세기** 도선에 흐르는 ❷[ ]의 세기가 클수록, 도선으로부터 거리가 작을수록 크다.

❶자기장 ❷전류

확인Q2 직선 도선을 오른나사에 비유할 때 나사가 오른쪽으로 돌아가는 방향을 자기장의 방향이라고 하면 나사의 진행 방향에 비유되는 것을 쓰시오. 답

개념 ❸ 원형 도선 주위의 자기장

1 **원형 도선에 의한 자기장** 원형 도선 중심에서의 자기장은 두 직선 ❶[ ]에 의한 자기장의 합과 같다.

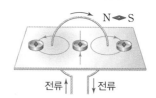 

• 자기장의 방향: 원형 도선 각 위치에서 오른손의 엄지손가락을 전류의 방향으로 향하고 네 손가락으로 도선을 감아쥘 때 네 손가락이 감기는 방향

2 **원형 도선 중심에서 자기장의 세기** 전류의 세기가 클수록, 도선이 만든 원의 ❷[ ]이 작을수록 크다.

❶전류 ❷반지름

확인Q3 그림과 같이 원형 도선에 화살표 방향으로 전류가 흐를 때 (가)~(다) 중 자기장의 세기가 가장 센 곳을 쓰시오. 답

개념 ❹ 코일 주위의 자기장

1 **코일 주위의 자기장** 원형 도선에 의한 ❶[ ]의 합

▲ 코일 안쪽에서의 자기장 방향

• 코일 안쪽에서 자기장의 방향: 오른손의 네 손가락을 전류의 방향으로 코일을 감아쥐고 이와 ❷[ ]으로 엄지손가락을 펼 때 엄지손가락이 가리키는 방향

2 **코일 주위의 자기장 세기** ❸[ ]의 세기가 클수록, 코일의 감은 수가 많을수록 크다.

❶자기장 ❷직각 ❸전류

확인Q4 그림과 같이 화살표 방향으로 전류가 흐르고 있는 코일 안쪽에서 자기장의 방향을 화살표로 옳게 나타내시오.

• (가) ( ) (나) 답

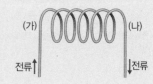

개념 ⑤ 전자석

1 전자석 전류가 흐르는 ❶⬜ 속에 철심을 넣어 만든 자석
코일에 철심을 넣고 전류를 흘려주면 전류에 의한 자기장과 자석에 의한 자기장이 합쳐져 코일만 있을 때보다 자기장의 세기가 커진다.

▲ 전자석의 극

• 코일에 ❷⬜ 가 흐르는 동안만 자석의 성질이 나타나고, 전류의 방향이 바뀌면 전자석의 극도 바뀐다.

2 전자석의 이용 자기 부상 열차, 전자석 기중기, 스피커, 전화기, 자기 공명 영상 장치(MRI) 등

❶코일 ❷전류

확인 Q5 그림은 초인종이 울리는 원리를 간단히 나타낸 것이다. (가)에 들어갈 알맞은 말을 쓰시오.

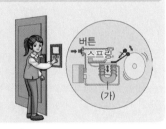

개념 ⑥ 자기장에서 전류가 받는 힘의 방향

1 자기장에서 도선이 받는 힘 자기장 속에 놓여 있는 도선에 전류가 흐르면 도선은 ❶⬜을 받는다.

2 자기장에서 도선이 받는 힘의 방향 오른손의 네 손가락을 자기장의 방향으로 향하게 펴고 엄지손가락을 전류의 방향으로 폈을 때 ❷⬜이 향하는 방향

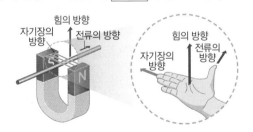

❶힘 ❷손바닥

확인 Q6 그림과 같이 오른손을 이용하여 전류가 흐르는 도선이 자기장 속에서 받는 힘의 방향을 알아내려고 한다. A, B, C가 가리키는 방향을 각각 쓰시오.

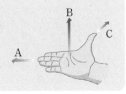

개념 ⑦ 자기장에서 전류가 받는 힘의 크기

1 자기장에서 도선이 받는 힘의 크기 전류의 세기가 클수록, ❶⬜의 세기가 클수록 크다.

• 전류의 방향이 자기장의 방향과 ❷⬜일 때 가장 큰 힘을 받고, 서로 나란하면 힘을 받지 않는다.

구분	자기장의 방향과 전류의 방향이 수직일 때	자기장의 방향과 전류의 방향이 나란할 때
자석 사이에서 도선의 위치		
힘의 크기	가장 큰 힘을 받는다.	❸⬜이다.

2 자기장에서 도선이 받는 힘의 이용 전동기, 전압계 등

❶자기장 ❷수직 ❸0

확인 Q7 그림(가)~(다)와 같이 자석의 극 사이에 도선이 놓여 있을 때 도선이 받는 힘의 크기를 비교하시오.

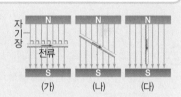

(가) (나) (다)

개념 ⑧ 전동기

1 전동기 자기장 속에서 전류가 흐르는 코일이 받는 ❶⬜을 이용하여 회전하는 장치

2 전동기의 회전 원리 자기장의 방향은 일정하고 코일의 AB 부분과 CD 부분에 흐르는 ❷⬜의 방향이 서로 반대이므로 힘의 방향도 반대가 되어 코일이 회전한다.

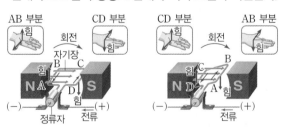

3 전동기의 이용 세탁기, 선풍기, 전기 자동차 등

❶힘 ❷전류

확인 Q8 그림과 같이 자석의 극 사이에 전류가 흐르는 도선이 놓여 있다. 도선 AB와 CD가 받는 힘의 방향은 서로 (같다, 반대이다).

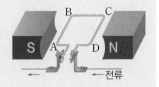

1 그림과 같이 대전되지 않은 두 물체 A, B를 서로 마찰하였더니 A는 (−)전하를 띠고, B는 (+)전하를 띠었다. 이에 대한 설명으로 옳은 것을 모두 고르면? [정답 2개]

① 마찰 후 물체 B에는 전자가 전혀 없다.

② 마찰할 때 전자들은 B에서 A로 이동하였다.

③ 마찰 후 물체 A는 (+)전하의 양이 감소하였다.

④ 마찰 후 물체 A와 B 사이에는 척력이 작용한다.

⑤ 마찰 후 물체 A는 (+)전하의 양보다 (−)전하의 양이 더 많다.

문제 해결 전략

마찰 전기의 발생 원인은 두 물체 사이에서 **❶** 가 이동하기 때문이며, **❷** 를 얻은 물체는 **❸** 로 대전된다.

답 ❶ 전자 ❷ 전자 ❸ (−)전하

2 그림과 같이 금속 구 근처에 (+)전하로 대전된 플라스틱 막대를 가까이하였다. 이때 금속 구에 유도되는 전하의 분포로 옳은 것은?

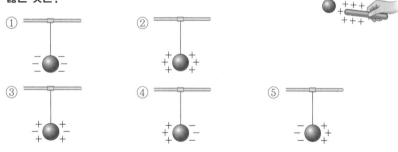

문제 해결 전략

정전기 유도 현상이 일어나는 원인은 대전체가 띠는 전하와 금속 내의 **❶** 사이에 **❷** 이 작용하여 **❸** 가 이동하기 때문이다.

답 ❶ 전자 ❷ 전기력 ❸ 전자

3 그림과 같이 대전되지 않은 검전기의 금속판에 (+)대전체를 가까이한 상태에서 금속판에 손가락을 살짝 댄 다음 손가락과 대전체를 동시에 치웠다. 이때 검전기가 띠는 전하를 옳게 나타낸 것은?

① ②

③ ④ ⑤

문제 해결 전략

대전되지 않은 검전기에 (+)대전체를 가까이하면 **❶** 에 의해 금속판은 (−)전하로, 금속박은 (+)전하가 유도되기 때문에 금속박이 **❷** .

답 ❶ 정전기 유도 ❷ 벌어진다

4 그림 (가)는 전구와 전류계를 연결한 회로이고, (나)는 (가) 회로의 한 부분에 흐르는 전류 모형을 나타낸 것이다. (가)와 (나)에서 전류의 방향을 각각 고르시오.

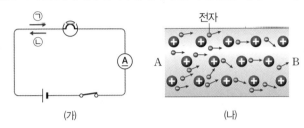

(가)   (나)

• (가): (㉠, ㉡), (나): A (→, ←) B

문제 해결 전략

전선에 전류가 흐를 때 **❶** 는 일정한 방향으로 이동하며, 전류의 방향은 전자의 이동 방향과 **❷** 방향이다.

답 ❶전자 ❷반대

---

5 그림 (가)와 같이 니크롬선에 전류계와 전압계를 연결하고, 니크롬선에 걸리는 전압을 변화시키며 전류의 세기를 측정한 결과가 (나)의 그래프와 같았다. 이 니크롬선의 저항은 몇 Ω인지 구하시오.

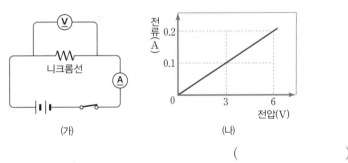

니크롬선   전류(A) 0.2 0.1 0 3 6 전압(V)

(가)   (나)

(   )

문제 해결 전략

니크롬선에 흐르는 전류의 세기는 니크롬선의 양 끝에 걸린 **❶** 에 비례하는데, 이를 **❷** 이라고 한다.

답 ❶전압 ❷옴의 법칙

---

6 그림은 코일 주변에 나침반을 놓았을 때 자침의 모습을 나타낸 것이다. 코일에 흐르는 전류에 대해 옳게 설명한 것은? (단, 지구 자기장의 영향은 무시한다.)

① 전류가 흐르지 않는다.

② 전류는 a 방향으로 흐른다.

③ 전류는 b 방향으로 흐른다.

④ 전류는 흐르지만 방향은 알 수 없다.

⑤ 전류가 흐르는지 흐르지 않는지 알 수 없다.

문제 해결 전략

오른손의 네 손가락을 **❶** 의 방향으로 코일을 감아쥐고, 엄지손가락을 이와 수직으로 폈을 때 엄지손가락이 가리키는 방향이 코일 내부에서 **❷** 의 방향이다.

답 ❶전류 ❷자기장

대표 기출 ❶
| 마찰 전기 |

그림은 물체 A, B를 마찰할 때 전자의 이동을 나타낸 것이다.

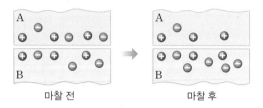

마찰 전 → 마찰 후

이에 대한 설명으로 옳은 것을 모두 고르면? [정답 2개]

① 마찰 후 A는 (−)전하를 띤다.

② 마찰 후 B는 (+)전하를 띤다.

③ A는 전자를 잃고, B는 전자를 얻었다.

④ 마찰할 때 전자가 B에서 A로 이동하였다.

⑤ 마찰 전 A와 B 사이에는 전기력이 작용한다.

⑥ 마찰 후 A와 B 사이에는 서로 잡아당기는 방향으로 힘이 작용한다.

> **Tip** 전자는 (−)전하를 띠므로 전자를 잃으면 (+)전하로 대전된다.

> **풀이** ①, ② 마찰 후 A는 전자를 잃고, B는 전자를 얻었으므로 A는 (+)전하를 띠고, B는 (−) 전하를 띤다.
> ④ 마찰할 때 전자가 A에서 B로 이동하였다.
> ⑤ 마찰 전 A, B는 전기적으로 중성이므로 전기력이 작용하지 않는다.
> **답** ③, ⑥

❶-1 두 물체 A, B를 마찰했을 때 이동하는 것과 마찰 후 물체 B가 띠는 전하의 종류를 옳게 짝 지은 것은?

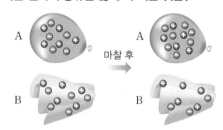

마찰 후

	이동하는 것	이동 방향	B가 띠는 전하
①	원자핵	A → B	(+)전하
②	원자핵	B → A	(−)전하
③	전자	A → B	(+)전하
④	전자	B → A	(+)전하
⑤	전자	B → A	(−)전하

대표 기출 ❷
| 전기력 |

그림은 가벼운 대전체 A~D 사이에 작용하는 전기력을 나타낸 것이다.

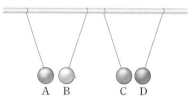

A가 (−)전하를 띠고 있을 때 이에 대한 설명으로 옳은 것을 |보기|에서 모두 고르시오. (단, A, B, C, D의 전하의 양은 같다.)

> ┌ 보기 ┐
> ㄱ. B는 (+)전하, C는 (−)전하, D는 (+)전하를 띤다.
> ㄴ. A를 D에 가까이할 때 서로 미는 힘이 작용한다.
> ㄷ. B를 D에 가까이할 때 서로 당기는 힘이 작용한다.

> **Tip** 전기력에는 인력과 척력이 있으며 같은 전하 사이에는 척력, 다른 전하 사이에는 인력이 작용한다.

> **풀이** ㄱ. B가 (+)전하를 띠므로 이와 척력이 작용하는 C는 B와 같은 (+)전하를 띤다. 또 D는 C와 인력이 작용하므로 (−)전하를 띤다.
> **답** ㄴ, ㄷ

❷-1 대전된 작은 공 A~D를 천장에 매달았더니 그림과 같이 서로 당기거나 서로 밀어냈다.

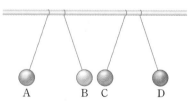

이에 대한 설명으로 옳은 것을 |보기|에서 모두 고르시오.

> ┌ 보기 ┐
> ㄱ. 전하가 같은 것끼리 짝을 지으면 A와 B, C와 D이다.
> ㄴ. 서로 당기는 힘이 작용하는 경우는 모두 A와 C, A와 D 뿐이다.
> ㄷ. 작용한 힘의 방향이 서로 같은 것끼리 짝을 지으면 A와 C, B와 D이다.

대표 기출 ❸ | 정전기 유도 |

그림은 알루미늄 깡통에 (−)전하로 대전된 플라스틱 자를 가까이하는 모습을 나타낸 것이다. 이에 대한 설명으로 옳은 것을 모두 고르면? (단, 깡통은 쉽게 굴러갈 수 있을 정도로 가볍다.) [정답 3개]

① 깡통의 A 쪽은 (+)전하로 대전된다.
② 깡통의 B 쪽은 (−)전하로 대전된다.
③ 깡통은 플라스틱 자에서 멀리 굴러간다.
④ 깡통의 전자가 플라스틱 자로 이동해 간다.
⑤ 정전기 유도 현상을 알아보기 위한 실험이다.
⑥ 깡통 내의 전자가 B에서 A 쪽으로 이동한다.

Tip 정전기 유도가 발생하는 원인은 금속 내의 전자가 대전체와의 전기력에 의해 이동하기 때문이다.

풀이 ③ 깡통은 플라스틱 자 쪽으로 끌려온다.
④ 깡통 내부에서만 전자가 이동하고 플라스틱 자로 이동하지 않는다.
⑥ 깡통 내의 전자는 플라스틱 자가 띠는 (−)전하에 의해 밀어내는 힘을 받아 A에서 B 쪽으로 이동한다.

답 ①, ②, ⑤

대표 기출 ❹ | 검전기 |

그림은 대전되지 않은 검전기의 금속판에 (+)대전체를 가까이할 때 모습을 나타낸 것이다. 이때 금속박에 대전된 전하와 검전기 내에서 이동한 입자와 이동 방향을 옳게 짝 지은 것은?

	금속박	이동 입자	입자의 이동 방향
①	(−)전하	원자핵	금속박 → 금속판
②	(+)전하	전자	금속박 → 금속판
③	(−)전하	전자	금속박 → 금속판
④	(+)전하	전자	금속판 → 금속박
⑤	(−)전하	원자핵	금속박 → 금속판

Tip 검전기에서 금속박 쪽의 전자는 대전체가 띠는 (+)전하와 전기적인 인력이 작용하여 금속판 쪽으로 이동하게 된다.

풀이 대전체는 (+)전하를 띠고 있으므로 금속판 쪽의 전자와 인력이 작용하여 금속판의 전자가 대전체 쪽으로 끌려가고 금속박의 전자도 금속판 쪽으로 이동해 온다. 따라서 금속판은 (−)전하를 띠고, 금속박은 (−)전하가 상대적으로 적기 때문에 (+)전하를 띠게 된다.

답 ②

❸-1 그림 (가)와 같이 금속 구 A, B를 절연된 실에 매달고 접촉한 다음 (−)대전체를 A에 가까이하였다. 이후 (나)와 같이 A와 B를 떨어뜨린 다음 (−)대전체를 멀리하였다.

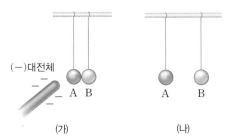

이에 대한 설명으로 옳은 것을 | 보기 |에서 모두 고르시오.

┌ 보기 ┐
ㄱ. (가)에서 전자는 A에서 B 쪽으로 이동한다.
ㄴ. (가)에서 B 쪽은 (+)전하를 띤다.
ㄷ. (나)에서 A는 (−)전하를 띤다.
ㄹ. (나)에서 A와 B 사이에는 서로 당기는 힘이 작용한다.

❹-1 그림 (가)와 같이 대전되지 않은 검전기에 (−)대전체를 가까이하면 금속박이 벌어지고, (나)와 같이 손가락을 금속판에 접촉하면 벌어져 있던 금속박이 오므라든다.

(가)　　　　　(나)

이에 대한 설명으로 옳은 것을 모두 고르면? [정답 2개]

① (가)에서 금속판은 (−)전하를 띤다.
② (가)에서 금속박은 (+)전하를 띠고 벌어진다.
③ (가)에서 금속박과 금속판은 (+)전하를 띤다.
④ (나)에서 금속박과 금속판은 (−)전하를 띤다.
⑤ (나)에서 금속박의 전자가 손가락으로 이동한다
⑥ (나)에서 대전체와 손가락을 치우면 금속박은 다시 벌어진다.

대표 기출 ❺
| 전선 속 전류 모형 |

그림은 전선 속 원자와 전자의 모형을 나타낸 것이다. 이에 대한 설명으로 옳은 것을 모두 고르면? [정답 2개]

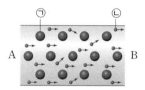

① ㉠은 전자, ㉡은 원자이다.

② 전류가 흐르고 있는 상태이다.

③ 전류는 A에서 B 방향으로 흐른다.

④ 전류의 세기가 커지면 ㉠과 ㉡은 서로 반대 방향으로 이동한다.

⑤ A 쪽에 전지의 (+)극이, B 쪽에 전지의 (−)극이 연결되어 있다.

⑥ A와 B에 연결된 전지의 극을 서로 바꾸어 연결하면 ㉡의 이동 방향이 반대가 된다.

> **Tip** 전기 회로에서 전자의 이동에 의해 전류가 흐르며, 전류의 방향은 전자의 이동 방향과 반대이다.

> **풀이** ① ㉠은 원자, ㉡은 전자이다.
> ③ 전류는 전자의 이동 방향과 반대이므로 B에서 A 방향으로 흐른다.
> ④ 전류의 세기는 전류의 방향과는 관계없이 전선의 한 단면을 단위 시간 동안 이동하는 전하의 양으로 나타낸다.
> ⑤ 전자는 전지의 (−)극에서 나와 (+)극 쪽으로 이동하므로 A 쪽은 전지의 (−)극에, B 쪽은 전지의 (+)극에 연결되어 있다. **답** ②, ⑥

❺-1 그림은 전기 회로 (가), (나)에서 전선 내부의 전자 움직임을 나타낸 것이다.

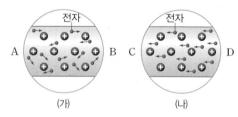

이에 대한 설명으로 옳은 것은?

① (가)에서 전류의 방향은 B → A이다.

② (가)에서 전자의 이동 방향은 일정하다.

③ (나)에서 전류의 방향은 C → D이다.

④ (나)에서 (−)전하의 이동 방향은 C → D이다.

⑤ (나)에서 D 쪽은 전지의 (+)극과 연결되어 있다.

대표 기출 ❻
| 전류계와 전압계 |

전기 회로에서 전구에 걸리는 전압과 흐르는 전류를 측정하려고 한다. 전류계와 전압계를 옳게 연결한 회로도는?

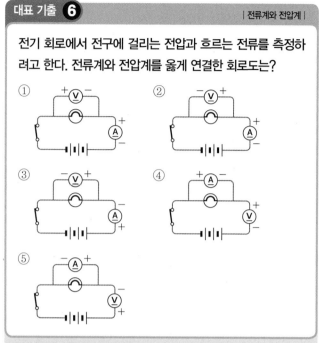

> **Tip** 전기 회로에서 측정하려는 전기 기구에 전압계는 병렬로 연결하고, 전류계는 직렬로 연결해야 한다.

> **풀이** 전류계와 전압계의 (+)단자를 전지의 (+)극 쪽에서 온 도선에 연결하고, (−)단자는 전지의 (−)극 쪽에서 온 도선에 연결한다.
> **답** ③

❻-1 다음은 전류계와 전압계 사용법에 대한 설명이다. ㉠~㉤에 들어갈 말을 옳게 짝 지은 것은?

- 전류계는 회로에 ㉠ 로 연결하고, 전압계는 ㉡ 로 연결한다.
- 전류계와 전압계의 (+)단자는 전지의 ㉢ 쪽에서 온 도선에 각각 연결하고, 전류계와 전압계의 (−)단자는 전지의 ㉣ 쪽에서 온 도선에 각각 연결한다.
- 전류의 세기를 예측할 수 없을 때 (−)단자 중 크기가 ㉤ 값의 단자부터 차례로 연결한다.

	㉠	㉡	㉢	㉣	㉤
①	병렬	직렬	(−)극	(+)극	큰
②	직렬	병렬	(+)극	(−)극	큰
③	병렬	직렬	(−)극	(+)극	작은
④	병렬	직렬	(+)극	(−)극	작은
⑤	직렬	병렬	(−)극	(+)극	큰

대표 기출 ❼ | 옴의 법칙 |

그림은 전기 회로에 도선 A, B, C를 각각 연결하였을 때 걸리는 전압과 흐르는 전류의 관계를 나타낸 그래프이다.

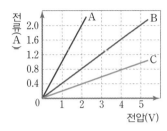

이에 대한 설명으로 옳은 것을 모두 고르면? [정답 2개]

① A의 저항은 B의 2.5배이다.

② A에 1 V의 전압이 걸리면 1 A의 전류가 흐른다.

③ 도선의 재질과 굵기가 모두 같다면 C의 길이는 A의 3배이다.

④ 도선에 흐르는 전류가 1.2 A로 모두 같을 때, C에 걸리는 전압은 B의 2배이다.

⑤ 도선에 모두 같은 전압을 걸어 주었을 때, 전류가 가장 세게 흐르는 도선은 C이다.

Tip 그래프에서 기울기 $= \dfrac{전류}{전압} = \dfrac{1}{저항}$과 같다.

풀이 ① 2 V의 전압이 걸릴 때 A의 저항 $= \dfrac{2\text{ V}}{2\text{ A}} = 1\ \Omega$, B의 저항 $= \dfrac{2\text{ V}}{0.8\text{ A}} = 2.5\ \Omega$이다. 따라서 도선 B의 저항이 A의 2.5배이다.

③ 저항은 도선의 길이에 비례한다. 도선 A는 $1\ \Omega$이고, C는 $\dfrac{2\text{ V}}{0.4\text{ A}} = 5\ \Omega$이므로 도선 C의 길이는 A의 5배이다.

⑤ 전압이 일정할 때 저항과 전류의 세기는 반비례하므로 전류가 가장 세게 흐르는 것은 저항이 가장 작은 A이다.　**답** ②, ④

❼-1 그림은 재질과 두께가 같은 두 도선 ㉠, ㉡에 걸리는 전압과 전류의 세기를 나타낸 그래프이다. 이에 대한 설명으로 옳은 것을 모두 고르면? [정답 2개]

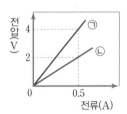

① ㉠의 저항은 8 Ω이다.

② 저항은 ㉡이 ㉠보다 크다.

③ 도선의 길이는 ㉡이 ㉠보다 길다.

④ ㉡은 전류의 세기와 전압이 반비례한다.

⑤ 전압이 같을 때 전류는 ㉡이 ㉠보다 더 세게 흐른다.

대표 기출 ❽ | 저항의 연결 |

그림과 같이 저항이 같은 전구 A, B, C, D, E를 같은 크기의 전압에 연결하였다.

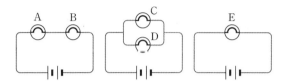

이에 대한 설명으로 옳은 것을 ▏보기▏에서 모두 고르시오.

▏보기▏
ㄱ. A와 C에 흐르는 전류의 세기는 같다.

ㄴ. C와 E에 흐르는 전류의 세기는 같다.

ㄷ. A와의 연결이 끊어지면 B는 꺼진다.

ㄹ. C와의 연결이 끊어지면 D는 꺼진다.

ㅁ. C와의 연결이 끊어지면 D가 E보다 더 밝아진다.

ㅂ. 전구의 밝기를 비교하면 A=B<C=D<E이다.

Tip 전구의 밝기는 전류의 세기에 비례한다.

풀이 ㄱ. A에 흐르는 전류의 세기는 C의 $\dfrac{1}{2}$배이다.

ㄹ. C와 D는 병렬연결이므로 C가 끊어져도 D는 꺼지지 않는다.

ㅁ. C가 끊어져도 D에 걸리는 전압이 같으므로 E와 밝기가 같다.

ㅂ. 밝기는 전류의 세기에 비례하므로 전구의 밝기를 비교하면 A=B<C=D=E이다.　**답** ㄴ, ㄷ

❽-1 그림 (가)는 저항 R_1, R_2를 직렬연결하고, (나)는 저항 R_3, R_4를 병렬연결한 회로이다.

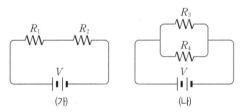

이에 대한 설명으로 옳은 것을 ▏보기▏에서 모두 고르시오. (단, 저항 $R_1 = R_2 = R_3 = R_4$이고, (가)와 (나)의 전체 전압(V)은 같다.)

▏보기▏
ㄱ. R_1과 R_3에 흐르는 전류의 세기는 같다.

ㄴ. R_1과 R_3에 걸리는 전압의 비는 1:2이다.

ㄷ. (가)에서 각 저항에 흐르는 전류의 세기는 같다.

ㄹ. (나)에서 각 저항에 걸리는 전압의 크기가 같다.

1 마찰 전기에 의한 현상을 모두 고르면? [정답 2개]

① 금속 손잡이를 잡는 순간 찌릿한 느낌을 받는다.

② 자석에 못을 문지르면 문지른 못도 자석이 된다.

③ 털가죽으로 문지른 고무풍선에 털이 달라붙는다.

④ 걸어갈 때 치마가 스타킹에 달라붙는다.

⑤ 대전된 플라스틱 막대를 빈 알루미늄 깡통에 가까이 가져가면 막대 쪽으로 끌려온다.

> **Tip** 서로 다른 두 물체를 마찰할 때 **❶** 가 이동하여 물체가 서로 다른 **❷** 를 띠게 된다. **답 ❶** 전자 **❷** 전하

2 다음은 마찰 전기로 전구에 불을 켜는 실험 과정이다.

> | 실험 과정 |
> (가) 스타이로폼 접시를 털가죽으로 문지른 후 종이컵을 붙인 알루미늄 접시를 스타이로폼 접시 위에 올려놓는다.
>
> (나) 네온전구의 한쪽 다리를 손으로 잡고 다른 쪽 다리를 알루미늄 접시에 살짝 갖다 댄다.
>
>

이에 대한 설명이 옳지 <u>않은</u> 것은?

① 과정 (가)에서 마찰 전기가 발생한다.

② 스타이로폼 접시의 (−)전하가 알루미늄 접시로 이동하여 알루미늄 접시는 (−)전하를 띤다.

③ 과정 (가)를 반복하면 전기가 더 많이 발생한다.

④ 전자들이 네온전구를 통해 손 쪽으로 이동하면서 네온전구의 불을 켠다.

⑤ 네온전구에 불을 계속 켜려면 다른 손으로는 알루미늄 접시를 반드시 잡아야 한다.

> **Tip** (−)대전체에 금속을 접촉하면 금속은 대전체와 같은 **❶** 로 대전되고, (−)전하인 **❷** 가 이동하여 전구에 불을 켠다. **답 ❶**(−)전하 **❷** 전자

3 플라스틱 빨대 A와 B를 털가죽으로 각각 문지른 다음 (가), (나)와 같이 빨대 B와 털가죽을 가까이 가져갔다.

(가)　　　　　　　(나)

이에 대한 설명으로 옳은 것은? (단, 빨대 A는 자유롭게 회전할 수 있다)

① (가)에서 빨대 A는 B에 끌려온다.

② (나)에서 빨대 A는 털가죽에서 멀리 밀려난다.

③ 빨대 A와 B는 서로 다른 전하를 띤다.

④ 빨대 A와 털가죽은 서로 같은 전하를 띤다.

⑤ 빨대 B와 털가죽은 서로 다른 전하를 띤다.

> **Tip** 같은 종류의 전하 사이에는 **❶** 이, 다른 종류의 전하 사이에는 **❷** 이 작용한다. **답 ❶** 척력 **❷** 인력

4 그림 (가)와 같이 대전체 A를 대전되지 않은 검전기에 가까이했더니 금속박이 약간 벌어졌다. 여기에 다른 대전체 B를 가까이했더니 (나)와 같이 금속박이 더 많이 벌어졌다.

(가)　　　　　　　(나)

이 결과로부터 알 수 있는 사실로 옳은 것은?

① A는 (−)전하로 대전되었다.

② B는 (＋)전하로 대전되었다.

③ A와 B는 같은 전하로 대전되었다.

④ A와 B를 서로 가까이하면 당기는 힘이 작용한다.

⑤ 금속판과 금속박에는 같은 전하가 유도된다.

> **Tip** 두 금속박이 **❶** 전하를 띠기 때문에 전기적으로 **❷** 이 작용하여 벌어진다. **답 ❶** 같은 **❷** 척력

5 그림은 전선 속의 전자가 이동하는 모습을 나타낸 것이다.

전자

이에 대한 설명으로 옳은 것을 ㅣ보기ㅣ에서 모두 고르시오.

> ┌ 보기 ┐
> ㄱ. 전선에서 전류가 흐르는 방향은 (나)이다.
> ㄴ. 스위치를 열면 전자들은 전혀 움직이지 않는다.
> ㄷ. 전지의 극을 반대로 연결하면 원자핵이 이동한다.
> ㄹ. 전지 수를 더 늘리면 전자들이 더 빨리 이동한다.

> Tip 전류의 방향은 ❶   의 이동 방향과 반대이다.
> 전류의 세기는 단위 시간 동안 전선의 한 단면을 지나는
> ❷   의 양으로 나타낸다.   답 ❶전자 ❷전하

6 그림 (가)와 같이 2개의 저항을 연결하고 전압에 따른 전류
를 측정하여 (나)와 같은 결과를 얻었다.

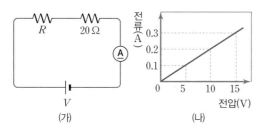

(가)　　　　　　　　(나)

이에 대한 설명으로 옳은 것을 ㅣ보기ㅣ에서 모두 고르시오.

> ┌ 보기 ┐
> ㄱ. R의 크기는 30 Ω이다.
> ㄴ. R의 크기가 커지면 그래프의 기울기는 작아진다.
> ㄷ. 전압이 15 V일 때 R에 흐르는 전류는 0.2 A이다.
> ㄹ. 전류계에 흐르는 전류가 0.3 A일 때 R에 걸리는
>   전압은 10 V이다.

> Tip 저항을 직렬연결하면 각 저항에 흐르는 전류의 세기는
> ❶   , 걸리는 전압은 ❷   이 클수록 크다.
>   답 ❶같고 ❷저항

7 그림은 동일한 전구 A, B, C를
병렬연결한 회로를 나타낸 것
이다. 이 회로에서 전구 C를 제
거할 때 나타나는 현상을
ㅣ보기ㅣ에서 모두 고르시오.

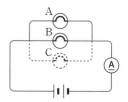

> ┌ 보기 ┐
> ㄱ. 전체 저항이 커진다.
> ㄴ. 전구 A, B의 밝기가 더욱 밝아진다.
> ㄷ. 전류계에 흐르는 전류의 세기가 작아진다.
> ㄹ. 전구 B의 밝기가 전구 A보다 어두워진다.
> ㅁ. 전구 A, B에 걸리는 전압은 변함없다.

> Tip 저항을 병렬연결하면 각 저항에 걸리는 ❶   은 같
> 고, 저항의 수가 커지면 전체 저항이 작아지므로 회로 전체에
> 흐르는 전류의 세기는 ❷   .
>   답 ❶전압 ❷커진다

8 그림과 같이 TV와 노트북을 연결하여 사용하던 멀티탭
에 헤어드라이어를 추가하여 동시에 사용할 때 나타나는
현상으로 옳은 것은? (단, TV, 노트북, 헤어드라이어의
저항은 각각 다르다.)

① TV에 걸리는 전압이 가장 작다.
② A에 흐르는 전류의 세기가 커진다.
③ 노트북에 흐르는 전류의 세기가 가장 크다.
④ 헤어드라이어에 걸리는 전압의 크기가 가장 크다.
⑤ TV와 노트북, 헤어드라이어에는 모두 같은 세
　기의 전류가 흐른다.

> Tip 전기 기구는 멀티탭에 ❶   연결하여 사용한다. 따라
> 서 다른 전기 기구를 더 연결해도 걸리는 ❷   은 변함없다.
>   답 ❶병렬 ❷전압

대표 기출 ❶ | 자기장 |

그림은 두 자석 주위의 자기장을 선으로 나타낸 것이다.

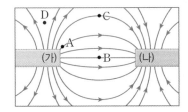

이에 대한 설명으로 옳은 것을 |보기|에서 모두 고르시오.

보기
ㄱ. (가)는 자석의 N극이다.
ㄴ. A점이 C점보다 자기장의 세기가 크다.
ㄷ. B점에 나침반을 놓으면 N극은 (가) 쪽을 가리킨다.
ㄹ. C점에 나침반을 놓으면 N극은 오른쪽을 가리킨다.
ㅁ. A, B, C점에서는 자기력이 작용하지만 D점에서
    는 자기력이 작용하지 않는다.
ㅂ. (가)와 (나) 사이의 거리가 가까울수록 두 자석 사
    이의 자기장의 세기가 커진다.

Tip 자기력이 작용하는 공간을 자기장이라고 하며 자석의 양쪽 극에 가까울수록, 자기력선의 간격이 좁을수록 자기장의 세기가 크다.

풀이 ㄷ. 자기장의 방향은 자석의 N극에서 나와 S극으로 들어가는 방향이므로 B에 놓인 자침의 N극은 (나) 쪽을 가리킨다.
ㅁ. 자석 주위의 자기력이 미치는 공간을 자기장이라고 한다. 따라서 자석 주위의 모든 위치에서 자기력이 작용한다. **답** ㄱ, ㄴ, ㄹ, ㅂ

대표 기출 ❷ | 직선 도선 주위의 자기장 |

그림은 전류가 흐르는 직선 도선 주위의 자기장을 나타낸 것이다. 이에 대한 설명으로 옳은 것을 |보기|에서 모두 고르시오.

보기
ㄱ. 직선 전류에 의한 자기장은 도선을 중심으로 동심
    원 모양으로 나타난다.
ㄴ. 직선 도선의 중심으로부터 멀수록 자기장의 세기
    가 약해진다.
ㄷ. 전류가 아래에서 위로 흐를 때 도선 주위 자기장의
    방향은 시계 방향이다.
ㄹ. 전류의 세기가 커지면 도선 주위의 자기력선은 동
    심원의 크기를 좀 더 크게 그려야 한다.
ㅁ. 전류의 방향이 반대로 바뀌어도 나침반의 N극이
    가리키는 방향은 항상 일정하다.

Tip 전류의 방향으로 오른손의 엄지를 향하게 펴고 네 손가락으로 도선을 감아쥘 때 손가락이 감기는 방향은 직선 전류에 의한 자기장의 방향이다.

풀이 ㄷ. 나침반의 지침이 배열된 형태를 보면 나침반의 N극이 시계 반대 방향으로 배열되어 있다. 따라서 전류가 아래에서 위로 흐르는 직선 도선 주위의 자기장의 방향도 시계 반대 방향이다. **답** ㄱ, ㄴ

❶-1 그림은 막대자석 주위의 자기력선과 각 지점에 나침반을 놓았을 때 자침의 방향을 나타낸 것이다.

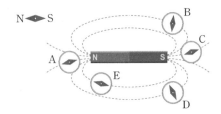

나침반의 자침이 가리키는 방향으로 옳은 것은?

① A   ② B   ③ C
④ D   ⑤ E

❷-1 그림과 같이 전류가 흐르는 직선 도선으로부터 일정한 거리에 나침반을 놓았다. 전류의 방향에 따른 나침반의 N극이 가리키는 방향이 옳게 짝 지어진 것을 모두 고르면? [정답 2개]

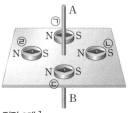

① A → B, ㉠   ② A → B, ㉡
③ A → B, ㉢   ④ B → A, ㉠
⑤ B → A, ㉢

대표 기출 ❸ | 원형 도선 주위의 자기장 |

그림은 전류가 흐르는 원형 도선을 나타낸 것이다.

이에 대한 설명으로 옳은 것을 | 보기 |에서 모두 고른 것은?

┌ 보기 ┐
ㄱ. 원형 도선 주위에 자기장이 형성된다.
ㄴ. ㉠에 나침반을 놓으면 자침의 N극은 B 쪽을 가리
   킨다.
ㄷ. 원형 도선의 중심에서 자기장의 방향은 B에서 A
   쪽이다.
ㄹ. 전류의 방향을 바꾸고 ㉠에 나침반을 놓으면 자침
   의 N극은 A 쪽을 가리킨다.

① ㄱ, ㄴ   ② ㄱ, ㄷ   ③ ㄷ, ㄹ
④ ㄱ, ㄴ, ㄷ   ⑤ ㄱ, ㄷ, ㄹ

Tip 전류가 흐르는 원형 도선 주위에 생기는 자기장의 방향은 오른손의 엄지손가락을 전류의 방향으로 향하게 할 때 네 손가락이 감기는 방향이다.

풀이 ㄴ. ㉠에 놓은 나침반 자침의 N극은 A 쪽을 가리킨다.
ㄹ. 원형 도선의 중심에서 자기장의 방향은 B → A이며, 전류의 방향이 바뀌면 자기장의 방향도 바뀌므로 A → B가 된다. **답** ②

---

❸-1 원형 도선에 화살표 방향으로 전류가 흐를 때 생기는 자기장의 모양을 옳게 나타낸 것을 모두 고르면? [정답 2개]

①

②

③
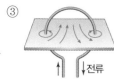

④

⑤
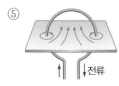

대표 기출 ❹ | 코일 주위의 자기장 |

그림은 전류가 흐르는 코일 주위에 놓여 있는 나침반의 위치를 나타낸 것이다.

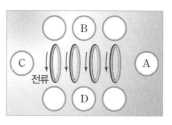

이에 대한 설명으로 옳은 것을 | 보기 |에서 모두 고르시오.

┌ 보기 ┐
ㄱ. 코일 내부에서 자기장의 방향은 C → A이다.
ㄴ. A와 C에 놓은 나침반의 N극은 오른쪽을 가리킨다.
ㄷ. B와 D에 놓은 나침반의 N극이 가리키는 방향은
   서로 반대이다.
ㄹ. 코일의 오른쪽 끝 A쪽은 막대자석의 N극과 같은
   자기장이 형성된다.

Tip 코일에 전류가 흐를 때 전류의 방향으로 오른손의 네 손가락을 감아쥐고 엄지손가락을 펼 때 엄지손가락이 가리키는 방향이 자기장의 방향이 된다.

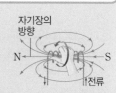

풀이 전류가 위에서 아래로 흐르기 때문에 A 쪽은 막대자석의 N극, C 쪽은 막대자석의 S극과 같은 자기장이 형성된다. **답** ㄱ, ㄴ, ㄹ

---

❹-1 그림과 같이 코일에 화살표 방향으로 전류를 흘려 주었을 때 코일 안쪽의 A 위치에서 자기장 방향과, B 지점에 놓은 나침반의 모습을 옳게 짝 지은 것은?

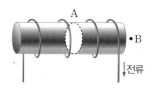

　　A　　　B　　　　　A　　　B
①
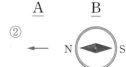
②

③

④

⑤

대표 기출 5 | 전자석 |

그림과 같은 전자석의 코일에 전류를 흘려주었다. 이에 대한 설명으로 옳은 것을 모두 고르면? [정답 2개]

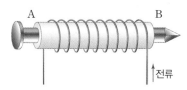

① 코일의 A 부분이 S극, B 부분이 N극이 된다.
② 전류의 세기가 클수록 전자석의 세기는 약해진다.
③ 코일의 감은 수가 많을수록 전자석의 세기가 커진다.
④ 코일의 감은 수가 많으면 자기장의 방향이 변한다.
⑤ 전류의 방향이 바뀌면 전자석의 극이 반대로 바뀐다.
⑥ 코일에 전류가 흐르는 동안은 자석의 성질이 나타나지 않는다.

Tip 전자석에서 자기장의 방향은 전류의 방향으로 오른손의 네 손가락을 감아쥐고 엄지손가락을 폈을 때 엄지가 가리키는 방향이다.

풀이 ① 코일의 A 부분이 N극, B 부분이 S극이 된다.
② 전류의 세기가 클수록 전자석의 세기가 강해진다.
④ 코일의 감은 수를 많게 하면 전자석의 세기가 커진다.
⑥ 전자석은 코일에 전류가 흐르는 동안에만 자석의 성질이 나타난다.

답 ③, ⑤

5-1 그림은 코일에 전류를 흘려 전자석을 만든 것이다.

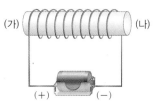

(가)와 (나)에 놓은 나침반의 모습을 옳게 짝 지은 것은?

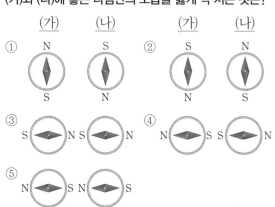

대표 기출 6 | 자기장에서 전류가 받는 힘 |

그림과 같이 말굽자석 사이에 알루미늄박을 전선과 연결하고 스위치를 닫았더니 알루미늄박이 아래로 내려갔다.

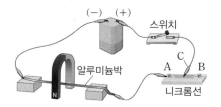

이에 대한 설명으로 옳은 것을 |보기|에서 모두 고르시오.

┌ 보기 ┐
ㄱ. 전지의 두 극을 바꾸어 연결하면 알루미늄박은 위로 올라간다.
ㄴ. 자석의 두 극의 위치를 바꾸면 알루미늄박은 위로 더 많이 올라간다.
ㄷ. 집게 C를 A 쪽으로 이동하면 알루미늄박이 더 많이 아래로 내려간다.
ㄹ. 전류의 방향과 자기장의 방향을 모두 바꾸면 알루미늄박은 위로 힘을 받는다.

Tip 자기장에서 도선이 받는 힘의 방향은 오른손의 엄지손가락을 전류의 방향으로 향하게 하고 네 손가락을 자기장의 방향(N극 → S극)으로 향하게 펼 때 손바닥이 향하는 방향이다.

풀이 ㄱ, ㄴ. 자기장의 방향이나 전류의 방향이 바뀌면 자기장 내에서 도선이 받는 힘의 방향도 바뀐다.
ㄷ. 집게 C를 A 쪽으로 이동하면 니크롬선의 길이가 짧아지므로 저항이 작아지고 전류의 세기가 커진다. 따라서 도선이 받는 힘이 커져 알루미늄박이 처음보다 더 많이 아래로 내려간다.

답 ㄱ, ㄷ

6-1 그림과 같이 자석의 두 극 사이에 놓인 직선 도선에 전류가 흐를 때 도선이 받는 힘의 방향을 오른손을 이용해 옳게 나타낸 것은?

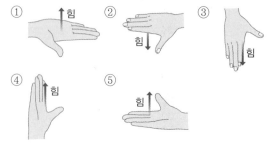

대표 기출 ❼ | 자기장에서 전류가 받는 힘 |

그림과 같이 도선을 말굽자석 사이에 장치하였다. 이에 대한 설명으로 옳은 것을 모두 고르면? [정답 2개]

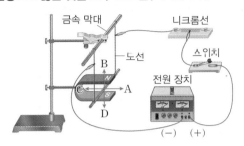

① 말굽자석 사이의 도선이 C 쪽으로 움직인다.

② 전원 장치의 (＋), (－)극에 전선을 바꾸어 연결하면 도선은 A 쪽으로 움직인다.

③ 말굽자석의 극을 바꾸면 도선은 A 쪽으로 움직인다.

④ 전원 장치의 (＋), (－)극과 말굽자석의 극을 모두 바꾸면 A 쪽으로 움직인다.

⑤ 자기장 내에서 도선이 받는 힘의 크기는 전류의 세기와 관계없이 항상 일정하다.

⑥ 자기장 내에서 전류가 흐르는 도선은 자기장의 방향과 직각인 방향으로 힘을 받는다.

Tip 오른손의 엄지손가락을 전류의 방향, 네 손가락을 자기장의 방향으로 향하게 펴면 손바닥이 향하는 방향이 힘의 방향이다.

풀이 ① 말굽자석 안에 있는 도선은 A 쪽으로 움직인다. ② 전류의 방향을 바꾸면 힘의 방향이 반대로 바뀌므로 C 쪽으로 움직인다. ③ 자석의 극을 바꾸면 힘의 방향이 반대로 바뀌므로 C 쪽으로 움직인다.
답 ④, ⑥

❼-1 그림과 같은 장치에서 전기 그네가 말굽자석 바깥쪽으로 움직였다. 전기 그네를 말굽자석 안쪽으로 움직이게 하는 방법은?

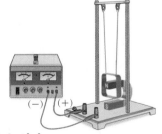

① 전원 장치의 전압을 높인다.

② 전원 장치의 전류의 세기를 높인다.

③ 말굽자석의 세기가 센 것으로 바꾼다.

④ 말굽자석의 N극과 S극의 위치를 바꾼다.

⑤ 전류의 방향과 말굽자석의 극을 동시에 바꾼다.

대표 기출 ❽ | 전동기 |

그림은 전동기의 구조를 간단히 나타낸 것이다.

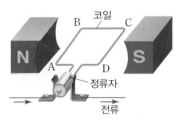

이에 대한 설명으로 옳은 것을 |보기|에서 모두 고르시오.

┌ 보기 ┐
ㄱ. 코일 ABCD는 시계 방향으로 회전한다.

ㄴ. 코일 BC 부분이 받는 힘의 크기가 가장 크다.

ㄷ. 이 전동기는 시계 반대 방향으로 회전한다.

ㄹ. 전류의 세기가 클수록 코일의 회전 속력이 빨라진다.

ㅁ. 전류의 방향이 바뀌면 전동기의 회전 방향이 바뀐다.

ㅂ. 자석의 극의 위치를 서로 바꾸면 전동기의 회전 방향이 반대로 바뀐다.
└─────┘

Tip 전류의 방향이 바뀌거나 자기장의 방향이 바뀌면 힘의 방향이 바뀌므로 회전 방향도 바뀐다.

풀이 ㄱ, ㄷ. 코일 AB 부분은 아래쪽으로 힘을 받고, CD 부분은 위쪽으로 힘을 받으므로 코일은 시계 반대 방향으로 회전한다. ㄴ. BC 부분은 전류의 방향과 자기장의 방향이 나란하여 힘이 작용하지 않는다. ㄹ. 전동기는 전류의 세기가 클수록 힘의 크기가 커져 코일의 회전 속력도 빨라진다.
답 ㄷ, ㄹ, ㅁ, ㅂ

❽-1 에나멜선을 원형으로 감아 코일을 만든 다음 그림과 같이 장치하였다. 에나멜선의 한쪽 껍질을 반만 벗겨 낸 까닭은?

① 코일이 받는 힘을 크게 하기 위해

② 코일을 한 방향으로만 회전시키기 위해

③ 에나멜선에 전류를 계속 흘려주기 위해

④ 코일이 한 바퀴 회전할 때마다 전류의 방향을 바꾸기 위해

⑤ 코일이 반 바퀴 회전할 때마다 코일의 회전 방향을 바꾸기 위해

1 그림과 같이 나란한 두 직선 도선 A, B에 서로 반대 방향의 전류가 흐르고 있다.

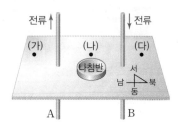

(나)에 나침반을 두었을 때에 대한 설명으로 옳은 것을 |보기|에서 모두 고르시오.(단, 지구 자기장은 무시한다.)

┌─ 보기 ┐
ㄱ. 나침반의 N극은 서쪽을 향한다.
ㄴ. 도선 A의 전류를 끊으면 나침반의 N극은 북쪽을 향한다.
ㄷ. (나)에서 자기장의 세기는 (가), (다)보다 크다.
└────────┘

> **Tip** 오른손의 엄지손가락을 **❶**☐의 방향으로 펴고 네 손가락으로 도선을 감아쥐는 방향이 전류에 의한 **❷**☐의 방향이다.
> 답 ❶전류 ❷자기장

2 원형 도선에 전류가 화살표 방향으로 흐를 때 나침반 자침의 N극이 가리키는 방향을 옳게 나타낸 것은? (단, 지구 자기장은 무시한다.)

	㉠	㉡	㉢			㉠	㉡	㉢
①	남	남	남		②	남	북	남
③	북	남	북		④	북	북	남
⑤	북	북	북					

> **Tip** 원형 도선 안쪽은 전류의 방향이 **❶**☐인 두 직선 도선에 의한 **❷**☐이 생기므로 자기장의 세기가 크다.
> 답 ❶반대 ❷자기장

3 그림은 전류가 흐르는 코일 주변에 놓은 나침반의 모습을 나타낸 것이다. 이때 지구 자기장은 무시한다.

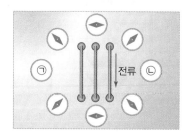

이에 대한 설명으로 옳은 것을 |보기|에서 모두 고르시오.

┌─ 보기 ┐
ㄱ. ㉠과 ㉡에서 자기장의 방향은 서로 반대이다.
ㄴ. 전류가 흐르는 코일 주위에는 자기장이 생긴다.
ㄷ. 전류의 방향을 반대로 바꾸어도 자기장의 방향은 변하지 않는다.
└────────┘

> **Tip** 오른손을 전류의 방향으로 코일을 감아쥐고 엄지손가락을 이와 **❶**☐으로 폈을 때 엄지손가락이 가리키는 방향은 코일 내부의 **❷**☐ 방향이다.
> 답 ❶직각 ❷자기장

4 코일에 전류가 흐를 때 코일 안쪽에서 자기장의 방향을 옳게 나타낸 것을 모두 고른 것은?

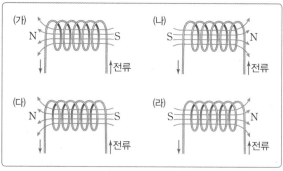

① (가)　　　② (나)　　　③ (가), (라)
④ (나), (다)　　　⑤ (나), (다), (라)

> **Tip** 오른손의 네 손가락을 **❶**☐의 방향으로 감아쥐고 엄지손가락을 이와 직각으로 폈을 때 엄지손가락이 가리키는 방향은 자석의 **❷**☐ 극 방향이다.
> 답 ❶전류 ❷N

5 그림 (가), (나)와 같이 자석의 두 극 사이에 놓인 도선에 전류가 흐른다.

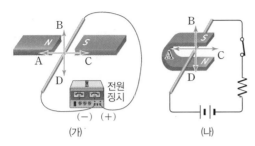

(가)   (나)

이에 대한 설명으로 옳지 <u>않은</u> 것은?

① (가)에서 도선이 받는 힘의 방향은 B이다.

② (나)에서 도선이 받는 힘의 방향은 C이다.

③ 도선이 받는 힘의 방향은 전류의 방향에 따라 달라진다.

④ 도선이 받는 힘의 방향은 자기장의 방향에 따라 달라진다.

⑤ 전류의 방향과 자기장의 방향을 모두 반대로 바꾸면 도선이 받는 힘의 방향도 반대로 바뀐다.

> **Tip** 오른손의 엄지손가락을 전류의 방향((+)극 → (−)극)으로 향하게 하고 네 손가락을 자기장의 방향(N극 → S극)으로 향하게 폈을 때 **❶**□□이 향하는 방향으로 도선이 **❷**□□을 받는다. 답 ❶손바닥 ❷힘

6 그림과 같이 길이와 굵기가 같은 구리 막대 A, B, C를 자석 사이의 회로에 연결하였다. 자석의 세기가 모두 같을 때, 막대가 받는 힘의 크기와 방향을 옳게 짝 지은 것은?

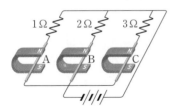

① A=B=C, 왼쪽   ② A=B=C, 오른쪽

③ A>B>C, 왼쪽   ④ A>B>C, 오른쪽

⑤ A<B<C, 오른쪽

> **Tip** 자기장에서 도선이 받는 힘의 크기는 **❶**□□의 세기가 셀수록, **❷**□□□의 세기가 셀수록 크다. 답 ❶전류 ❷자기장

7 그림과 같이 여러 개의 말굽자석을 N극이 모두 앞에 보이도록 놓고 그 사이에 있는 알루미늄박에 전류를 흘려보냈더니 알루미늄박이 위로 움직였다.

알루미늄박   말굽자석

이에 대한 설명으로 옳은 것을 |보기|에서 모두 고르시오.

┌ 보기 ┐
ㄱ. 전류의 방향은 ㉠이다.

ㄴ. 알루미늄박의 위쪽과 아래쪽 자기장의 세기는 서로 다르다.

ㄷ. 자석은 그대로 두고 전류의 방향을 반대로 하면 알루미늄박은 아래로 움직인다.

> **Tip** 자기장의 방향에 **❶**□□의 네 손가락을 향하게 하고 **❷**□□을 힘의 방향으로 향하게 할 때 엄지손가락이 가리키는 방향이 전류의 방향이 된다. 답 ❶오른손 ❷손바닥

8 그림과 같이 자기장 속에 놓인 사각 도선이 회전하는 원리에 대한 설명으로 옳은 것을 모두 고르면? [정답 2개]

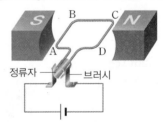

정류자   브러시

① 도선 AB와 CD에 흐르는 전류의 방향은 서로 같다.

② 도선 AB와 CD가 받은 힘의 방향은 서로 반대이다.

③ 도선 BC가 받는 힘의 크기가 최대이다.

④ 도선은 시계 반대 방향으로 회전한다.

⑤ 전류의 방향을 바꾸면 도선의 회전 방향도 바뀐다.

> **Tip** 자기장 속에서 도선이 받는 힘의 방향은 **❶**□□의 방향이나 **❷**□□□의 방향에 따라 바뀐다. 답 ❶전류 ❷자기장

01

그림 (가)와 같이 플라스틱 빨대 2개를 털가죽에 마찰한 다음, (나)와 같이 한 빨대는 플라스틱 통 위에 올려놓고 다른 빨대를 가까이하였다.

이에 대한 설명으로 옳은 것을 | 보기 |에서 모두 고른 것은?

보기
ㄱ. (가)에서 털가죽과 빨대 사이에는 마찰 전기가 발생한다.
ㄴ. (나)에서 통 위의 빨대는 멀리 밀려난다.
ㄷ. (나)에서 빨대 사이에 작용하는 힘은 자기력이다.
ㄹ. (나)에서 통 위의 빨대에 마찰한 털가죽을 가까이하면 빨대는 멀리 밀려난다.

① ㄱ, ㄴ   ② ㄱ, ㄹ   ③ ㄴ, ㄷ
④ ㄴ, ㄹ   ⑤ ㄷ, ㄹ

02

그림과 같이 대전되지 않은 알루미늄 깡통에 (−)대전체를 가까이하였다. 이에 대한 설명으로 옳은 것을 | 보기 |에서 모두 고른 것은?

보기
ㄱ. 알루미늄 깡통은 대전체에 끌려온다.
ㄴ. A 부분은 (−)전하, B 부분은 (+)전하를 띤다.
ㄷ. (+)대전체를 가까이하면 알루미늄 깡통은 대전체에서 밀려난다.

① ㄱ   ② ㄴ   ③ ㄱ, ㄴ
④ ㄴ, ㄷ   ⑤ ㄱ, ㄴ, ㄷ

03

그림은 두 니크롬선 A, B에 걸어 준 전압에 따른 전류의 세기를 나타낸 것이다. 이에 대한 설명으로 옳은 것은?

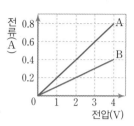

① A의 저항은 10 Ω이다.
② 저항은 A가 B보다 크다.
③ A와 B의 저항의 비는 2 : 1이다.
④ 같은 니크롬선에서 전류는 전압에 반비례한다.
⑤ 굵기가 같다면 니크롬선의 길이는 A가 B보다 짧다.

04

오디오의 볼륨 조절기를 돌리면 스피커에서 나오는 소리의 크기가 변한다. 이에 대한 설명의 빈칸에 들어갈 알맞은 말을 쓰시오.(단, 소리의 크기는 전류의 세기가 클수록 크다.)

볼륨 조절기를 돌려 소리를 크게 하면 볼륨 조절기의 저항이 ㉠ (   ) 전류의 세기가 ㉡ (   ).

05

그림은 여러 개의 전기 기구를 함께 연결하여 사용할 수 있는 멀티탭이다. 멀티탭에 연결하는 전기 기구의 개수가 늘어날 때 ㉠ 전체의 저항의 크기와 ㉡ A에 흐르는 전류의 세기를 옳게 짝 지은 것은?

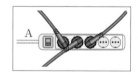

	㉠	㉡
①	커진다.	커진다.
②	커진다.	작아진다.
③	작아진다.	커진다.
④	작아진다.	작아진다.
⑤	작아진다.	변화 없다.

06 그림과 같이 회로를 연결한 다음 나침반 A, B를 도선 위와 도선 아래에 각각 놓고 스위치를 닫았다. 이때 자침의 N극이 가리키는 방향을 각각 쓰시오. (단, 지구 자기장은 무시한다.)

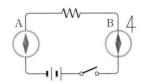

(1) 도선 위에 놓은 나침반 A: (   )

(2) 도선 아래에 놓은 나침반 B: (   )

07 그림과 같이 전류가 흐르는 코일 주위의 ㉠과 ㉡에 나침반을 놓았다. 이때 나침반 자침의 N극이 가리키는 방향을 옳게 짝 지은 것은? (단, 지구 자기장은 무시한다.)

	㉠	㉡		㉠	㉡
①	동쪽	동쪽	②	동쪽	서쪽
③	서쪽	서쪽	④	서쪽	동쪽
⑤	북쪽	남쪽			

08 그림과 같이 자석의 N극과 S극 사이에 도선을 놓고 화살표 방향으로 전류를 흐르게 하였더니 도선이 C 방향으로 움직였다. 자석의 극과 전류의 방향을 동시에 바꾸면 도선이 움직이는 방향은?

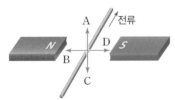

① A 방향　　　② B 방향　　　③ C 방향
④ D 방향　　　⑤ 움직이지 않는다.

09 그림과 같이 말굽자석의 극 사이에 전류가 흐르는 코일이 놓여 있다.

(가)　　　　　　(나)

이에 대한 설명으로 옳은 것을 |보기|에서 모두 고른 것은?

┌─ 보기 ┐
ㄱ. (가)에서 코일은 자석의 안쪽으로 움직인다.

ㄴ. (나)에서 코일은 자석의 바깥쪽으로 움직인다.

ㄷ. 전류의 방향이 바뀌면 코일이 받는 힘의 방향도 바뀐다.
└───────┘

① ㄱ　　　　② ㄷ　　　　③ ㄱ, ㄴ

④ ㄴ, ㄷ　　　⑤ ㄱ, ㄴ, ㄷ

10 그림은 전동기의 구조를 나타낸 것이다.

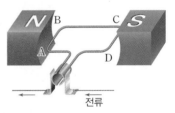

도선에 화살표 방향으로 전류가 흐를 때, 이에 대한 설명으로 옳은 것을 |보기|에서 모두 고른 것은?

┌─ 보기 ┐
ㄱ. 도선 BC는 힘을 받지 않는다.

ㄴ. 도선 CD는 위쪽으로 힘을 받는다.

ㄷ. 코일은 시계 반대 방향으로 회전한다.
└───────┘

① ㄱ　　　　② ㄴ　　　　③ ㄱ, ㄷ

④ ㄴ, ㄷ　　　⑤ ㄱ, ㄴ, ㄷ

1 다음은 전하를 띠지 않은 금속 깡통을 이용하여 정전기 유도를 알아보기 위한 실험이다.

> | 실험 과정 |
> (가) 플라스틱 막대를 털가죽으로 마찰한다.
> (나) (−)전하로 대전된 플라스틱 막대를 금속 깡통에 가까이 가져간다.
> (다) 털가죽을 금속 깡통에 가까이 가져간다.
>
>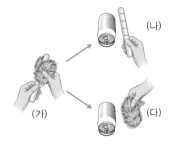
>
> | 실험 결과 |
> (나), (다)에서 금속 깡통이 모두 끌려온다.

이에 대한 설명으로 옳은 것은?

① (가)에서 플라스틱 막대에서 털가죽으로 (+)전하가 이동한다.

② (나)에서 금속 깡통의 전자는 플라스틱 막대에 가까운 쪽으로 이동한다.

③ (나)에서 금속 깡통과 플라스틱 막대 사이에는 척력이 작용한다.

④ (다)에서 털가죽에 가까운 쪽 금속 깡통의 면은 (+)전하를 띤다.

⑤ (다)에서 털가죽은 (+)대전체이므로 금속 깡통의 전자는 털가죽에 가까운 쪽으로 이동한다.

> **Tip** 서로 다른 두 물체를 마찰하면 한 물체에서 다른 물체로 ❶ 가 이동하여 두 물체는 서로 ❷ 전하를 띤 대전체가 된다.
>
> 답 ❶전자 ❷다른

2 그림은 검전기를 이용하여 대전체가 띠는 전하를 알아보기 위한 코딩 중 일부를 나타낸 것이다.

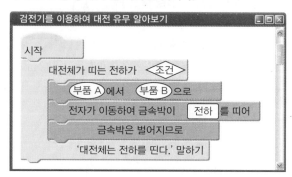

그림에서 조건, 부품 A, 부품 B, 전하에 들어갈 내용으로 옳은 것을 모두 고르면? [정답 2개]

	조건	부품 A	부품 B	전하
①	(−)전하이면	금속판	금속박	(−)전하
②	(−)전하이면	금속박	금속판	(+)전하
③	(+)전하이면	금속판	금속박	(+)전하
④	(+)전하이면	금속박	금속판	(+)전하
⑤	(+)전하이면	금속판	금속박	(−)전하

> **Tip** 검전기를 이용하면 물체가 ❶ 를 띠는지의 여부를 알 수 있다. 만약 물체가 전하를 띠면 검전기의 금속박은 ❷ .
>
> 답 ❶전하 ❷벌어진다

3 다음은 전압과 전류의 관계를 알아보기 위한 실험이다.

| 실험 과정 |

(가) 그림과 같이 니크롬선 a를 이용하여 전기 회로
를 구성한다.

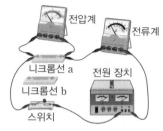

(나) 스위치를 닫고 전원 장치의 전압을 증가시키며
전압계와 전류계의 눈금을 읽는다.

(다) 니크롬선 a를 니크롬선 b로 바꾸고 과정 (나)
를 반복한다.

| 실험 결과 |

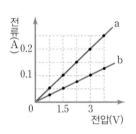

이에 대한 설명으로 옳은 것을 | 보기 | 에서 모두 고른 것은?

┌ 보기 ┐

ㄱ. 니크롬선에 걸리는 전압이 커짐에 따라 전류의 세
기는 커진다.

ㄴ. 니크롬선의 저항은 a > b이다.

ㄷ. 전압이 일정할 때 저항이 크면 흐르는 전류의 세
기는 작다.

① ㄱ   ② ㄴ   ③ ㄷ

④ ㄱ, ㄴ   ⑤ ㄱ, ㄷ

Tip 니크롬선의 저항값이 일정할 때 니크롬선에 흐르는
❶ 의 세기는 니크롬선에 걸리는 **❷** 에 비례하여
커진다.

답 ❶전류 **❷**전압

4 그림은 저항이 다른 전기 기구들이 연결된 모습을 나타낸 것이다. 이에 대한 설명으로 옳은 것을 모두 고르면? [정답 2개]

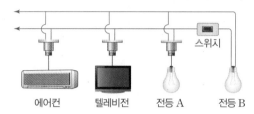

① 에어컨과 전등 A에 걸리는 전압은 같다.

② 전등 A와 전등 B는 병렬로 연결되어 있다.

③ 전등 A와 전등 B에 흐르는 전류의 세기는 같다.

④ 스위치를 끄면 연결된 전기 기구가 모두 꺼진다.

⑤ 텔레비전과 전등 B에 흐르는 전류의 세기는 같다.

Tip 전기 기구들은 모두 **❶** 로 연결하므로 각 전기
기구에는 같은 크기의 **❷** 이 걸린다. **답 ❶**병렬 **❷**전압

5 다음은 간이 전동기를 만드는 실험이다.

| 실험 과정 |

(가) 에나멜선을 20회 정도
둥글게 감아 코일을 만든다.

(나) 사포로 코일의 한쪽은
에나멜을 완전히 벗기고, 다
른 쪽은 반만 벗긴다.

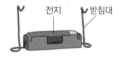

(다) 클립으로 받침대를 만들어
전지 끼우개의 양 단자에 고정
한다.

(라) 전지 위에 물체 A를 고
정한 후 받침대에 코일을 올
려둔다.

| 실험 결과 |

받침대 위의 코일이 계속해서 한 방향으로 회전한다.

A에 해당하는 물체를 쓰고, 코일을 더 빠르게 회전시키는
방법을 2가지 쓰시오.

Tip 전동기는 **❶** 과 코일로 만들며, **❷** 에서 코
일이 받는 힘을 이용한다. **답 ❶**자석 **❷**자기장

6 그림은 전류가 위쪽으로 흐르는 직선 도선을 고정하고 도선에 수직인 평면 위의 점 A, B, C에 각각 나침반을 놓은 모습을 나타낸 것이다. ㉠은 A에 놓인 나침반 자침의 N극과 S극 중 하나이다.

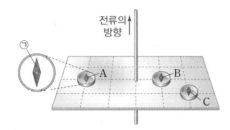

이에 대한 설명으로 옳은 것을 |보기|에서 모두 고른 것은? (단, 지구 자기장은 무시하고, 평면 위의 모눈 간격은 모두 같다.)

┌─ 보기 ─────────────────────────┐
ㄱ. ㉠은 S극이다.
ㄴ. 전류에 의한 자기장의 세기는 B에서가 A에서보다 크다.
ㄷ. 전류가 아래쪽으로 흘러도 C에 놓인 나침반 자침의 N극이 가리키는 방향은 변하지 않는다.
└────────────────────────────────┘

① ㄱ ② ㄴ ③ ㄱ, ㄴ
④ ㄱ, ㄷ ⑤ ㄴ, ㄷ

Tip 전류가 흐르는 직선 도선 주위에 생기는 **❶**⬚의 세기는 **❷**⬚의 세기가 클수록, 도선에 가까울수록 크다.

답 ❶자기장 ❷전류

7 그림과 같이 원형 도선에 전류를 흐르게 한 후 나침반을 놓고 자침의 N극이 가리키는 방향을 관찰하였다.

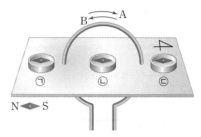

(1) 위의 관찰 내용을 다음과 같이 정리하였다. 자침의 N극이 가리키는 방향을 순서대로 옳게 쓰시오.

┌────────────────────────────────┐
전류가 A 방향으로 흐르면 자침의 N극은 ㉠에서 (   )쪽, ㉡에서 (   )쪽을 가리키며, 전류가 B 방향으로 흐르면 자침의 N극은 ㉠에서 (   )쪽, ㉡에서 (   )쪽을 가리킨다.
└────────────────────────────────┘

(2) 이와 같은 원형 전류에 의한 자기장에 대한 설명으로 옳은 것은 |보기|에서 모두 고른 것은?

┌─ 보기 ─────────────────────────┐
ㄱ. 도선이 흐르는 전류의 방향이 달라지면 자기장의 방향도 달라진다.
ㄴ. ㉢에서 자침의 N극이 서쪽을 가리키면 도선에는 A 방향으로 전류가 흐른다.
ㄷ. ㉠과 ㉡에서 자침의 N극이 가리키는 방향은 전류의 방향에 관계없이 항상 반대이다.
└────────────────────────────────┘

① ㄱ ② ㄷ ③ ㄱ, ㄷ
④ ㄴ, ㄷ ⑤ ㄱ, ㄴ, ㄷ

Tip 원형 도선에 전류가 흐르면 도선 주위에는 **❶**⬚이 생긴다. 이때 자기장의 방향은 **❷**⬚의 방향에 따라 달라진다.

답 ❶자기장 ❷전류

8 전류가 흐르는 코일 주위의 자기장에 관한 실험이다.

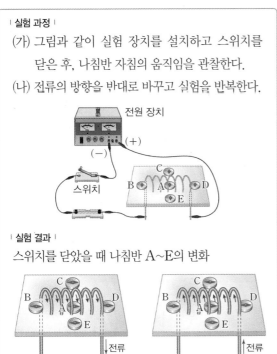

| 실험 과정 |

(가) 그림과 같이 실험 장치를 설치하고 스위치를 닫은 후, 나침반 자침의 움직임을 관찰한다.

(나) 전류의 방향을 반대로 바꾸고 실험을 반복한다.

| 실험 결과 |

스위치를 닫았을 때 나침반 A~E의 변화

실험 결과에 근거하여 전류가 흐르는 코일 주위에 생기는 자기장에 대해 **잘못** 설명하고 있는 학생을 쓰시오.

전류의 방향이 바뀌면 코일에 의한 자기장의 방향도 바뀌네. 철수

나침반 자침의 N극 방향을 보면 코일에 흐르는 전류의 방향을 알 수 있어. 정은

코일은 원형 전류가 여러 개 합쳐지므로 코일 안쪽이 바깥쪽보다 자기장의 세기가 커. 재민

코일 안쪽 A에서의 자기장 방향은 바깥쪽 C, D에서와 반대야. 은지

코일 안쪽에서 자기장 방향은 (가)는 왼쪽이고, (나)는 오른쪽이야. 보미

( )

Tip 코일에 의한 자기장의 방향은 코일에 흐르는 전류의 방향으로 **❶** 의 네 손가락을 감아쥐고 엄지손가락을 이와 **❷** 으로 폈을 때 엄지손가락이 가리키는 방향이다.

답 ❶오른손 ❷직각

9 그림과 같이 자석 사이에 알루미늄박을 길게 잘라 연결하고 스위치를 닫았더니 알루미늄박이 위쪽으로 움직였다.

다음은 위와 같은 실험을 하면서 학생들이 나눈 대화이다.

자기장 내에서 전류가 흐르는 도선은 힘을 받기 때문에 움직여. 준우

힘의 방향은 오른손의 네 손가락을 전류의 방향, 엄지손가락을 자기장의 방향으로 할 때 손바닥이 향하는 방향이야. 미영

전지의 극을 바꾸어 연결하였더니 알루미늄박이 아래쪽으로 움직이네. 우영

자석을 하나 더 설치하거나 센 자석을 사용하였더니 알루미늄박이 더 크게 움직였어. 윤지

자석의 극을 바꾸었더니 알루미늄박이 아래쪽으로 움직였어. 석호

(1) 잘못 알고 있는 학생을 찾고, 옳게 고쳐 쓰시오.

(2) 위 대화로부터 힘의 방향과 힘의 크기를 바꾸는 방법을 각각 서술하시오.

Tip 전류가 흐르는 도선은 **❶** 내에서 힘을 받는다. 이때 힘의 크기는 **❷** 의 세기와 자기장의 세기에 따라 달라진다.

답 ❶자기장 ❷전류

중간고사 마무리 전략

○ 핵심 Point 체크

1강_원소, 원자, 원소 기호, 2강_분자, 분자식, 이온

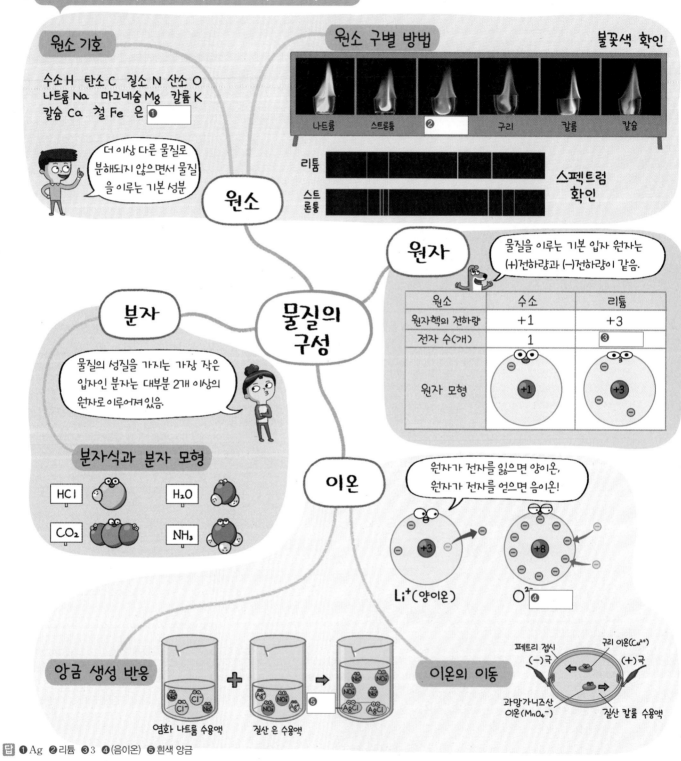

원소 기호

수소 H 탄소 C 질소 N 산소 O
나트륨 Na 마그네슘 Mg 칼륨 K
칼슘 Ca 철 Fe 은 ❶ [　　]

더 이상 다른 물질로 분해되지 않으면서 물질을 이루는 기본 성분

원소

원소 구별 방법

불꽃색 확인

나트륨　스트론튬　❷ [　]　구리　칼륨　칼슘

리튬
스트론튬

스펙트럼 확인

원자

물질을 이루는 기본 입자 원자는 (+)전하량과 (−)전하량이 같음.

원소	수소	리튬
원자핵의 전하량	+1	+3
전자 수(개)	1	❸ [　]
원자 모형	(+1)	(+3)

분자

물질의 성질을 가지는 가장 작은 입자인 분자는 대부분 2개 이상의 원자로 이루어져 있음.

물질의 구성

분자식과 분자 모형

HCl　　H₂O
CO₂　　NH₃

이온

원자가 전자를 잃으면 양이온, 원자가 전자를 얻으면 음이온!

Li⁺(양이온)　　O²⁻ ❹ [　　]

앙금 생성 반응

염화 나트륨 수용액　＋　질산 은 수용액　⇒　❺ [　　]

이온의 이동

페트리 접시
(−)극　　구리 이온(Cu²⁺)　(+)극
과망가니즈산 이온(MnO₄⁻)　질산 칼륨 수용액

답 ❶ Ag ❷ 리튬 ❸ 3 ❹ (음이온) ❺ 흰색 앙금

3강_전기, 4강_자기

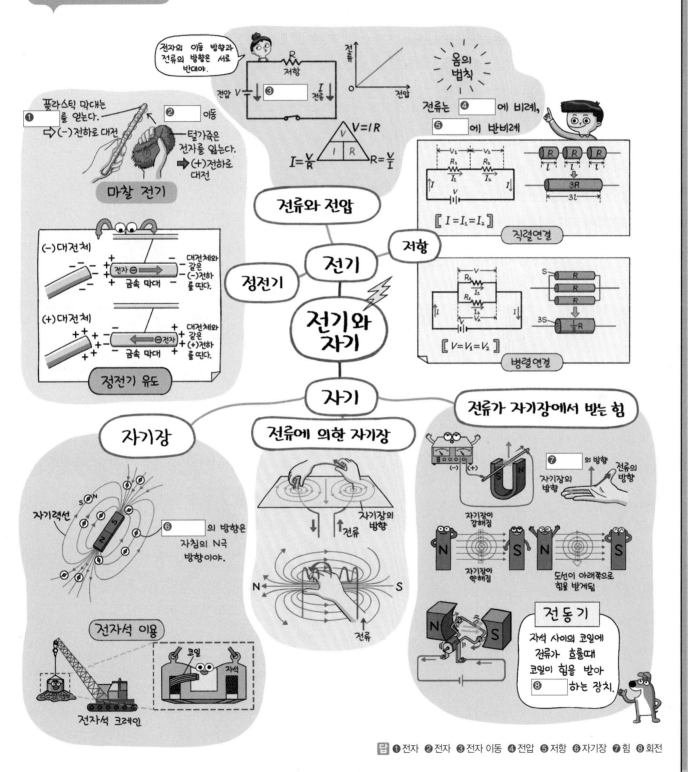

전자의 이동 방향과 전류의 방향은 서로 반대야.

플라스틱 막대는 ❶_____를 얻는다.
⇨ (−)전하로 대전

털가죽은 전자를 잃는다.
⇨ (+)전하로 대전

❷_____ 이동

마찰 전기

$V=IR$
$I=\dfrac{V}{R}$ $R=\dfrac{V}{I}$

저항
전압 V ❸_____ 전류 I

옴의 법칙

전류는 ❹_____에 비례, _____에 반비례

$[\ I=I_1=I_2\ ]$

3R

직렬연결

$[\ V=V_1=V_2\ ]$

병렬연결

전류와 전압

저항

전기

전기와 자기

(−)대전체
전자⊖
금속 막대
대전체와 같은 (−)전하를 띤다.

(+)대전체
⊖전자
금속 막대
대전체와 같은 (+)전하를 띤다.

정전기

정전기 유도

자기

자기장

자기력선
S N
❻_____의 방향은 자침의 N극 방향이야.

전자석 이용

코일
자석
전자석 크레인

전류에 의한 자기장

자기장의 방향
전류
N S
전류

전류가 자기장에서 받는 힘

(−) (+)
❼_____의 방향
자기장의 방향
전류의 방향

자기장이 강해짐
N

자기장이 약해짐

S N
도선이 아래쪽으로 힘을 받게 됨

S

전동기

N S

자석 사이의 코일에 전류가 흐를 때 코일이 힘을 받아 ❽_____하는 장치.

답 ❶전자 ❷전자 ❸전자 이동 ❹전압 ❺저항 ❻자기장 ❼힘 ❽회전

신유형·신경향·서술형 전략

신유형 전략

1 원자의 구조

다음은 원자의 구조에 대한 수업 내용이다.

(가)와 (나)는 각각 리튬 원자와 산소 원자를 모형으로 나타낸 것입니다. 두 원자 모형의 공통점은 무엇인가요?

(가)

(나)

선생님의 질문에 옳게 답한 학생을 모두 고른 것은?

원자의 중심에 원자핵이 있어요.
학생 A

전자는 원자핵 주변에서 정지해 있어요.
학생 B

원자핵은 (+)전하를 띠고 전자는 (−)전하를 띠어요.
학생 C

① 학생 A   ② 학생 B
③ 학생 A, 학생 C   ④ 학생 B, 학생 C
⑤ 학생 A, 학생 B, 학생 C

> **Tip** 원자는 중심에 (+)전하를 띤 원자핵이 있고 주변에 (−)전하를 띤 전자가 끊임없이 ❶ 하고 있다. 원자의 질량은 ❷ 이 대부분을 차지한다.
>
> 답 ❶운동 ❷원자핵

2 간이 전동기 만들기

그림 (가)는 에나멜선을 이용하여 만든 간이 전동기이고, (나)는 회전자를 만들 때 주의점을 나타낸 것이다.

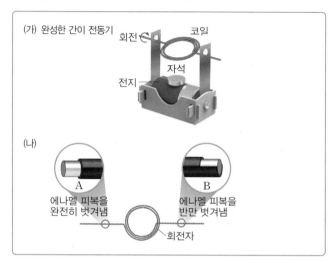

(가) 완성한 간이 전동기
회전   코일
자석
전지

(나)
A
에나멜 피복을 완전히 벗겨냄

B
에나멜 피복을 반만 벗겨냄

회전자

다음은 간이 전동기 만들기 활동을 하며 나눈 학생들의 대화이다. 옳게 설명하고 있는 학생을 모두 고른 것은?

코일의 회전 방향을 바꾸려면 강한 자석을 사용해야 해.

코일의 회전을 빠르게 하려면 전지의 극을 바꾸어야 해.

B와 같이 에나멜 피복을 반만 벗겨 내는 까닭은 코일을 한 방향으로 돌리기 위해서야.

석진   나래   장수

정희

A와 같이 에나멜 피복을 완전히 벗겨 내면 전류가 더 세게 흘러.

희진

코일의 회전 방향을 바꾸려면 전지의 극을 반대로 바꾸면 돼.

① 희진   ② 나래, 석진
③ 장수, 희진   ④ 정희, 장수, 희진
⑤ 나래, 석진, 정희, 장수

> **Tip** 코일을 자석 위에 올려놓으면 코일의 위쪽 부분과 아래쪽 부분에 흐르는 전류의 방향이 서로 ❶ 이므로 코일은 힘을 받아 한쪽 방향으로 계속 ❷ 한다.
>
> 답 ❶반대 ❷회전

3 선 스펙트럼과 원소의 확인

다음은 물질 (가)에 포함되어 있는 원소를 확인하기 위한 탐구 과정과 결과이다.

| 탐구 과정 |
1. 물질 (가)의 수용액을 니크롬선에 묻힌 후 토치의 겉불꽃에 넣는다.
2. 과정 1에서 나타나는 불꽃을 분광기로 관찰한다.
3. 금속 원소 A~C를 각각 포함한 수용액으로 과정 1, 2를 반복한다.

| 탐구 결과 |
물질 (가)와 금속 원소 A~C의 선 스펙트럼

이에 대한 설명으로 옳은 것을 | 보기 | 에서 모두 고른 것은?

| 보기 |
ㄱ. 금속 원소의 종류에 따라 선 스펙트럼에서 나타나는 선의 개수와 위치가 다르다.
ㄴ. 물질 (가)에는 원소 A와 원소 C가 포함되어 있다.
ㄷ. 두 원소가 섞여 있으면 새로운 선 스펙트럼이 생성된다.

① ㄱ   ② ㄴ   ③ ㄱ, ㄴ
④ ㄱ, ㄷ   ⑤ ㄴ, ㄷ

> **Tip** 불꽃색이 비슷한 금속 원소는 불꽃을 ❶ [   ]로 관찰하여 ❷ [   ]을 비교하면 구별할 수 있다.
>
> 답 ❶ 분광기 ❷ 선 스펙트럼

4 코일에 생기는 자기장 이용

그림과 같이 철심에 코일을 감고 전원 장치에 연결한 후 스위치를 닫았더니 도선의 A 지점에서 전자들이 오른쪽으로 움직였다.

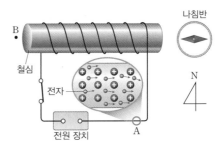

이에 대한 설명으로 옳은 것을 | 보기 | 에서 모두 고른 것은? (단, 지구 자기장은 무시한다.)

| 보기 |
ㄱ. 나침반 자침의 N극은 서쪽을 가리킨다.
ㄴ. 도선의 A 지점에서 전류의 방향은 오른쪽이다.
ㄷ. 철심은 오른쪽이 N극인 전자석이 된다.
ㄹ. B 지점에 나침반을 놓으면 자침의 N극은 동쪽을 가리킨다.

① ㄱ, ㄴ   ② ㄱ, ㄷ   ③ ㄱ, ㄹ
④ ㄴ, ㄷ   ⑤ ㄷ, ㄹ

> **Tip** 코일에 전류가 흐르면 코일 내부에서 자기장의 방향은 오른손의 네 손가락을 ❶ [   ]의 방향으로 감아쥐고, 이와 수직으로 엄지손가락을 펼 때 ❷ [   ]이 가리키는 방향이다.
>
> 답 ❶ 전류 ❷ 엄지손가락

신유형·신경향·서술형 **전략**

서술형 전략

5 물 분해 실험

다음은 라부아지에의 물 분해 실험 과정과 결과를 나타낸 것이다.

| 실험 과정 |
라부아지에는 긴 주철관을 뜨겁게 가열하면서 주철관 안으로 물을 조금씩 흘려보냈을 때 발생한 기체를 냉각수에 통과시키는 실험을 하였다.

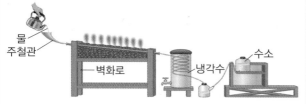

| 실험 결과 |
주철관 안에 녹이 슬고, 집기병에 수소 기체가 모였다.

(1) 실험 결과를 참고하여 물을 구성하는 원소의 종류를 두 가지 쓰시오.

(   )

(2) 실험 결과를 참고하여 물이 원소가 아닌 이유를 서술하시오.

⎯⎯⎯⎯⎯⎯⎯⎯⎯⎯⎯⎯⎯⎯⎯⎯⎯⎯

Tip ❶▢는 더 이상 분해할 수 없는 물질의 성분이다. 물은 수소와 ❷▢로 분해되므로 원소가 아니다.

답 ❶원소 ❷산소

6 앙금 생성 반응

그림에서 (가)~(라)와 같이 유리판 위에서 몇 가지 수용액을 혼합하여 어떤 변화가 일어나는지 관찰하였다.

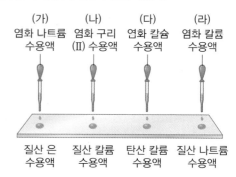

| (가) 염화 나트륨 수용액 | (나) 염화 구리(Ⅱ) 수용액 | (다) 염화 칼슘 수용액 | (라) 염화 칼륨 수용액 |

| 질산 은 수용액 | 질산 칼륨 수용액 | 탄산 칼륨 수용액 | 질산 나트륨 수용액 |

(1) (가)~(라) 중 두 수용액을 혼합하였을 때 앙금이 생성되는 경우를 모두 쓰시오.

(   )

(2) (가)~(라) 중 앙금이 생성되는 경우를 알짜 이온 반응식으로 나타내시오.

⎯⎯⎯⎯⎯⎯⎯⎯⎯⎯⎯⎯⎯⎯⎯⎯⎯⎯

Tip 앙금은 ❶▢이온과 ❷▢이온이 반응하여 생성된 물에 녹지 않는 물질을 말한다.

답 ❶양 ❷음

7 전압계, 전류계의 연결 방법과 저항의 크기 구하기

니크롬선의 저항을 알아보기 위해 그림과 같이 전류계와 전압계를 연결하고 니크롬선에 걸리는 전압과 흐르는 전류의 세기를 측정하였다. 이때 전류계의 (−)단자는 5 A 단자에, 전압계의 (−)단자는 15 V 단자에 연결하였다.

(1) 만약 실험 중에 전류계의 (−)단자를 500 mA 단자에 연결하였다면 전류계에는 어떤 현상이 나타나는지 쓰시오.

(2) 실험 도중 전압계를 연결하였더니 전압계의 바늘이 0 이하를 가리키는 현상이 나타났다면 그 까닭은 무엇인지 쓰시오.

(3) 니크롬선에 걸리는 전압과 흐르는 전류의 세기로부터 니크롬선의 저항의 크기를 구하는 식을 쓰고, 몇 Ω인지 구하시오.

> **Tip** 니크롬선의 저항은 니크롬선에 걸리는 **❶**　　을 니크롬선에 흐르는 **❷**　　로 나누어 구한다.
>
> 답 ❶ 전압 ❷ 전류

8 자기장에서 전류가 흐르는 도선이 받는 힘

그림과 같이 위쪽 면이 N극으로 되어 있는 고무 자석에 구리 테이프를 붙이고 전지를 연결한 후, 구리선을 올려놓았다.

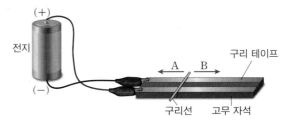

(1) 구리선이 움직이는 방향을 쓰시오.

(　　　　　　)

(2) 구리선의 움직임을 더 크게 하는 방법 2가지를 서술하시오.

(3) 고무 자석의 위쪽 면이 S극이 되도록 하였을 때 나타나는 변화를 쓰고, 같은 변화가 나타나도록 하는 다른 방법을 서술하시오.

> **Tip** 자기장 속에서 전류가 흐르는 도선은 힘을 받아 움직인다. 이때 힘의 방향은 **❶**　　의 방향과 도선에 흐르는 **❷**　　의 방향에 따라 달라진다.
>
> 답 ❶ 자기장 ❷ 전류

** 1등급 킬러

01 그림은 물의 전기 분해 실험 장치를 나타낸 것이다.

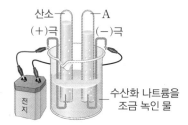

이에 대한 설명으로 옳은 것을 |보기|에서 모두 고른 것은?

> |보기|
> ㄱ. 시험관 속에 생성된 기체의 부피는 A 기체가 산소보다 더 크다.
> ㄴ. A 기체는 가장 무거운 원소이며 불에 잘 탄다.
> ㄷ. 이 실험을 통해서 물이 원소가 아님을 알 수 있다.

① ㄱ   ② ㄷ   ③ ㄱ, ㄴ
④ ㄱ, ㄷ   ⑤ ㄴ, ㄷ

02 그림은 어떤 물질의 불꽃색을 나타낸 것이다. 불꽃 반응에서 이와 같은 불꽃색을 나타내는 물질을 |보기|에서 모두 고른 것은?

> |보기|
> ㄱ. 염화 칼슘   ㄴ. 질산 칼륨
> ㄷ. 염화 구리(II)   ㄹ. 질산 리튬
> ㅁ. 염화 나트륨   ㅂ. 질산 구리(II)

① ㄱ, ㄴ   ② ㄱ, ㄷ
③ ㄴ, ㄹ   ④ ㄷ, ㅁ
⑤ ㄷ, ㅂ

03 그림은 물질 (가)와 원소 A~C의 선 스펙트럼을 나타낸 것이다.

이에 대한 설명으로 옳은 것을 |보기|에서 모두 고른 것은?

> |보기|
> ㄱ. 같은 원소는 선의 위치와 개수가 같다.
> ㄴ. 물질 (가)에는 원소 A가 포함되어 있지 않다.
> ㄷ. 원소가 섞여 있으면 한 원소의 스펙트럼이 다른 원소의 스펙트럼에 영향을 준다.

① ㄱ   ② ㄷ   ③ ㄱ, ㄴ
④ ㄱ, ㄷ   ⑤ ㄴ, ㄷ

04 그림은 리튬 원자를 모형으로 나타낸 것이다. 이에 대한 설명으로 옳은 것을 |보기|에서 모두 고른 것은?

> |보기|
> ㄱ. 리튬 원자는 전기적으로 중성이다.
> ㄴ. 원자핵의 전하량은 전자 1개의 전하량과 같다.
> ㄷ. 리튬 원자가 이온이 되면 원자핵의 전하량이 변한다.

① ㄱ   ② ㄷ   ③ ㄱ, ㄴ
④ ㄱ, ㄷ   ⑤ ㄴ, ㄷ

*∴ 1등급 킬러

05 표는 원자의 종류에 따라 원자핵의 전하량과 전자의 개수를 나타낸 것이다.

원자	H	O	Na	Mg
원자핵의 전하량	+1	(가)	+11	+12
전자의 개수(개)	1	8	(나)	

이에 대한 설명으로 옳은 것을 모두 고르면? [정답 2개]

① 모든 원자는 전기적으로 중성이다.

② (가)에 들어갈 원자핵의 전하량은 +6이다.

③ (나)에 들어갈 전자의 개수는 10개이다.

④ 원자의 종류에 따라 전자 1개의 전하량이 다르다.

⑤ 산소 원자 3개의 전자의 총 개수는 마그네슘 원자 2개의 전자의 총 개수와 같다.

06 |보기|는 몇 가지 원소의 특징을 나타낸 것이다.

┌ 보기 ┐
ㄱ. 가볍고 안전하여 비행선의 충전 기체로 사용한다.
ㄴ. 불꽃색이 노란색이며 소금에 들어 있는 원소이다.
ㄷ. 노란색 광택이 아름다워 귀금속으로 이용된다.
└────────┘

ㄱ~ㄷ에서 설명하는 원소를 원소 기호로 바르게 나타낸 것은?

	ㄱ	ㄴ	ㄷ
①	H	Li	Cu
②	He	Na	Au
③	H	Na	Au
④	He	K	Cu
⑤	Ne	Li	Cu

07 |보기|는 여러 가지 물질을 원소 기호를 이용하여 나타낸 것이다.

┌ 보기 ┐
$NaCl$ KNO_3 $CuCl_2$ $LiNO_3$
└────────┘

|보기|의 물질들로 불꽃 반응 실험을 할 때 나타나지 **않는** 불꽃색은?

① 노란색　　　　　② 보라색

③ 청록색　　　　　④ 빨간색

⑤ 주황색

2강_분자, 분자식, 이온

08 그림은 일산화 탄소와 이산화 탄소를 분자 모형으로 나타낸 것이다. 이에 대한 설명으로 옳은 것을 |보기|에서 모두 고른 것은?

일산화 탄소　　　　이산화 탄소

┌ 보기 ┐
ㄱ. 같은 종류의 원자로 이루어져 있다.
ㄴ. 서로 다른 분자이지만 성질은 같다.
ㄷ. 이산화 탄소의 분자식은 CO_2이다.
└────────┘

① ㄱ　　　　② ㄷ　　　　③ ㄱ, ㄴ

④ ㄱ, ㄷ　　　⑤ ㄴ, ㄷ

빈출도 ● > ● > ●

09 그림 (가)와 (나)는 물과 암모니아의 분자 모형을 순서 없이 나타낸 것이다.

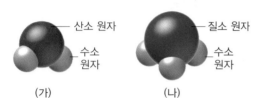

(가)와 (나)를 분자식으로 옳게 나타낸 것은?

	(가)	(나)
①	NH_2	H_3O
②	N_2H_3	N_3O
③	HO_2	NO_3
④	H_2O	CH_3
⑤	H_2O	NH_3

10 표는 입자 A~D의 원자핵의 전하량과 전자의 개수를 나타낸 것이다.

입자	A	B	C	D
원자핵의 전하량	8	8	9	11
전자의 개수(개)	8	10	10	10

이에 대한 설명으로 옳은 것을 |보기|에서 모두 고른 것은?

보기
ㄱ. A와 B는 원자의 종류가 같다.
ㄴ. C와 D는 이온의 전하량이 같다.
ㄷ. A는 원자이고, B, C, D는 이온이다.

① ㄱ　　　　② ㄴ　　　　③ ㄱ, ㄷ
④ ㄴ, ㄷ　　　⑤ ㄱ, ㄴ, ㄷ

· 1등급 킬러

11 표는 A 지역의 지하수에 들어 있는 이온을 확인하기 위한 실험의 결과이다.

실험	결과
질산 은 수용액을 떨어뜨렸을 때	흰색 앙금 생성
불꽃 반응에서 나타나는 불꽃색	노란색

위 실험의 결과로 A 지역의 지하수에 들어있는 성분으로 적당한 물질은?

① KCl　　　　　　② $CuCl_2$
③ $NaNO_3$　　　　④ NaCl
⑤ KNO_3

12 그림은 원자가 이온이 되는 과정을 모형으로 나타낸 것이다.

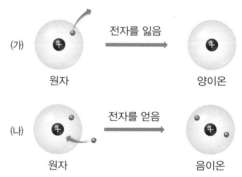

위 과정에 해당하는 이온의 형성 과정을 옳게 짝 지은 것은?(단, 그림에서 원자는 임의의 원소를, ⊖는 전자를 의미하고, 얻거나 잃는 전자의 개수는 1개이다.)

① (가): $Na \rightarrow Na^- + \oplus$
② (나): $H \rightarrow H^+ + \ominus$
③ (가): $O + 2\ominus \rightarrow O^{2-}$
④ (나): $Cl + \ominus \rightarrow Cl^-$
⑤ (가): $Ca \rightarrow Ca^{2+} + 2\ominus$

13 서술형
그림은 염화 구리(Ⅱ), 아이오딘화 칼륨, 질산 칼륨을 구별하기 위한 실험 방법을 나타낸 것이다.

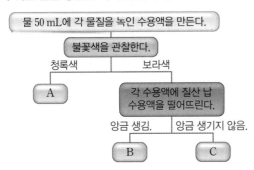

(1) A에 해당하는 물질의 화학식을 쓰시오.

(   )

(2) B 수용액에 떨어뜨린 질산 납 수용액이 반응하여 앙금이 생성되는 과정을 화학식으로 쓰시오.

14 U자 관에 과망가니즈산 구리(Ⅱ)($Cu(MnO_4)_2$) 수용액을 넣고 전류를 흘려 주었더니 그림과 같이 (−)극 쪽은 파란색, (+)극 쪽은 보라색으로 나타났다.

과망가니즈산 구리(Ⅱ) 수용액

이에 대한 설명으로 옳은 것을 모두 고르면? [정답 2개]

① 구리 이온은 (+)극 쪽으로 이동한다.

② 보라색 성분은 (+)전하를 띠는 이온이다.

③ 과망가니즈산 이온은 (−)극 쪽으로 이동한다.

④ (−)극과 (+)극을 바꾸면 색의 이동 방향이 달라진다.

⑤ 과망가니즈산 구리(Ⅱ)가 물에 녹으면 색깔을 띠는 양이온과 음이온이 생성된다.

15 다음은 이온의 이동을 알아보는 실험이다.

| 실험 과정 |

그림과 같이 질산 칼륨 수용액을 적신 거름종이의 (가) 지점에는 아이오딘화 칼륨(KI) 수용액을, (나) 지점에는 질산 납($Pb(NO_3)_2$) 수용액을 2~3 방울씩 떨어뜨리고 전원을 연결하여 전류를 흘려주었다.

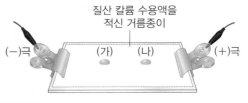

| 실험 결과 |

(가)와 (나) 사이에서 노란색 물질이 생성되었다.

위 실험에서 생성된 노란색 물질로 적당한 것은?

① $AgCl$ ② $CaCO_3$ ③ PbS

④ PbI_2 ⑤ KNO_3

∴ 1등급 킬러

16 그림은 성분을 모르는 A 수용액과 황산 나트륨 수용액의 앙금 생성 반응을 모형으로 나타낸 것이다.

이 모형에 대한 설명으로 옳은 것을 |보기|에서 모두 고른 것은?

| 보기 |

ㄱ. A는 염화 바륨이다.

ㄴ. 이 반응으로 생성된 앙금의 색깔은 아이오딘화 납 앙금과 색깔이 같다.

ㄷ. 수용액 속 양이온은 황산 나트륨 수용액 속 음이온으로 검출할 수 있다.

① ㄱ   ② ㄱ, ㄴ   ③ ㄱ, ㄷ

④ ㄴ, ㄷ   ⑤ ㄱ, ㄴ, ㄷ

3강_전기

** 1등급 킬러

01 그림과 같이 장치하고 (+)전하를 띤 유리 막대를 금속 막대의 A 쪽에 가까이하였다.

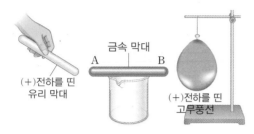

이에 대한 설명으로 옳지 않은 것은?

① A 부분은 (−)전하를 띤다.
② 전자는 A에서 B로 이동한다.
③ 고무풍선은 금속 막대에서 밀려난다.
④ B 부분은 유리 막대와 같은 전하를 띤다.
⑤ 금속 막대와 고무풍선 사이에 전기력이 작용한다.

02 검전기에 (−)대전체를 가까이하고 손가락을 금속판에 접촉한 후 대전체와 손가락을 동시에 멀리하면 그림과 같이 검전기의 금속박이 다시 벌어진다.

이에 대한 설명으로 옳은 것을 |보기|에서 모두 고른 것은?

> 보기
> ㄱ. (가)에서 금속박은 (−)전하를 띤다.
> ㄴ. (나)에서 손가락에서 금속박으로 전자가 이동한다.
> ㄷ. (다)에서 금속박은 (+)전하를 띤다.

① ㄱ   ② ㄴ   ③ ㄱ, ㄷ
④ ㄴ, ㄷ   ⑤ ㄱ, ㄴ, ㄷ

03 그림과 같이 저항이 서로 다른 전구 2개를 병렬연결 하였더니 A 지점에는 전류가 0.03 A가 흐르고 B 지점에는 0.01 A가 흘렀다.

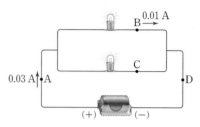

이에 대한 설명으로 옳은 것을 |보기|에서 모두 고른 것은?

> 보기
> ㄱ. C에 연결된 전구에는 0.02 A의 전류가 흐른다.
> ㄴ. A와 D 지점에 흐르는 전류의 세기는 서로 같다.
> ㄷ. C에 연결된 전구의 저항은 B에 연결된 전구의 저항의 2배이다.

① ㄱ   ② ㄷ   ③ ㄱ, ㄴ
④ ㄴ, ㄷ   ⑤ ㄱ, ㄴ, ㄷ

04 그림은 전기 회로와 수도관을 따라 물이 흐르는 장치를 서로 비교한 것이다.

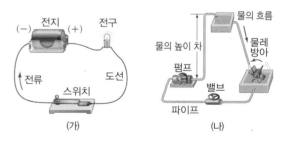

(가)를 (나)에 비유할 때 적절한 것을 각각 쓰시오.

(1) 전류: (   )
(2) 전자: (   )

서술형

05 전구 2개를 그림 (가)는 직렬로 연결한 회로이고, (나)는 병렬로 연결한 회로이다.

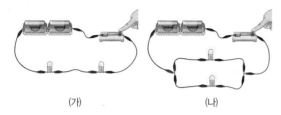

(가)　　　　　　(나)

(1) (가)에서 전구 1개의 필라멘트가 끊어지면 나머지 전구는 어떻게 되는지 쓰시오.

(2) (나)에서 전구 1개의 필라멘트가 끊어지면 나머지 전구의 밝기 변화를 쓰고, 그 까닭을 서술하시오.

06 그림은 두 니크롬선 A, B에 걸어 준 전압에 따른 전류의 세기를 나타낸 것이다.

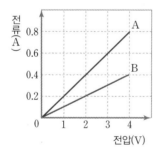

이에 대한 설명으로 옳은 것을 |보기|에서 모두 고른 것은?

> **보기**
> ㄱ. 저항의 크기는 A가 B의 2배이다.
> ㄴ. A와 B를 직렬로 연결하면 A와 B에 흐르는 전류의 세기는 같다.
> ㄷ. A와 B를 병렬로 연결하면 A에 흐르는 전류의 세기는 B의 2배이다.

① ㄱ　　　　② ㄷ　　　　③ ㄱ, ㄴ

④ ㄴ, ㄷ　　　⑤ ㄱ, ㄴ, ㄷ

07 그림은 어떤 도선에 걸리는 전압에 따른 전류의 세기를 나타낸 것이다. 이 도선을 균일하게 잡아당겨 길이를 2배로 할 때, 도선에 걸리는 전압과 전류의 관계를 옳게 나타낸 것은?

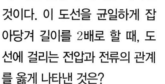

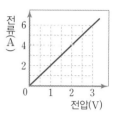

① 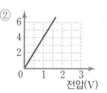　　　②

③ 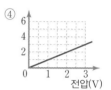　　　④

⑤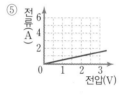

08 그림은 동일한 전구 A, B를 병렬 연결한 회로이다. 3초 후 B 전구와 연결된 스위치를 열었을 때 전류계에 흐르는 전류의 세기를 나타낸 그래프로 가장 옳은 것은?

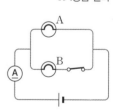

① 　② 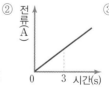　③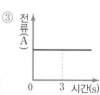

④ 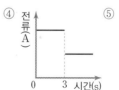　⑤

** 1등급 킬러

09 그림은 전류가 흐르는 직선 도선 주위에 나침반 여러 개를 놓았을 때 자침의 모습을 나타낸 것이다.

나침반

↑A
↓B

N◆S

이에 대한 설명으로 옳지 않은 것은?

① 전류는 A 방향으로 흐른다.

② 자침의 방향으로 자기장의 방향을 알 수 있다.

③ 도선을 중심으로 동심원 모양의 자기장이 생긴다.

④ 도선으로부터 떨어진 거리에 관계없이 자기장의 세기는 일정하다.

⑤ 전류의 방향이 바뀌면 나침반 자침의 방향이 반대로 바뀐다.

10 그림과 같이 평면상에 나란하게 놓여 있는 두 직선 도선에 세기가 같고 방향이 반대인 전류가 흐르고 있다. 이때 두 도선의 가운데 지점에서 두 직선 도선과 나란한 방향으로 전자가 이동하고 있다. 이에 대한 설명으로 옳은 것을 |보기|에서 모두 고른 것은?

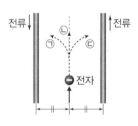

전류↓   ↑전류
    ㉠ ㉡ ㉢
    ● 전자

보기

ㄱ. 두 직선 도선 사이의 영역에서 자기장의 방향은 종이면에서 나오는 방향이다.

ㄴ. 전자는 이동 방향과 반대 방향으로 힘을 받는다.

ㄷ. 전자는 힘을 받아 ㉠ 방향으로 움직인다.

① ㄱ   ② ㄴ   ③ ㄱ, ㄷ

④ ㄴ, ㄷ   ⑤ ㄱ, ㄴ, ㄷ

11 그림은 줄에 매단 (−)대전체를 시계 반대 방향으로 등속 원운동시키는 모습을 나타낸 것이다.

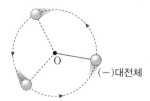

O

(−)대전체

이에 대한 설명으로 옳은 것을 |보기|에서 모두 고른 것은?

보기

ㄱ. 전류가 시계 방향으로 흐르는 것과 같다.

ㄴ. 원의 중심인 O점에서는 종이면에 들어가는 방향의 자기장이 생긴다.

ㄷ. 이 상태에서 (−)대전체가 이동하는 속력이 더 빨라지면 O점에서 자기장의 세기는 증가한다.

① ㄱ   ② ㄷ   ③ ㄱ, ㄴ

④ ㄱ, ㄷ   ⑤ ㄴ, ㄷ

12 그림과 같이 코일에 전류를 흐르게 한 다음 A~E에 나침반을 각각 놓았다.

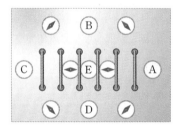

C   B   A
     E
     D

A~D 중 E에 놓인 나침반 자침의 N극이 향하는 방향과 반대인 나침반을 모두 쓰시오.

(   )

13 그림과 같이 전지와 저항이 연결된 구리 막대를 말굽자석 사이에 넣고 전류를 흐르게 하였더니 구리 막대가 C 방향으로 움직였다. 회로에서 저항을 더 크게 하였을 때 나타나는 현상에 대한 학생들의 대화에서 옳은 예측을 한 학생을 쓰시오.

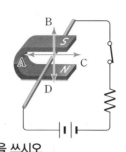

A 방향으로 더 빠르게 움직일거야.

A 방향으로 느리게 움직일거야.

C 방향으로 느리게 움직일거야.

유진 영주 산호

소유

C 방향으로 더 빠르게 움직일거야.

주연

아무런 변화도 일어나지 않을거야.

( )

14 그림은 자석의 두 극 사이에 놓인 전류가 흐르는 도선과 자석의 자기장이 이루는 각을 나타낸 것이다.

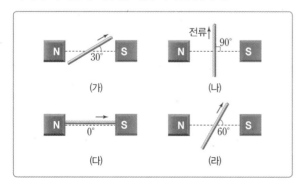

(가) N 30° S
(나) 전류↑ N 90° S
(다) N 0° S
(라) N 60° S

자기장 속에서 도선이 받는 힘이 큰 것부터 순서대로 나열하시오.

( )

15 그림은 전지, 자석, 코일, 클립을 이용하여 만든 간이 전동기의 모습을 나타낸 것이다.

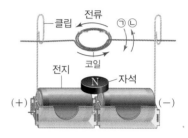

클립 전류 ㉠㉡
전지 코일
자석
(+) N (−)

(1) ㉠, ㉡ 중 코일이 회전하는 방향을 쓰시오.

( )

(2) 코일이 회전하는 방향을 바꾸는 방법 2가지를 서술하시오.

(3) 코일을 더 빠르게 회전시키는 방법 2가지를 서술하시오.

16 그림은 전동기가 사용되는 전기차의 구조를 나타낸 것이다.

전기 공급 장치
전동기 축전지

더 빠른 전기차를 만들기 위해 전동기의 회전 수를 크게 하고자 할 때 옳은 방법을 ┤보기├에서 모두 고른 것은?

┌ 보기 ┐
ㄱ. 전동기에 더 강한 자석을 사용한다.
ㄴ. 전동기에 더 큰 전류가 흐르도록 한다.
ㄷ. 전동기 내부의 코일의 감은 수를 더 늘린다.

① ㄱ　　　　② ㄷ　　　　③ ㄱ, ㄴ
④ ㄴ, ㄷ　　　⑤ ㄱ, ㄴ, ㄷ

내신 고득점을 위한 필수 심화 학습서

중학 일등전략

전과목 시리즈

체계적인 시험대비

주 3일, 하루 6쪽 구성
총 2~3주의 분량으로
빠르고 완벽하게 시험 대비!

1등을 위한 공부법

탄탄한 중학 개념 기본기에
실전 문제풀이의 감각을 더해
어떠한 상황에도 자신감 UP!

문제유형 완전 정복

기출문제 분석을 통해
개념 확인 유형부터 서술형,
고난도 유형까지 다양하게 마스터!

완벽한 1등 만들기! 전과목 내신 대비서

국어: 예비중~중3(문학1~3/문법1~3)
영어: 중2~3
수학: 중1~3(학기용)

사회: 중1~3(사회①, 사회②, 역사①, 역사②)
과학: 중1~3(학기용)

book.chunjae.co.kr

교재 내용 문의 ·························· 교재 홈페이지 ▶ 중학 ▶ 교재상담

교재 내용 외 문의 ·················· 교재 홈페이지 ▶ 고객센터 ▶ 1:1문의

발간 후 발견되는 오류 ············ 교재 홈페이지 ▶ 중학 ▶ 학습지원 ▶ 학습자료실

일등공략 필승학습!
단기간에 끝장내자!

중학 과학 2-1

BOOK 2

특목고 대비
일등
전략

book.chunjae.co.kr

중학 과학 2-1

BOOK 2

기말고사 대비

이 책의 구성과 활용

주 도입

이번 주에 배울 내용이 무엇인지 안내하는 부분입니다. 재미있는 개념 삽화를 통해 앞으로 배울 학습 내용을 미리 떠올려 봅니다.

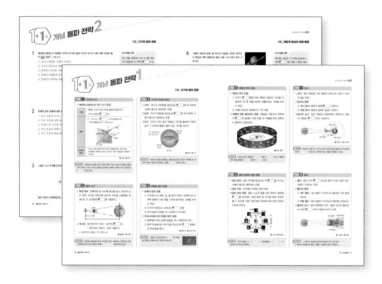

1일 개념 돌파 전략

주제별로 꼭 알아야 하는 핵심 개념을 익히고 문제를 풀며 개념을 잘 이해했는지 확인합니다.

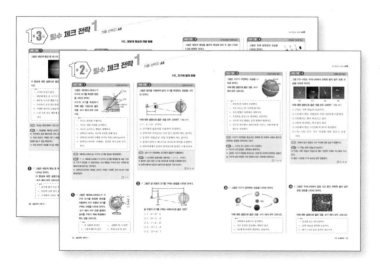

2일, 3일 필수 체크 전략

꼭 알아야 할 대표 기출 유형 문제를 쌍둥이 문제와 함께 풀어 보며 문제에 접근하는 과정과 방법을 체계적으로 연습합니다.

주 마무리 코너

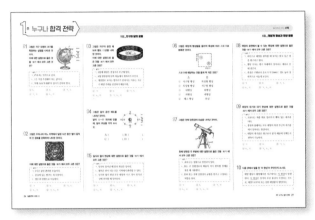

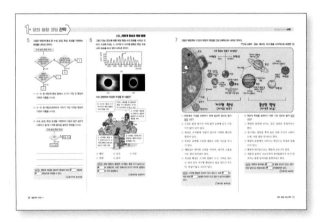

누구나 **합격 전략**

기초 이해력을 점검할 수 있는 종합 문제로 학습 자신감을 가질 수 있습니다.

창의·융합·코딩 **전략**

융·복합적 사고력과 문제 해결력을 길러 주는 문제로 구성하였습니다.

기말고사 마무리 코너

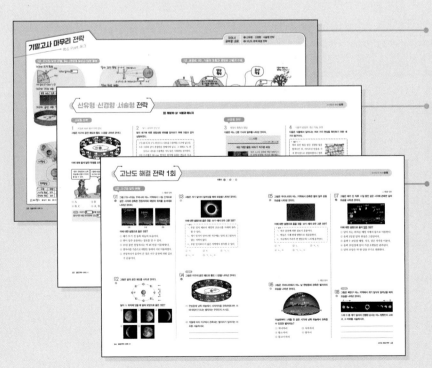

기말고사 마무리 **전략**

학습 내용을 마인드 맵으로 정리하여 앞에서 공부한 개념을 한눈에 파악할 수 있습니다.

신유형·신경향·서술형 **전략**

신유형·신경향·서술형 문제를 집중적으로 풀며 문제 적응력을 높일 수 있습니다.

고난도 해결 **전략**

실제 시험에 대비할 수 있는 고난도의 실전 문제 2회로 구성하였습니다.

이 책의 차례 → BOOK 2

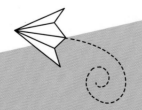

1주

III 태양계

5강_지구와 달의 운동

6강_태양계 행성과 태양 활동

개념 ① 지구의 크기

1 에라토스테네스의 지구 크기 측정

가정	• 햇빛은 지구의 모든 지역에 평행하게 들어온다. • 지구는 완전한 **①** 이다.
계산	$7.2° : 925 \text{ km} = $ **②** $: $ 지구의 둘레$(2\pi R)$ ∴ 지구의 둘레$(2\pi R) = 46250 \text{ km}$ 7.2° 햇빛 그림자 알렉산드리아 925 km 7.2° 시에네 R(반지름) 지구 중심
오차의 원인	• 지구는 적도 쪽이 약간 부푼 모양(완전한 구형 아님) • 시에네와 알렉산드리아 사이의 거리 측정값이 정확하지 않다.

❶구형 **❷**360°

확인Q 1 알렉산드리아에 세운 막대의 끝과 막대 그림자의 끝을 연결한 선이 이루는 각의 크기는 알렉산드리아와 시에네 사이의 지구 중심각과 ( )으로 같다.

개념 ② 달의 크기

1 측정 원리 관측자와 달 사이에 동전을 놓고, 동전과 달이 같은 크기로 보이도록 동전의 위치를 조절했을 때 생기는 두 삼각형의 **❶** 를 이용한다.

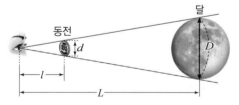

동전
d
달
D
l
L

2 계산법 동전까지의 거리(l) : 동전의 **❷** (d)
$=$ 달까지의 거리(L) : 달의 지름(D)

※ 달까지의 거리(L): 약 38만 km

❶닮음비 **❷**지름

확인Q 2 동전을 이용하여 달의 크기를 구하기 위해서는 관측자의 눈에서 동전까지의 거리, 동전의 지름, ( )를 알아야 한다.

개념 ③ 지구의 자전과 공전

1 자전 지구가 자전축을 중심으로 **❶** 에 한 바퀴씩 서에서 동으로 회전하는 운동

2 공전 지구가 태양을 중심으로 **❷** 에 한 바퀴씩 서에서 동으로 회전하는 운동

3 천구 우리가 보는 둥근 하늘로, 지구를 둘러싼 무한히 넓은 구 안쪽에 별들이 붙어 있는 것처럼 보인다.

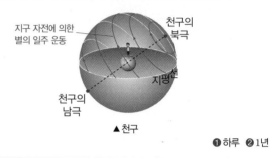

지구 자전에 의한
별의 일주 운동
천구의 북극
지평선
천구의 남극
▲천구

❶하루 **❷**1년

확인Q 3 북극과 남극을 연결하는 축을 중심으로 지구가 하루에 한 바퀴씩 서에서 동으로 회전하는 것을 ( )이라고 한다.

개념 ④ 천체의 일주 운동

1 천체의 일주 운동

① 지구에서 본 태양, 달, 별 등의 천체가 하루에 한 바퀴씩 동에서 서로 원을 그리며 움직이는 것처럼 보이는 현상

② 지구의 자전으로 나타나는 **❶** 운동

③ 천구상에서 천체는 한 시간에 15°씩 회전

2 우리나라에서 본 천체의 일주 운동

① 동쪽에서 떠서 남쪽 하늘을 지나 서쪽으로 진다.

② 북쪽 하늘에서는 북극성을 중심으로 **❷** 방향으로 원운동을 한다.

❶겉보기 **❷**시계 반대

확인Q 4 그림은 우리나라에서 ( )쪽 하늘을 관측한 천체의 일주 운동의 모습이다.

개념 **5** 태양의 연주 운동

1 태양의 연주 운동

① 지구가 [❶____]함에 따라 태양이 별자리 사이를 이동하여 1년 후 처음 위치로 되돌아오는 것처럼 보이는 현상

② 서에서 동으로 하루에 약 1°씩 이동

2 계절에 따른 별자리의 변화 태양을 기준으로 하루에 약 [❷____]씩 동에서 서로 이동 ➡ 계절에 따라 관측되는 별자리가 달라진다.

❶공전 ❷1°

개념 **6** 달의 공전과 위상 변화

1 달의 공전 달이 지구를 중심으로 약 [❶____]을 주기로 서에서 동으로 회전하는 운동

2 달의 위상 지구에서 보이는 달의 모양

3 달의 위상 변화 달은 스스로 빛을 내지 못하기 때문에 [❷____]을 반사하는 달의 표면 중 지구를 향한 부분만 볼 수 있는데, 이로 인해 달의 위치에 따라 달의 모양이 다르게 보인다.

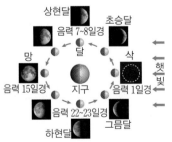

❶한 달 ❷태양빛

개념 **7** 일식

1 일식 달이 태양을 가려 태양의 전체 또는 일부가 보이지 않는 현상

2 일식의 종류

① **개기 일식**: 태양이 달에 [❶____] 가려진다.

② **부분 일식**: 태양의 일부만 달에 가려진다.

3 일식의 순서 달은 태양의 오른쪽에서 왼쪽으로 이동 ➡ 태양은 [❷____]부터 가려진다.

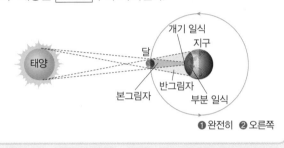

❶완전히 ❷오른쪽

개념 **8** 월식

1 월식 달이 지구 [❶____] 속으로 들어가 달의 일부 또는 전체가 가려지는 현상

2 월식의 종류

① **개기 월식**: 달 전체가 지구의 본그림자에 가려 붉게 보인다.

② **부분 월식**: 달의 일부가 지구의 본그림자에 가려진다.

3 월식의 순서 달의 왼쪽부터 지구 그림자 속으로 들어감 ➡ 달의 [❷____]부터 어둡게 보이기 시작

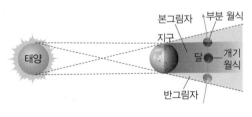

❶그림자 ❷왼쪽

개념 ① 태양계의 구성

1 태양

① 태양계 내의 유일한 항성(별)

② 태양계 구성 천체들의 운동을 지배한다.

2 행성 태양 주위를 ❶ 하는 8개의 천체

3 위성 ❷ 주위를 공전하는 천체

㉠ 지구의 달, 화성의 포보스와 데이모스 등

4 그 밖의 천체 왜소 행성, 소행성, 혜성 등

❶공전 ❷행성

> **확인Q 1** 태양계를 구성하는 천체 중 종류가 다른 것은?
>
> ① 수성　② 지구　③ 천왕성　④ 토성　⑤ 달

개념 ② 내행성과 외행성

1 내행성 지구 공전 궤도 ❶ 에서 태양 주위를 공전한다. ➡ 수성, 금성

2 외행성 지구 공전 궤도 ❷ 에서 태양 주위를 공전한다. ➡ 화성, 목성, 토성, 천왕성, 해왕성

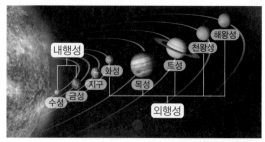

❶안쪽 ❷바깥쪽

> **확인Q 2** 태양계 행성 중 지구보다 안쪽에서 태양 주위를 공전하는 행성을 (　　　　), 지구보다 바깥쪽에서 태양 주위를 공전하는 행성을 (　　　　)이라고 한다.

개념 ③ 지구형 행성과 목성형 행성

1 지구형 행성 ➡ 수성, 금성, 지구, 화성

① 크기와 질량이 작다.

② 표면이 단단한 ❶ 으로 되어 있다.

③ 위성이 없거나 적은 편

2 목성형 행성 ➡ 목성, 토성, 천왕성, 해왕성

① 크기와 질량이 크다.

② 가벼운 원소로 구성되어 있어, 지구형 행성에 비해 평균 밀도가 작다.

③ 위성이 많고, ❷ 가 있다.

❶암석 ❷고리

> **확인Q 3** 지구형 행성은 목성형 행성에 비해 크기와 질량이 (크고 / 작고), 평균 밀도는 (크다 / 작다).

개념 ④ 망원경의 구조와 기능

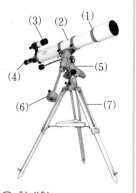

(1) **대물렌즈(주경)** 볼록 렌즈를 이용하여 ❶ 을 모아 상을 맺게 하는 부분

(2) **경통** 대물렌즈와 접안렌즈를 연결하는 통

(3) **보조 망원경(파인더)** 관측할 천체를 찾을 때 사용하는 소형 망원경

(4) **접안렌즈** 대물렌즈가 만든 상을 확대함

(5) **가대** ❷ 과 삼각대를 연결하는 부분

(6) **균형추** 경통부와의 균형을 잡기 위한 추

(7) **삼각대** 천체 망원경을 튼튼하게 고정

❶빛 ❷경통

> **확인Q 4** 천체를 관측할 때 관측 대상을 찾기 위해 사용하는 소형 망원경을 (　　　　)(이)라고 한다.

개념 **5** 망원경 조립 방법

(1) 평평한 곳에 삼각대를 세운다.

(2) 삼각대 위에 **❶** 를 올려 고정하고 균형추를 단다.

(3) 가대 위에 경통을 올린다.

(4) 경통에 보조 망원경과 접안렌즈를 설치한다.

(5) 균형추와 경통의 위치를 조절하여 **❷** 을 맞춘다.

(6) 주 망원경과 보조 망원경의 시야 중앙에 같은 물체가 보이도록 조절한다.

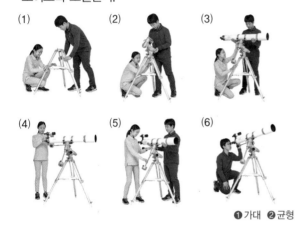

❶가대 ❷균형

확인Q5 │보기│에서 망원경을 지지하는 부분을 모두 고르시오.

┌ 보기 ────────────────────────────
│ ㄱ. 가대   ㄴ. 접안렌즈   ㄷ. 삼각대   ㄹ. 균형추

개념 **6** 태양의 표면

1 **광구** 천체 망원경으로 관측할 때 보이는 밝고 둥근 태양의 표면으로, 온도는 약 6000℃이다.

2 **흑점** 주변보다 온도가 2000℃ 정도 **❶** 상대적으로 어둡게 보이는 검은 점 모양으로, 약 11년을 주기로 그 수가 변한다.

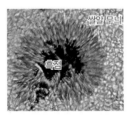

쌀알 무늬

흑점

3 **쌀알 무늬** 쌀알을 뿌려 놓은 듯한 무늬로, 광구 아래에서 일어나는 **❷** 에 의해 생긴다.

❶낮아 ❷대류

확인Q6 우리가 육안으로 보는 태양의 밝고 둥근 면을 (   )라고 하며, 여기에 (   )과 쌀알 무늬가 나타난다.

개념 **7** 태양의 대기와 대기 현상

1 **채층** 광구 바로 위에 있는 얇고 붉게 보이는 **❶**

2 **코로나** 채층 위로 멀리까지 뻗어 있는 청백색(진주색)의 대기층

3 **홍염** 흑점 부근에서 채층의 물질이 코로나까지 솟아올랐다가 다시 내려가는 불꽃 덩어리

4 **플레어** 흑점 부근에서 강한 **❷** 이 일어나 대기층이 밝아지며 엄청난 양의 물질과 에너지를 방출하는 현상

▲채층   ▲코로나   ▲홍염   ▲플레어

❶대기층 ❷폭발

확인Q7 태양의 대기에서 나타나는 특징이 아닌 것은?

① 홍염   ② 플레어   ③ 코로나   ④ 흑점   ⑤ 채층

개념 **8** 태양의 활동과 영향

1 **태양풍** 태양으로부터 우주 공간으로 끊임없이 방출되는, 전기를 띤 입자의 흐름

2 **태양의 활동** 태양의 활동이 활발해지면 **❶** 수가 늘어나고 코로나의 크기가 커지며, 홍염과 플레어도 자주 발생한다.

3 **지구에 미치는 영향**

① 태양의 활동으로 태양풍이 강해지면 **❷** 가 더 넓은 지역에서 발생한다.

② 자기 폭풍이나 델린저[→장거리 무선 통신이 두절되는 현상] 현상이 발생한다.

③ 대규모 정전이 일어나거나, GPS나 인공위성이 고장 나기도 한다.

❶흑점 ❷오로라

확인Q8 태양에서 방출되는 전하를 띤 입자의 흐름을 (   )이라고 하며, 이 흐름이 강해지면 지구에 여러 영향을 미친다.

1 에라토스테네스가 측정한 지구의 크기와 실제 지구의 크기가 서로 다른 이유로 옳지 <u>않은</u> 것은? [정답 2개]

① 지구는 완전한 구형이 아니다.

② 지구로 들어오는 햇빛은 평행하다.

③ 알렉산드리아와 시에네가 동일 경도상에 있지 않다.

④ 원에서 부채꼴의 중심각 크기는 호의 길이와 비례한다.

⑤ 알렉산드리아와 시에네 사이의 거리 측정값이 정확하지 않다.

문제 해결 전략

위도 차를 이용하여 지구 크기를 측정하기 위해서는 두 지역의 **❶**⎯⎯ 가 같아야 하며, 이때 두 지역의 위도 차는 두 지역 사이의 **❷**⎯⎯ 의 크기와 같다.

답 ❶경도 ❷중심각

2 천체의 일주 운동에 대한 설명으로 옳지 <u>않은</u> 것은?

① 일주 운동의 주기는 하루이다.

② 지구 자전에 의한 겉보기 운동이다.

③ 천체는 한 시간에 약 15°씩 회전한다.

④ 일주 운동의 방향은 서쪽에서 동쪽이다.

⑤ 지구 자전과 반대 방향으로 일주 운동한다.

문제 해결 전략

천체의 일주 운동은 천체가 지구의 **❶**⎯⎯ 과 반대 방향으로 **❷**⎯⎯ 에 한 바퀴씩 원을 그리며 회전하는 것처럼 보이는 현상이다.

답 ❶자전 ❷하루

3 그림은 지구 주위를 공전하는 달의 모습을 나타낸 것이다.

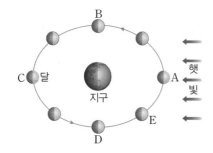

달의 위상이 상현달일 때, A~E 중 달의 위치에 해당하는 곳을 쓰시오.

(   )

문제 해결 전략

달은 스스로 빛을 내지 못하고 햇빛을 반사하는 부분만 볼 수 있는데, 달의 **❶**⎯⎯ 으로 위치가 변하므로 달의 **❷**⎯⎯ 은 계속 달라진다.

답 ❶공전 ❷위상

4 그림은 태양계 행성 중 하나의 모습을 나타낸 것이다. 이 행성에 대한 설명으로 옳은 것을 | 보기 |에서 모두 고르시오.

┌ 보기 ┐
ㄱ. 물보다 밀도가 작다.
ㄴ. 태양계 행성 중 가장 크다.
ㄷ. 표면에 옅은 가로줄 무늬가 있다.
ㄹ. 자전축이 공전 궤도면과 거의 나란하다.

문제 해결 전략

태양계는 태양과 그 주위를 공전하는 8개의 ❶□□□, 왜소 행성, 소행성, 혜성, ❷□□ 등으로 구성된다.

답 ❶행성 ❷위성

5 망원경을 구성하는 각 부분의 기능에 대한 설명으로 옳은 것은? [정답 2개]

① 접안렌즈는 빛을 모으는 역할을 한다.
② 경통은 대물렌즈와 접안렌즈를 연결하는 통이다.
③ 가대는 경통과 보조 망원경을 연결하는 부분이다.
④ 대물렌즈의 지름이 클수록 더 많은 빛을 모을 수 있다.
⑤ 주 망원경으로 먼저 천체를 찾은 후 보조 망원경으로 관측한다.

문제 해결 전략

망원경은 거울이나 ❶□□를 이용하여 ❷□을 모으고 확대하여 멀리 있는 어두운 천체를 볼 수 있게 해 준다.

답 ❶렌즈 ❷빛

6 그림 (가)와 (나)는 태양 대기에서 관측할 수 있는 모습을 나타낸 것이다.

(가)

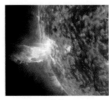

(나)

(가)와 (나)의 이름을 쓰시오.

(가): (　　　　　　　), (나): (　　　　　　　)

문제 해결 전략

플레어는 흑점 부근의 강한 ❶□□로 대기층이 밝아지며 많은 양의 물질과 에너지를 ❷□□하는 현상이다.

답 ❶폭발 ❷방출

대표 기출 ❶ | 지구의 크기 측정 |

그림은 에라토스테네스가 지구의 크기를 측정한 방법을 나타낸 것이다.

지구의 크기를 측정하기 위해 세운 가정으로 옳은 것을 |보기|에서 모두 고르시오.

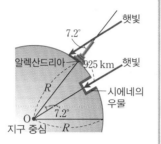

| 보기 |

ㄱ. 지구는 완전한 구형이다.

ㄴ. 지구는 태양 주위를 공전한다.

ㄷ. 지구로 들어오는 햇빛은 평행하다.

ㄹ. 알렉산드리아는 지구의 자전축 위에 있다.

ㅁ. 알렉산드리아와 시에네 사이의 거리는 925 km이다.

ㅂ. 알렉산드리아와 시에네는 동일한 위도상에 위치한다.

Tip 에라토스테네스는 지구의 크기를 최초로 측정하였다.

풀이 ㄱ, ㄷ. 에라토스테네스가 지구의 크기를 측정할 때 세운 가정은 지구가 완전한 구 모양이라는 것과 햇빛은 지구의 모든 지역에 평행하게 들어온다는 것이었다.

ㅁ. 알렉산드리아와 시에네 사이의 거리는 가정한 것이 아니라 직접 측정하였다.

답 ㄱ, ㄷ

대표 기출 ❷ | 달의 크기 측정 |

그림은 동전을 이용하여 달의 크기를 측정하는 방법을 나타낸 것이다.

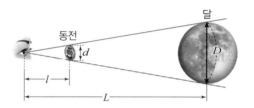

이에 대한 설명으로 옳은 것을 모두 고르면? [정답 3개]

① $l : L = D : d$이다.

② 삼각형의 닮음비를 이용하여 측정한다.

③ 달까지의 거리(L)는 미리 알고 있어야 하는 값이다.

④ 동전의 지름(d)은 직접 측정해야 하는 값이다.

⑤ 동전이 달의 두 배 크기로 보이도록 위치를 조절한다.

⑥ 관측자에게서 동전이 멀어질수록 동전은 크게 보인다.

Tip 달의 크기 측정에는 삼각형의 닮음비가 활용된다.

풀이 ① 삼각형의 닮음비를 이용하면, $l : d = L : D$이다.

⑤ 동전이 달과 같은 크기로 보이도록 위치를 조절해야 한다.

⑥ 관측자에게서 동전이 멀어지면 동전은 작게 보인다.

답 ②, ③, ④

❶-1

그림은 에라토스테네스가 지구의 크기를 측정한 원리를 이용하여 지구 모형의 크기를 구하는 과정을 나타낸 것이다. |보기|에서 지구 모형 둘레의 길이를 구하기 위해 측정해야 하는 값을 고르시오.

| 보기 |

ㄱ. 호 AB의 길이(l)

ㄴ. ∠BB′C의 크기(θ')

ㄷ. 그림자 BC의 길이

ㄹ. 막대 AA′의 길이

❷-1

그림은 달 모형의 크기를 구하는 방법을 나타낸 것이다.

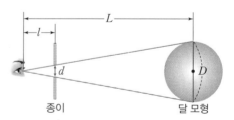

달 모형의 크기를 구하는 비례식으로 옳은 것은?

① $l : d = D : L$

② $l : D = L : d$

③ $L : l = d : D$

④ $L : D = l : d$

⑤ $L : D = d : l$

대표 기출 ❸ | 지구의 자전과 공전 |

그림은 지구가 자전하는 모습을 나타낸 것이다.

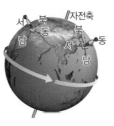

이에 대한 설명으로 옳은 것을 | 보기 | 에서 모두 고르시오.

┌─ 보기 ─────────────────────────
ㄱ. 하루에 한 바퀴씩 자전한다.
ㄴ. 자전 속도는 한 시간에 30°이다.
ㄷ. 자전 방향은 동쪽에서 서쪽이다.
ㄹ. 자전축을 중심으로 회전하는 운동이다.
ㅁ. 지구의 자전 방향은 공전 방향과 반대이다.
ㅂ. 천구의 북극에서 내려다보면 지구는 시계 반대 방향으로 자전한다.
└──────────────────────────────

Tip 지구가 자전축을 중심으로 하루에 한 바퀴씩 서에서 동으로 회전하는 운동을 자전이라고 한다.

풀이 ㄴ. 지구는 한 시간에 15°씩 자전한다.
ㄷ. 지구의 자전 방향은 서쪽에서 동쪽이다.
ㅁ. 공전은 지구가 태양을 중심으로 1년에 한 바퀴 회전하는 운동으로, 지구의 공전 방향은 자전 방향과 같은 서쪽에서 동쪽이다.

답 ㄱ, ㄹ, ㅂ

대표 기출 ❹ | 천체의 일주 운동 |

그림 (가)~(라)는 우리나라에서 관측한 별의 일주 운동 모습을 나타낸 것이다.

(가)   (나)   (다)   (라)

이에 대한 설명으로 옳은 것을 모두 고르면? [정답 3개]

① (가)는 서쪽 하늘의 모습이다.
② (나)에서 별은 지평선과 거의 나란하게 이동한다.
③ (다)에서는 별이 떠오르고 있다.
④ (라)의 중심에는 북극성이 있다.
⑤ (라)에서 별은 1시간에 약 30°씩 회전한다.
⑥ (가)~(라) 모두 지구 자전에 의한 겉보기 운동이다.

Tip 천체의 일주 운동은 지구 자전에 의한 겉보기 운동이다.

풀이 ① (가)는 동쪽 하늘의 모습이다.
③ (다)는 서쪽 하늘의 모습으로 별이 오른쪽 아래로 비스듬히 지고 있다.
⑤ 별은 1시간에 15°의 속도로 일주 운동한다.

답 ②, ④, ⑥

❸-1 그림은 지구가 공전하는 모습을 나타낸 것이다.

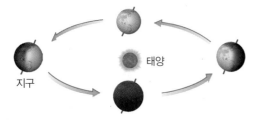

이에 대한 설명으로 옳은 것을 | 보기 | 에서 모두 고르시오.

┌─ 보기 ─────────────────────────
ㄱ. 서쪽에서 동쪽으로 공전한다.
ㄴ. 지구 공전의 중심에는 태양이 있다.
ㄷ. 1년에 한 바퀴씩 회전하는 운동이다.
└──────────────────────────────

❹-1 그림은 우리나라에서 일정 시간 동안 관측한 별의 일주 운동 경로를 나타낸 것이다.

이에 대한 설명으로 옳은 것을 | 보기 | 에서 모두 고르시오.

┌─ 보기 ─────────────────────────
ㄱ. 중심별 A는 북극성이다.
ㄴ. 남쪽 하늘을 관측한 모습이다.
ㄷ. 별이 1시간 동안 움직인 경로이다.
└──────────────────────────────

대표 기출 ⑤ | 태양의 연주 운동 |

그림은 지구의 공전 궤도와 황도 12궁을 나타낸 것이다.

이에 대한 설명으로 옳은 것을 |보기|에서 모두 고르시오.

┌─ 보기 ─────────────────────────────
ㄱ. 지구가 A 위치에 있을 때는 2월이다.
ㄴ. 4월의 한밤중에는 물고기자리를 관측할 수 있다.
ㄷ. 6월의 한밤중에는 남쪽 하늘에서 전갈자리를 관측할 수 있다.
ㄹ. 10월에 태양은 처녀자리 부근에 있다.
ㅁ. 천칭자리는 11월 한밤중에 남쪽 하늘에서 관측할 수 있다.
ㅂ. 12월에 태양은 황소자리 부근에 위치한다.
└───────────────────────────────────

(Tip) 황도 12궁은 태양이 연주 운동을 하며 지나는 길인 황도상에 있는 12개의 별자리이다.

(풀이) ㄱ. 지구가 A 위치에 있을 때는 8월이다.
ㄴ. 4월에는 태양이 물고기자리 부근에 있으므로 물고기자리를 한밤중에 관측할 수 없다.
ㅁ. 11월 한밤중에 남쪽 하늘에서는 양자리가 관측된다.
ㅂ. 12월에 태양은 전갈자리 부근에 위치한다.

(답) ㄷ, ㄹ

대표 기출 ⑥ | 달의 공전과 위상 변화 |

그림 (가)~(다)는 여러 날 관측한 달의 모양을 나타낸 것이다.

(가)   (나)   (다)

(가)~(다)에 대한 설명으로 옳은 것을 모두 고르면?

[정답 2개]

① (가)는 음력 15일경에 관측된다.
② (나)는 하현달이다.
③ (다)의 위상을 삭이라고 한다.
④ (가)를 관측하고 보름 후에 (나)를 관측할 수 있다.
⑤ (다)에서 달은 지구를 기준으로 태양의 반대편에 위치한다.
⑥ (가)~(다) 중에서 개기 월식은 달의 위상이 (나)일 때 일어날 수 있다.

(Tip) 달은 공전 위치에 따라 모양이 다르게 보이며, 우리에게 관측되는 달의 모양을 달의 위상이라고 한다.

(풀이) ③ (다)의 위상은 상현달이다.
④ (가)는 음력 15일경에, (나)는 음력 22일~23일경에 관측할 수 있다.
⑤ (다)는 태양, 지구, 달이 직각을 이루는 위치에 있다.
⑥ 개기 월식은 달의 위상이 보름달인 (가)일 때 일어날 수 있다.

(답) ①, ②

⑤-1 그림은 해가 진 직후 서쪽 하늘에서 천칭자리의 위치를 15일 간격으로 관측하여 나타낸 것이다. 이에 대한 설명으로 옳은 것을 |보기|에서 모두 고르시오.

┌─ 보기 ─────────────────────────────
ㄱ. 천칭자리는 서쪽으로 이동하였다.
ㄴ. 지구의 자전에 의한 겉보기 운동이다.
ㄷ. 하늘에서 천칭자리는 하루에 약 1°씩 움직인다.
└───────────────────────────────────

⑥-1 그림은 달의 공전 궤도를 나타낸 것이다. 이에 대한 설명으로 옳은 것을 |보기|에서 고르시오.

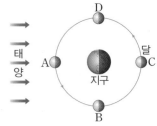

┌─ 보기 ─────────────────────────────
ㄱ. 달이 A에 위치할 때 위상은 삭이다.
ㄴ. 달이 B에 위치할 때와 D에 위치할 때의 모양이 같다.
ㄷ. 음력 15일경에 달은 C 부근에 위치한다.
└───────────────────────────────────

대표 기출 ❼ | 일식 |

그림은 일식이 일어날 때 지구, 달, 태양의 위치 관계를 나타 낸 것이다.

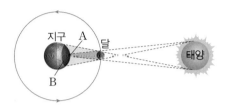

일식 현상에 대한 설명으로 옳은 것을 |보기|에서 모두 고르 시오.

┌ 보기 ┐
ㄱ. 달의 위상이 망일 때 일어난다.

ㄴ. 일식 현상은 한 달에 한 번씩 관측할 수 있다.

ㄷ. A 지역에서는 개기 일식을 관측할 수 있다.

ㄹ. B 지역에서 태양은 일부가 가려진 모양으로 관측 된다.

ㅁ. 지구에서 관측한 태양은 오른쪽부터 가려지기 시 작한다.

ㅂ. 개기 일식이 일어나면 달은 지구 그림자에 가려져 붉은색으로 보인다.
└────────────────────────────────┘

Tip 일식은 달이 태양을 가려 태양의 전체 또는 일부가 보이지 않 는 현상이다.

풀이 ㄱ. 일식이 일어날 때 달의 위상은 삭이다.

ㄴ. 지구의 공전 궤도와 달의 공전 궤도는 약 5° 기울어져 있으므로 일 식은 매달 일어나지 않는다.

ㅂ. 달 전체가 지구 그림자에 가려져 붉게 보이는 것은 개기 월식이다.

답 ㄷ, ㄹ, ㅁ

❼-1 그림은 어느 날 일식이 일어났 을 때 태양의 모습을 나타낸 것 이다.

이에 대한 설명으로 옳은 것을 |보기|에서 모두 고르시오.

┌ 보기 ┐
ㄱ. 이날 달의 위상은 삭이다.

ㄴ. 개기 일식이 일어났을 때의 모습이다.

ㄷ. 달의 반그림자가 생기는 지역에서 관측된다.
└────────────────────────────────┘

대표 기출 ❽ | 월식 |

그림 (가)~(다)는 어느 날 월식이 일어날 때 달의 모습을 순 서 없이 나타낸 것이다.

| (가) | (나) | (다) |

이에 대한 설명으로 옳은 것을 모두 고르면? [정답 3개]

① 이날 달의 위상은 망이다.

② 월식의 진행 순서는 (가) → (나) → (다)이다.

③ 지구를 중심으로 달은 태양의 반대편에 위치한다.

④ (가)는 달의 일부가 지구의 반그림자에 가려졌을 때의 모습이다.

⑤ (나)는 달 전체가 지구의 본그림자에 가려졌을 때 의 모습이다.

⑥ (다)는 개기 월식이 일어났을 때 달의 모습이다.

Tip 월식은 달이 지구 그림자 속에 들어가 달의 전체 또는 일부가 가려지는 현상이다.

풀이 ② 월식이 일어날 때 달은 왼쪽부터 가려지므로 (다) → (나) → (가)이다.

④ 지구의 반그림자 속에 들어간 달은 조금 어두워질 뿐 월식이 일어 나지는 않는다.

⑥ (다)는 부분 월식이 일어났을 때 달의 모습이다.

답 ①, ③, ⑤

❽-1 그림은 어느 날 태양, 지구, 달의 위치 관계를 나타낸 것 이다.

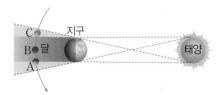

이에 대한 설명으로 옳은 것을 |보기|에서 고르시오.

┌ 보기 ┐
ㄱ. 달의 위상은 망이다.

ㄴ. A와 C에서 부분 월식이 일어난다.

ㄷ. B에서 달은 붉게 보인다.
└────────────────────────────────┘

1 그림은 에라토스테네스가 지구의 크기를 측정한 방법을 나타낸 것이다.
지구의 크기를 구하기 위해 세운 식으로 옳은 것은?

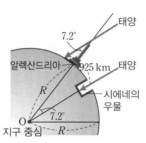

① $2\pi R : 360° = 7.2° : 925\ km$

② $2\pi R : 925\ km = 7.2° : 360°$

③ $7.2° : 925\ km = 2\pi R : 360°$

④ $7.2° : 925\ km = 360° : 2\pi R$

⑤ $925\ km : 7.2° = 360° : 2\pi R$

> **Tip** 에라토스테네스는 지구의 크기를 측정하기 위해 지구로 들어오는 햇빛은 ❶ ⬚ 하며, 지구의 모양은 완전한 ❷ ⬚ 이라는 가정을 세웠다.
>
> 답 ❶ 평행 ❷ 구형

2 그림은 우리나라에서 2시간 동안 관측한 별의 일주 운동 모습을 나타낸 것이다.
이에 대한 설명으로 옳지 <u>않은</u> 것은?

① 중심각 θ는 30°이다.

② 별이 이동한 방향은 A이다.

③ 북쪽 하늘을 관측한 모습이다.

④ 지구 자전에 의한 겉보기 운동이다.

⑤ 별 P는 천구의 북극 방향에 위치한다.

> **Tip** 천체의 일주 운동은 천체가 지구 ❶ ⬚ 과 반대 방향으로 ❷ ⬚ 에 한 바퀴씩 원을 그리며 회전하는 것처럼 보이는 현상이다.
>
> 답 ❶ 자전 ❷ 하루

3 그림은 달 모형의 크기를 측정하기 위한 방법을 나타낸 것이다.

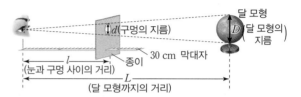

이에 대한 설명으로 옳지 <u>않은</u> 것은?

① 구멍의 지름(d)은 측정해야 하는 값이다.

② 달 모형까지의 거리(L)는 알고 있어야 하는 값이다.

③ 구멍에 달 모형이 꽉 차게 보이도록 종이의 위치를 조절한다.

④ 삼각형의 닮음비를 이용하면 달 모형의 크기를 구할 수 있다.

⑤ 구멍의 지름(d)을 더 크게 하면 눈과 구멍 사이의 거리(l)는 가깝게 해야 한다.

> **Tip** 서로 닮은 두 삼각형에서 ❶ ⬚ 의 길이의 비는 ❷ ⬚ 하다.
>
> 답 ❶ 대응변 ❷ 일정

4 그림은 해가 진 직후 15일 간격으로 관측한 서쪽 하늘의 모습을 순서 없이 나타낸 것이다.

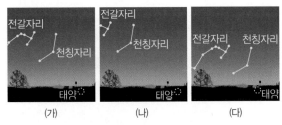

(가)　　　　　(나)　　　　　(다)

이에 대한 설명으로 옳은 것만을 |보기|에서 있는 대로 고른 것은?

┌ 보기 ┐
ㄱ. 하늘에서 별자리는 하루에 약 1°씩 이동하였다.
ㄴ. 시간에 따라 (나) → (가) → (다)의 순서로 관측되었다.
ㄷ. 태양은 별자리를 기준으로 동쪽에서 서쪽으로 움직인다.
ㄹ. 지구가 태양을 중심으로 공전하기 때문에 나타나는 현상이다.

① ㄱ, ㄴ　　　② ㄱ, ㄷ　　　③ ㄷ, ㄹ
④ ㄱ, ㄴ, ㄹ　⑤ ㄴ, ㄷ, ㄹ

> **Tip** 지구가 ❶ □□□ 하여 태양이 보이는 위치가 달라지므로 계절에 따라 밤하늘에 보이는 ❷ □□□ 가 달라진다.
> **답** ❶공전 ❷별자리

5 그림 (가)~(다)는 어느 날 북반구에서 일식이 일어나는 동안 관측한 모습을 순서 없이 나타낸 것이다.

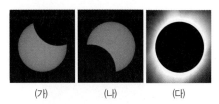

(가)　　　　　(나)　　　　　(다)

이에 대한 설명으로 옳은 것만을 |보기|에서 있는 대로 고른 것은?

┌ 보기 ┐
ㄱ. 이날 달의 위상은 망이다.
ㄴ. 일식이 진행된 순서는 (가) → (다) → (나)이다.
ㄷ. (다)는 달의 본그림자가 생기는 지역에서 관측할 수 있다.

① ㄱ　　　② ㄷ　　　③ ㄱ, ㄴ
④ ㄴ, ㄷ　　⑤ ㄱ, ㄴ, ㄷ

> **Tip** 일식은 달이 ❶ □□ 의 위치에 있을 때 태양, 달, ❷ □□ 순으로 일직선상에 놓일 때 일어난다.
> **답** ❶삭 ❷지구

6 그림은 어느 날 밤 우리나라에서 월식이 관측될 때 달의 모습을 연속적으로 나타낸 것이다.

A ←　　　　→ B

이에 대한 설명으로 옳지 <u>않은</u> 것은?

① 이날 달의 위상은 망이다.
② 월식의 진행 방향은 A이다.
③ 개기 월식 때 달은 붉은색으로 보인다.
④ 달이 지구 그림자에 가려져 나타나는 현상이다.
⑤ 일식의 지속 시간보다 월식의 지속 시간이 더 길다.

> **Tip** 월식은 달이 ❶ □□ 의 위치에 있을 때 일어나며, 달 전체가 지구 그림자에 가려 붉게 보일 때를 ❷ □□□ 이라고 한다.
> **답** ❶망 ❷개기 월식

대표 기출 ① | 태양계의 구성 |

그림은 태양계 행성 중 하나의 모습을 나타낸 것이다.

이 행성에 대한 설명으로 옳은 것을 |보기|에서 모두 고르시오.

┌ 보기 ┐
ㄱ. 고리와 위성이 없다.
ㄴ. 태양계 행성 중 크기가 가장 크다.
ㄷ. 대부분 수소와 헬륨으로 이루어져 있다.
ㄹ. 자전축이 공전 궤도면과 거의 나란하다.
ㅁ. 거대한 대기의 소용돌이인 대흑점이 있다.
ㅂ. 느린 자전 속도 때문에 표면에 가로줄 무늬가 나타난다.

Tip 목성은 태양계에서 가장 큰 행성이다.

풀이 ㄱ. 목성에는 희미한 고리가 있고, 위성이 많다.
ㄹ. 자전축이 공전 궤도면과 거의 나란한 행성은 천왕성이다.
ㅁ. 목성 표면의 거대한 대기 소용돌이는 대적점이다. 대흑점은 해왕성에서 볼 수 있는 특징이다.
ㅂ. 목성 표면의 가로줄 무늬는 빠른 자전 속도 때문에 생긴다.

답 ㄴ, ㄷ

대표 기출 ② | 내행성과 외행성 |

그림은 태양계 행성들의 공전 궤도를 나타낸 것이다.

A~H에 대한 설명으로 옳은 것을 모두 고르면? [정답 3개]

① A와 B는 내행성이다.
② D는 내행성이면서 지구형 행성이다.
③ E는 태양계 행성 중 크기가 가장 크다.
④ F의 표면에서 대적점을 볼 수 있다.
⑤ G는 외행성으로 분류할 수 있다.
⑥ H는 자전축과 공전 궤도면이 거의 나란하다.

Tip 행성들은 공전 궤도를 기준으로 내행성과 외행성으로 나눈다.

풀이 ② D는 화성으로 지구보다 바깥쪽에서 공전하는 외행성이다.
④ F는 토성이며 대적점은 목성(E)의 표면에 나타난다.
⑥ 자전축과 공전 궤도면이 거의 나란한 행성은 천왕성(G)이다.

답 ①, ③, ⑤

---

①-1 그림은 태양계 행성 중 하나의 모습을 나타낸 것이다.
이 행성에 대한 설명으로 옳은 것을 |보기|에서 모두 고르시오.

┌ 보기 ┐
ㄱ. 과거에 물이 흐른 흔적이 있다.
ㄴ. 토양에 산화 철이 포함되어 있다.
ㄷ. 극지방의 극관은 계절에 따라 크기가 변한다.

②-1 그림은 태양계 행성을 A와 B의 두 가지로 분류한 것이다.

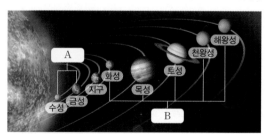

A와 B에 대한 설명으로 옳지 않은 것은?

① A는 내행성이다.
② A의 행성들에는 위성이 없다.
③ B는 목성형 행성이다.
④ B의 행성들은 지구보다 바깥쪽에서 공전한다.
⑤ A의 행성들은 B의 행성들보다 공전 궤도 반지름이 작다.

대표 기출 ③ | 지구형 행성과 목성형 행성 |

그림은 태양계 행성을 물리적 특성에 따라 두 집단 (가)와 (나)로 분류한 것이다.

(가)

(나)

이에 대한 설명으로 옳은 것을 | 보기 |에서 모두 고르시오.

┌─ 보기 ─────────────────────────────
ㄱ. (가)는 (나)보다 질량이 크다.
ㄴ. (가)는 (나)보다 반지름이 작다.
ㄷ. (가)는 (나)보다 평균 밀도가 작다.
ㄹ. (가) 집단의 행성들에는 위성이 없다.
ㅁ. (나) 집단의 행성들은 모두 고리를 가진다.
ㅂ. (나)의 행성들은 수소나 헬륨 등의 기체로 구성되어 있다.
└───────────────────────────────────

Tip 태양계 행성들은 물리적 특성에 따라 지구형 행성과 목성형 행성으로 분류할 수 있다.

풀이 ㄴ. 목성형 행성은 지구형 행성보다 반지름이 크다.
ㄹ. 목성형 행성은 위성의 수가 많다.
ㅁ. 지구형 행성에는 고리가 없다.
ㅂ. 지구형 행성은 암석으로 이루어져 있다.

답 ㄱ, ㄷ

대표 기출 ④ | 망원경의 구조와 기능 |

그림은 천체 망원경의 모습을 나타낸 것이다.

이에 대한 설명으로 옳지 <u>않은</u> 것을 모두 고르면? [정답 2개]

① A는 지름이 작을수록 더 많은 빛을 모은다.
② B는 대물렌즈와 접안렌즈를 연결하는 통이다.
③ C는 시야가 좁은 고배율 망원경이다.
④ D로 대물렌즈가 만든 상을 확대해서 본다.
⑤ E는 가대를 기준으로 경통의 반대편에 매단다.
⑥ F는 천체 망원경을 튼튼하게 고정하는 역할을 한다.

Tip 망원경은 크게 경통, 가대, 삼각대의 세 부분으로 구성된다.

풀이 ① A는 대물렌즈로, 대물렌즈의 지름이 클수록 더 많은 빛을 모을 수 있다.
③ C는 시야가 넓은 저배율 망원경으로 보조 망원경(파인더)이라고 하며, 관측할 천체를 찾을 때 사용한다.

답 ①, ③

---

③-1 그림은 태양계 행성을 두 집단으로 분류한 것이다.
이에 대한 설명으로 옳은 것을 | 보기 |에서 모두 고르시오.

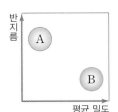

반지름 / 평균 밀도

┌─ 보기 ─────────────────────────────
ㄱ. A에 속한 행성들에는 고리가 있다.
ㄴ. B의 행성들은 표면이 암석으로 되어 있다.
ㄷ. 집단 A는 B보다 평균 밀도와 질량이 작다.
└───────────────────────────────────

---

④-1 그림은 천체 망원경의 일부의 모습을 나타낸 것이다.

이에 대한 설명으로 옳은 것을 | 보기 |에서 모두 고르시오.

┌─ 보기 ─────────────────────────────
ㄱ. A와 D의 무게 균형이 맞도록 설치해야 망원경이 원활히 작동할 수 있다.
ㄴ. B는 관측할 천체를 찾을 때 사용한다.
ㄷ. C는 망원경에서 빛을 모으는 역할을 한다.
└───────────────────────────────────

대표 기출 ⑤ | 망원경의 조립 |

그림은 천체 망원경을 조립하는 모습을 나타낸 것이다. 천체 망원경을 조립하는 과정에 대한 설명으로 옳은 것 고르면? [정답 3개]

① 삼각대에 가대를 고정한 후 경통을 올린다.

② 망원경을 모두 조립한 후 넓고 평평한 장소로 옮기는 것이 좋다.

③ 주 망원경에 보이는 관측 대상이 선명하게 보이도록 하려면 초점을 조절한다.

④ 주 망원경과 보조 망원경의 시야 중앙에 같은 물체가 보이도록 조절해야 한다.

⑤ 경통에 보조 망원경과 접안렌즈를 설치하기 전에 균형추와 경통의 균형을 맞춘다.

⑥ 주 망원경으로 천체를 관측할 때에는 먼저 고배율로 관측한 다음 저배율로 관측한다.

Tip 망원경은 넓고 평평한 곳에서 순서대로 부품을 조립한다.

풀이 ② 조립된 망원경은 무게가 무거우므로 우선 넓고 평평한 관측 장소에 삼각대 자리를 잡고 조립하는 것이 좋다.
⑤ 균형추와 경통부의 균형을 맞추기 전에 보조 망원경과 접안렌즈를 경통에 설치한다.
⑥ 저배율의 시야가 더 넓으므로, 저배율로 먼저 관측한다.

답 ①, ③, ④

대표 기출 ⑥ | 태양의 표면 |

그림 (가)와 (나)는 태양의 표면에서 볼 수 있는 특징을 나타낸 것이다.

(가)   (나)

태양의 표면에 대한 설명으로 옳은 것을 모두 고르면?

[정답 2개]

① (가)는 주변보다 온도가 높아 어둡게 보인다.

② (가)는 한 번 생기면 약 11년 동안 사라지지 않는다.

③ 지구의 공전으로 (가)의 위치는 매일 조금씩 바뀐다.

④ (나)는 쌀알 무늬이다.

⑤ (나)는 태양 표면 아래에서 일어나는 대류로 인해 생긴다.

⑥ 밝고 둥글게 보이는 태양의 표면을 채층이라고 한다.

Tip 태양의 광구에서 흑점과 쌀알 무늬를 볼 수 있다.

풀이 ①, ②, ③ (가)는 흑점으로 주변보다 온도가 2000℃ 정도 낮아 어둡게 보이며, 약 11년을 주기로 그 수가 변하는데, 흑점의 수명은 수주에서 수일 정도이다. 또한 태양이 자전함에 따라 흑점은 매일 조금씩 동에서 서로 이동한다.
⑥ 밝고 둥글게 보이는 태양의 표면을 광구라고 한다.

답 ④, ⑤

⑤-1 그림은 천체 망원경을 설치하는 과정 중 주 망원경과 보조 망원경의 시야를 나타낸 것이다. 이에 대한 설명으로 옳은 것을 I보기I에서 모두 고르시오.

주 망원경 시야   보조 망원경 시야

┌ 보기 ┐
ㄱ. 보조 망원경은 주 망원경보다 시야가 좁다.

ㄴ. 보조 망원경은 주 망원경보다 배율이 낮다.

ㄷ. 주 망원경 시야의 중앙에 있는 물체가 보조 망원경의 십자선 중앙에 오도록 조절한다.

⑥-1 그림은 태양 표면의 일부를 나타낸 것이다.

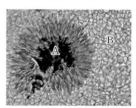

이에 대한 설명으로 옳은 것을 I보기I에서 고르시오.

┌ 보기 ┐
ㄱ. A는 흑점이다.

ㄴ. 지구에서 보았을 때 A의 위치는 매일 조금씩 동에서 서로 이동한다.

ㄷ. B는 광구 아래보다 온도가 높아 생긴다.

대표 기출 ⑦ | 태양의 대기와 대기 현상 |

그림 (가)~(다)는 태양에서 볼 수 있는 현상의 모습을 나타 낸 것이다.

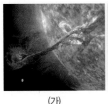 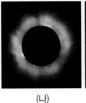 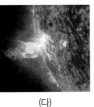

(가)　　　　　　(나)　　　　　　(다)

이에 대한 설명으로 옳은 것을 | 보기 |에서 모두 고르시오.

┌─ 보기 ─────────────────────────────┐
ㄱ. (가)는 채층이다.

ㄴ. (나)는 개기 일식이 일어날 때 관측할 수 있다.

ㄷ. (다)는 흑점 부근의 강한 폭발 현상이다.

ㄹ. (다) 현상으로 엄청난 양의 물질과 에너지가 방출된다.

ㅁ. (가)~(다)는 모두 태양 광구에서 나타나는 특징이다.

ㅂ. (가)~(다)는 태양의 활동이 활발할수록 관측하기 가 어렵다.
└──────────────────────────────────┘

Tip　태양 대기에서 나타나는 특징에는 채층, 코로나, 홍염, 플레어 가 있다.

풀이　ㄱ. (가)는 홍염이다.

ㅁ. (가)~(다)는 모두 태양 대기에서 나타나는 특징이다.

ㅂ. 태양 활동이 활발할수록 코로나의 크기가 커지고, 홍염과 플레어 현상이 자주 나타난다.

답 ㄴ, ㄷ, ㄹ

⑦-1 그림 (가)와 (나)는 태양에서 볼 수 있는 여러 현상을 나타 낸 것이다.

(가)　　　　　　(나)

이에 대한 설명으로 옳은 것을 | 보기 |에서 모두 고르시오.

┌─ 보기 ─────────────────────────────┐
ㄱ. (가)는 코로나이다.

ㄴ. (나)는 흑점 부근에서 일어나는 현상이다.

ㄷ. 태양의 활동이 활발해지면 (가)와 (나) 모두 크기 가 커지거나 자주 발생한다.
└──────────────────────────────────┘

대표 기출 ⑧ | 태양의 활동과 영향 |

그림은 일정 기간 동안 태양 흑점 수의 변화를 나타낸 것이다.

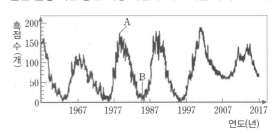

B 시기와 비교하여 A 시기에 나타날 수 있는 특징에 대한 설명으로 옳은 것을 모두 고르면? [정답 3개]

① 태양풍이 강해진다.

② 코로나의 크기가 작아진다.

③ GPS나 인공위성의 성능이 향상된다.

④ 자기 폭풍이나 델린저 현상이 발생한다.

⑤ 홍염과 플레어의 발생 횟수가 줄어든다.

⑥ 지구에서 오로라가 더 넓은 지역에 걸쳐 발생한다.

Tip　흑점 수가 최대일 때 태양 활동이 활발하다.

풀이　②, ⑤ 태양 활동이 활발해지면 흑점 수가 늘어나고, 코로나의 크기가 커지며, 홍염과 플레어가 자주 발생한다.

③ 지구에서는 대규모 정전이 일어나고, GPS나 인공위성이 고장난다.

답 ①, ④, ⑥

⑧-1 그림은 태양 흑점 수의 변화를 나타낸 것이다.

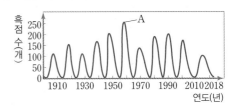

A 시기에 나타날 수 있는 특징에 대한 설명으로 옳은 것 을 | 보기 |에서 고르시오.

┌─ 보기 ─────────────────────────────┐
ㄱ. 홍염과 플레어 현상이 자주 일어난다.

ㄴ. 지구에서 오로라가 발생하는 지역의 범위가 줄어 든다.

ㄷ. 태양에서 우주 공간으로 방출되는 전기를 띤 입 자의 흐름이 강해진다.
└──────────────────────────────────┘

1 다음에서 설명하는 태양계 행성의 모습으로 옳은 것은?

> • 태양계 행성 중 크기가 가장 크다.
> • 수소와 헬륨이 주성분이다.
> • 빠른 자전으로 가로줄 무늬와 대기의 소용돌이인 대적점이 나타난다.
> • 희미한 고리와 많은 위성이 있다.

① ② ③

④ ⑤

> **Tip** 목성은 대부분 **❶** 와 헬륨으로 이루어져 있고, 표면에는 거대한 대기의 소용돌이인 **❷** 이 나타난다.
>
> **답** ❶ 수소 ❷ 대적점

2 그림은 태양계 행성을 여러 기준에 따라 분류한 것이다.

이에 대한 설명으로 옳은 것을 ㅣ보기ㅣ에서 모두 고른 것은?

> ┌ 보기 ┐
> ㄱ. A는 목성형 행성이다.
> ㄴ. B의 표면은 단단한 암석으로 되어 있다.
> ㄷ. C는 D보다 평균 밀도가 크다.
> ㄹ. D의 행성들에는 고리가 있다.

① ㄱ, ㄴ   ② ㄱ, ㄷ   ③ ㄴ, ㄷ

④ ㄴ, ㄹ   ⑤ ㄷ, ㄹ

> **Tip** 지구형 행성은 목성형 행성에 비해 **❶** 과 질량이 모두 작지만, **❷** 는 크다.　**답** ❶ 반지름 ❷ 평균 밀도

3 그림은 천체 망원경의 모습을 나타낸 것이다.

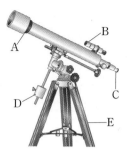

천체 망원경 A~E 각 부분의 기능에 대한 설명으로 옳지 않은 것은?

① A – 천체로부터 오는 빛을 모아 상이 맺게 한다.
② B – 시야가 좁은 고배율 망원경으로, 관측 대상을 찾는 역할을 한다.
③ C – 대물렌즈가 만든 상을 확대해서 본다.
④ D – 경통부와 무게 균형을 맞춰 망원경이 원활하게 움직이게 한다.
⑤ E – 망원경을 세우고 고정하는 역할을 한다.

> **Tip** 보조 망원경은 다른 말로 **❶** 라고도 하며, 시야가 **❷** 관측할 천체를 찾을 때 사용한다.
>
> **답** ❶ 파인더 ❷ 넓어

4 그림은 4일 간격으로 태양 표면의 흑점의 위치를 관측하여 표시한 것이다.

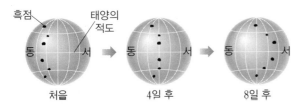

이에 대한 설명으로 옳지 <u>않은</u> 것은?

① 흑점은 동에서 서로 이동한다.

② 태양의 표면은 고체 상태가 아니다.

③ 태양은 서에서 동으로 자전하고 있다.

④ 흑점의 이동 속도는 저위도에서 더 빠르다.

⑤ 흑점의 이동은 지구가 공전하기 때문에 나타난다.

> **Tip** 태양의 흑점은 지구에서 볼 때 **❶** 로 이동하며, 흑점의 이동 속도는 고위도가 저위도보다 **❷** .
>
> 답 ❶동에서 서 ❷느리다

5 그림 (가)와 (나)는 각각 2002년과 2009년 관측한 코로나의 모습을 나타낸 것이다.

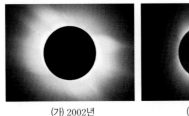

(가) 2002년   (나) 2009년

(나) 시기와 비교하여 (가) 시기에 대한 설명으로 옳지 <u>않은</u> 것은?

① 태양풍이 더 강했다.

② 흑점의 수가 많았다.

③ 태양의 활동이 활발하였다.

④ 태양 자전 속도가 더 빨랐다.

⑤ 홍염이나 플레어 현상이 자주 발생했다.

> **Tip** 태양에서는 **❶** 를 띤 입자들이 우주 공간으로 끊임없이 방출되는데, 이 입자의 흐름을 **❷** 이라고 한다.
>
> 답 ❶전기 ❷태양풍

6 그림 (가)~(다)는 태양에서 볼 수 있는 특징들을 나타낸 것이다.

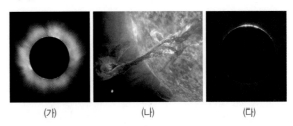

(가)   (나)   (다)

이에 대한 설명으로 옳은 것을 ┃보기┃에서 모두 고른 것은?

┌ 보기 ┐
ㄱ. (가)는 개기 일식이 일어날 때 관측할 수 있다.

ㄴ. (나)는 흑점 부근의 강한 폭발로 엄청난 양의 물질과 에너지를 방출하는 현상이다.

ㄷ. (다)는 코로나의 모습을 나타낸 것이다.

ㄹ. (가)~(다)는 모두 태양의 대기에서 볼 수 있는 특징이다.
└────────┘

① ㄱ, ㄷ ② ㄱ, ㄹ ③ ㄴ, ㄷ

④ ㄴ, ㄹ ⑤ ㄷ, ㄹ

> **Tip** 태양의 광구 바로 위에 있는 얇고 붉게 보이는 대기층을 **❶** 이라 하며, 그 위로 멀리까지 뻗어 있는 청백색의 대기층을 **❷** 라고 한다.
>
> 답 ❶채층 ❷코로나

01 그림은 지구 모형의 크기를 측정하는 실험을 나타낸 것이다.
이에 대한 설명으로 옳은 것을 |보기|에서 모두 고른 것은?

| 보기 |
ㄱ. θ'과 θ는 엇각으로 같다.
ㄴ. l은 직접 측정해야 하는 값이다.
ㄷ. 막대 AA'과 BB'의 길이가 같아야 한다.

① ㄴ ② ㄷ ③ ㄱ, ㄴ
④ ㄱ, ㄷ ⑤ ㄴ, ㄷ

02 그림은 우리나라 어느 지역에서 일정 시간 동안 별이 움직여 간 경로를 관측하여 나타낸 것이다.

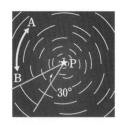

이에 대한 설명으로 옳은 것을 |보기|에서 모두 고른 것은?

| 보기 |
ㄱ. 2시간 동안 관측한 모습이다.
ㄴ. 중심에 있는 별 P는 북극성이다.
ㄷ. 별은 B 방향으로 이동한다.

① ㄱ ② ㄴ ③ ㄱ, ㄴ
④ ㄴ, ㄷ ⑤ ㄱ, ㄴ, ㄷ

03 그림은 지구의 공전 궤도와 황도 12궁을 나타낸 것이다.
이에 대한 설명으로 옳은 것을 |보기|에서 모두 고른 것은?

| 보기 |
ㄱ. 5월에 태양은 천칭자리 부근에 있다.
ㄴ. 8월 한밤중에 남쪽 하늘에서 게자리가 보인다.
ㄷ. 계절별로 보이는 별자리가 달라지는 이유는 지구가 태양 주위를 공전하기 때문이다.

① ㄱ ② ㄷ ③ ㄱ, ㄴ
④ ㄴ, ㄷ ⑤ ㄱ, ㄴ, ㄷ

04 그림은 달의 공전 궤도를 나타낸 것이다.
달이 A~D 위치에 있을 때, 달의 위상을 각각 쓰시오.

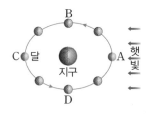

A: (   ), B: (   ),
C: (   ), D: (   )

05 일식과 월식 현상에 대한 설명으로 옳은 것을 |보기|에서 모두 고른 것은?

| 보기 |
ㄱ. 일식이 일어날 때 달의 위상은 망이다.
ㄴ. 월식은 밤이 되는 모든 지역에서 관측할 수 있다.
ㄷ. 일식과 월식 현상 모두 태양과 지구, 달이 일직선상에 위치할 때 일어난다.

① ㄱ ② ㄴ ③ ㄱ, ㄷ
④ ㄴ, ㄷ ⑤ ㄱ, ㄴ, ㄷ

06 그림은 태양계 행성들을 물리적 특성에 따라 A와 B로 분류한 것이다.

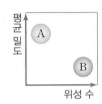

A와 B에 해당하는 것을 옳게 짝 지은 것은?

	A	B
①	지구형 행성	목성형 행성
②	목성형 행성	지구형 행성
③	내행성	외행성
④	외행성	내행성
⑤	왜소 행성	위성

07 그림은 천체 망원경의 모습을 나타낸 것이다.

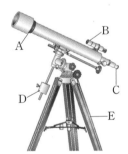

천체 망원경 각 부분에 대한 설명으로 옳은 것을 |보기|에서 모두 고른 것은?

┌ 보기 ┐
ㄱ. A와 C는 경통으로 연결되어 있다.
ㄴ. B는 주 망원경보다 배율이 커서 관측할 천체를 찾을 때 사용한다.
ㄷ. D와 E는 천체 망원경의 균형을 맞추고 고정하는 역할을 한다.

① ㄱ   ② ㄴ   ③ ㄱ, ㄷ
④ ㄴ, ㄷ   ⑤ ㄱ, ㄴ, ㄷ

08 태양의 표면에서 볼 수 있는 특징에 대한 설명으로 옳은 것을 |보기|에서 모두 고른 것은?

┌ 보기 ┐
ㄱ. 육안으로 태양을 관측할 때 보이는 밝고 둥근 면을 광구라고 한다.
ㄴ. 쌀알 무늬는 광구 아래에서 일어나는 대류로 인해 생긴다.
ㄷ. 흑점은 주변보다 온도가 약 2000℃ 정도 높아 상대적으로 어둡게 보인다.

① ㄱ   ② ㄷ   ③ ㄱ, ㄴ
④ ㄴ, ㄷ   ⑤ ㄱ, ㄴ, ㄷ

09 태양의 대기와 대기 현상에 대한 설명으로 옳은 것을 |보기|에서 모두 고른 것은?

┌ 보기 ┐
ㄱ. 코로나는 채층 위로 멀리까지 뻗어 있는 대기층이다.
ㄴ. 홍염과 플레어는 모두 태양의 흑점 부근의 대기층에서 일어나는 현상이다.
ㄷ. 태양의 대기층은 광구보다 밝기 때문에 언제든지 관측이 가능하다.

① ㄱ   ② ㄷ   ③ ㄱ, ㄴ
④ ㄴ, ㄷ   ⑤ ㄱ, ㄴ, ㄷ

10 다음 글에서 밑줄 친 '이 현상'이 무엇인지 쓰시오.

태양 활동이 활발해지면 지구에서는 이 현상이 발생한다. 이 현상은 장거리 무선 통신이 두절되는 것으로, 태양으로부터 오는 강한 태양풍이 원인이다.

(   )

1 다음은 우리나라의 서로 다른 지역에 위치한 A 중학교와 B 중학교의 경도와 위도 및 두 학교 사이의 직선 거리를 나타낸 것이다.

위치	경도	위도	직선 거리
A 중학교	127.7°E	38.1°N	약 340 km
B 중학교	127.7°E	35.1°N	

이 자료를 활용하여 지구의 반지름(R)을 계산한다고 할 때, 세울 수 있는 식으로 옳은 것은?

① $35.1° : 340 \text{ km} = 38.1° : 2\pi R$

② $127.7° : 35.1° = 360° : \pi R^2$

③ $340 \text{ km} : 360° = 2\pi R : 3°$

④ $360° : 2\pi R = 3° : 340 \text{ km}$

⑤ $38.1° : 340 \text{ km} = 35.1° : \pi R^2$

> **Tip** 에라토스테네스는 원에서 부채꼴의 중심각의 크기는 ❶⬜⬜의 길이에 ❷⬜⬜한다는 원리를 이용하여 지구의 크기를 최초로 측정하였다.
>
> 답 ❶호 ❷비례

2 그림은 우리나라 어느 지역에서 2시간 동안 별들이 이동해 간 경로를 카메라로 찍은 것이다.

이와 관련하여 옳지 않은 설명을 한 학생은?

준희: 북쪽 하늘의 모습을 찍은 사진이야.

윤서: 별이 이동하며 그리는 호의 중심각은 15°야.

태형: 이건 지구가 자전하기 때문에 생기는 겉보기 운동이야.

수지: 사진에서 오른쪽은 동쪽이고, 왼쪽은 서쪽이야.

승은: 별들이 회전하는 중심에 있는 별은 지구의 북극과 같은 방향에 있어.

① 수지　　　② 준희　　　③ 윤서

④ 태형　　　⑤ 승은

> **Tip** 별들이 회전하는 중심에 있는 별은 ❶⬜⬜이며, 별들은 이 별을 중심으로 ❷⬜⬜ 방향으로 원을 그리며 회전한다.
>
> 답 ❶북극성 ❷시계 반대

3 다음은 학생들이 천체 사진 전시회에 가서 달 사진을 보며 나눈 대화이다.

〈사진 촬영 정보〉

항목	내용
날짜	2018년 1월 31일 (음력 12월 15일)
촬영 장소	경기도 과천시
촬영 시각	20시 47분~24시 22분
대상	달
촬영 방법	굴절 망원경에 카메라를 연결해서 촬영

예은 : 달 사진 참 예쁘다. 달의 절반 정도만 보이니까 반달, 그중에서도 하현달이구나.

세준 : 이것은 하현달이 아닌 것 같아. 하현달은 달의 왼쪽 반원이 보이는 달이야. 내 생각에 사진의 달은 상현달이야.

진호 : 우선 음력 15일에 찍은 사진이니까 이때는 보름달이야. 보름달이 (㉠)의 그림자에 가려져서 일부만 보이는 것 같아. 이러한 현상을 (㉡)(이)라고 해.

(1) 진호의 말이 옳다고 할 때, ㉠과 ㉡에 들어갈 알맞은 말을 쓰시오.

㉠ (   ), ㉡ (   )

(2) 사진을 찍은 날의 달의 위치에 해당하는 곳의 기호를 쓰시오.

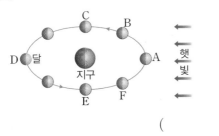

(   )

> **Tip** 월식은 달이 지구의 **❶** 에 가려지는 현상으로, 달의 **❷** 부터 어둡게 보이기 시작한다.
>
> **답** ❶그림자 ❷왼쪽

4 다음은 태양, 달, 지구의 위치 관계에 대한 두 친구의 대화를 보고 학생들이 각자 자신의 생각을 발표한 것이다.

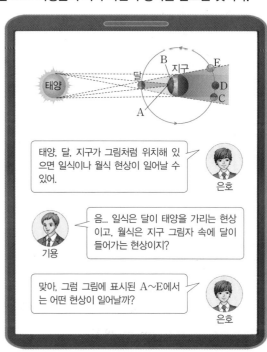

은호 : 태양, 달, 지구가 그림처럼 위치해 있으면 일식이나 월식 현상이 일어날 수 있어.

기용 : 음... 일식은 달이 태양을 가리는 현상이고, 월식은 지구 그림자 속에 달이 들어가는 현상이지?

은호 : 맞아. 그럼 그림에 표시된 A~E에서는 어떤 현상이 일어날까?

(가): A에서는 개기 일식을 관측할 수 있어.
(나): B는 태양이 달에 가려지면서 생긴 반그림자 속에 있는 거야.
(다): C에서 달은 왼쪽부터 가려지기 시작했어.
(라): D에서 달은 붉은색으로 보이지.
(마): E는 부분 월식이 일어날 때 달의 위치야.

학생 (가)~(마) 중에서 발표한 내용이 옳지 않은 학생은?

① (가)   ② (나)   ③ (다)
④ (라)   ⑤ (마)

> **Tip** 일식은 달의 위상이 **❶** 일 때 일어나고, 월식은 달의 위상이 **❷** 일 때 일어난다.
>
> **답** ❶삭 ❷망

5 그림은 태양계 행성 중 수성, 금성, 목성, 토성을 구분하는 과정을 나타낸 것이다.

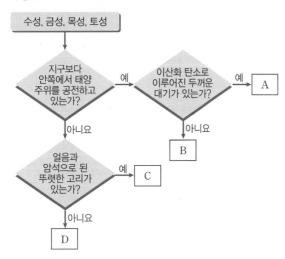

(1) A~D 중 태양계 행성 중에서 크기가 가장 큰 행성의 기호와 이름을 쓰시오.

(   )

(2) A~D 중 태양으로부터의 거리가 가장 가까운 행성의 기호와 이름을 쓰시오.

(   )

(3) 수성, 금성, 목성, 토성을 구분하여 다음과 같은 결과가 나왔다고 할 때, (가)에 들어갈 알맞은 문장을 쓰시오.

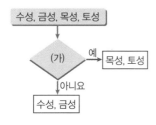

~~~~~~

~~~~~~

~~~~~~

> **Tip** 태양계 행성은 물리적 특성에 따라 **❶** 행성과 **❷** 행성으로 구분할 수 있다.
>
> 답 ❶지구형 ❷목성형

6 그림 (가)는 연도에 따른 태양 흑점 수의 변화를 나타낸 것이고, (나)와 (다)는 A 시기와 B 시기에 관측된 태양 코로나의 모습을 순서 없이 나타낸 것이다.

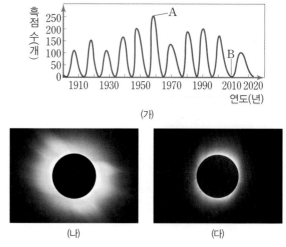

(가)

(나)   (다)

이와 관련하여 타당한 주장을 한 사람은?

> B 시기는 흑점 수가 적으므로 태양 활동의 극대기였을 거야. (승수)
>
> (가)의 그래프를 잘 살펴보면 흑점 수가 증감하는 주기는 약 5.5년이라는 걸 알 수 있지. (나라)
>
> A 시기에는 태양풍이 강해지고, 홍염과 플레어가 더 자주 발생했을 거야. (영현)
>
> A 시기에는 흑점 수가 많았으니까 이 시기에 관측된 코로나의 모습은 (다)일 거야. (혜민)
>
> B 시기에는 지구에 자기 폭풍이나 델린저 현상이 발생했을 거야. (윤아)

① 혜민   ② 승수   ③ 나라

④ 영현   ⑤ 윤아

> **Tip** 태양 활동이 활발한 시기에는 흑점 수가 늘어나고 **❶** 이 강해진다. 또한 코로나의 크기가 커지며, 홍염과 **❷** 가 자주 발생한다.
>
> 답 ❶태양풍 ❷플레어

7 그림은 태양계의 구성과 태양의 특징을 인포그래픽으로 나타낸 것이다.

(*인포그래픽 : 정보, 데이터, 지식 등을 시각적으로 표현한 것)

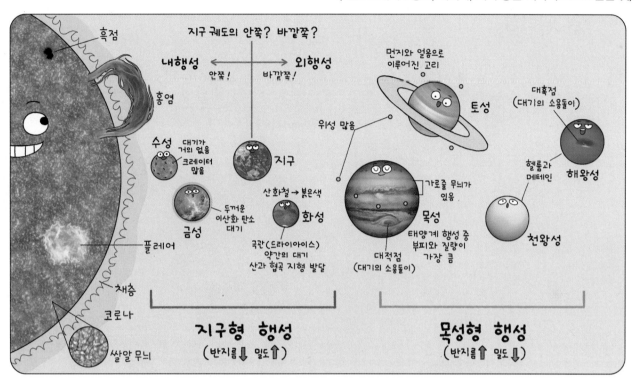

(1) 태양계의 구성을 표현하기 위해 필요한 정보로 옳지 않은 것은?

① 수성은 물과 대기가 거의 없어 표면에 운석 구덩이가 많이 남아 있다.

② 화성은 극지방에 극관이 있으며 거대한 화산과 협곡이 있다.

③ 목성은 표면에 자전과 대류로 인한 가로줄 무늬가 있다.

④ 해왕성은 희미한 고리를 가지며, 대기의 소용돌이로 생긴 대적점이 있다.

⑤ 목성형 행성은 크기와 질량이 크고, 가벼운 원소로 되어 있어 지구형 행성보다 평균 밀도가 작으며, 위성이 많고 고리가 있다.

> **Tip** 지구형 행성은 부피가 작고 밀도가 크며 ❶ ◻︎ 이 작은 반면, ❷ ◻︎ 행성은 부피가 크고 밀도가 낮으며 질량이 크다.
>
> **답** ❶ 질량 ❷ 목성형

(2) 태양의 특징을 표현하기 위한 기초 정보로 옳지 않은 것은?

① 태양의 표면에 보이는 검은 얼룩을 흑점이라고 한다.

② 광구에는 쌀알을 뿌려 놓은 듯한 무늬가 나타나는데, 이를 쌀알 무늬라고 한다.

③ 태양의 표면에서 나타나는 현상으로 흑점과 플레어가 있다.

④ 태양의 대기층으로는 채층과 코로나가 있다.

⑤ 채층의 물질이 코로나까지 솟아올랐다가 다시 내려가는 불꽃 덩어리를 홍염이라고 한다.

> **Tip** 태양의 광구에는 ❶ ◻︎ 과 쌀알 무늬가 있고, 대기에서 일어나는 현상으로는 ❷ ◻︎ 과 플레어가 있다.
>
> **답** ❶ 흑점 ❷ 홍염

2^주 Ⅳ 식물과 에너지

7강_광합성

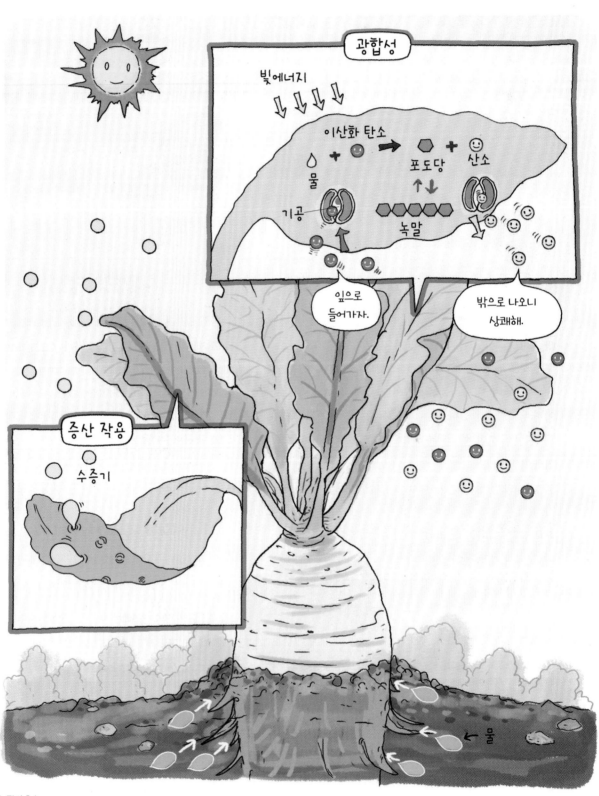

8강_식물의 호흡과 광합성 산물의 이용

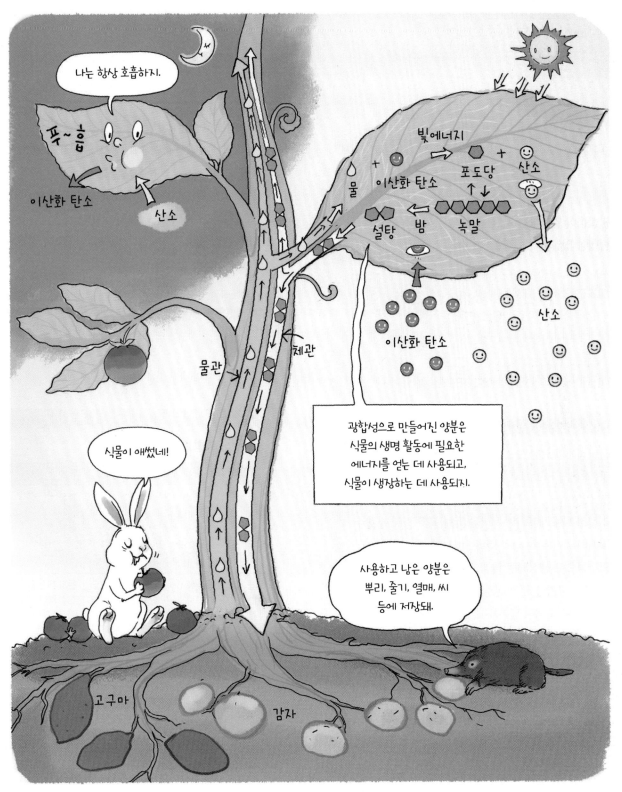

개념 ❶ 광합성

1 **광합성** 식물이 빛에너지를 이용하여 ❶⬜과 이산화 탄소를 원료로 양분(포도당)을 만드는 과정

$$물 + ❷⬜ \xrightarrow{빛에너지} 포도당 + 산소$$

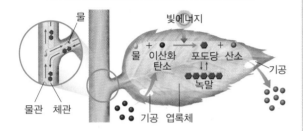

2 **광합성이 일어나는 시기** 빛이 있을 때(낮)

3 **광합성이 일어나는 장소** 엽록체

❶물 ❷이산화 탄소

확인Q 1 식물에서 다음 반응이 일어나는 장소를 쓰시오.

$$물 + 이산화 탄소 \xrightarrow{빛에너지} 포도당 + 산소$$

개념 ❷ 광합성에 필요한 요소와 생성되는 물질

1 **광합성에 필요한 요소**

• 물: 식물의 뿌리에서 흡수 ➡ 줄기의 물관을 통해 잎까지 이동

• 이산화 탄소: 잎의 ❶⬜을 통해 공기 중에서 흡수

• 빛에너지: 엽록체 속의 엽록소에서 흡수

2 **광합성으로 생성되는 물질**

• 포도당: 광합성 결과 생성되는 최초의 양분 ➡ 곧바로 ❷⬜로 바뀌어 엽록체에 일시적으로 저장

• 산소: 일부는 호흡에 이용되고, 나머지는 잎의 기공을 통해 공기 중으로 방출

❶기공 ❷녹말

확인Q 2 광합성에 필요한 물질을 보기 에서 모두 고르시오.

보기
ㄱ. 물   ㄴ. 산소   ㄷ. 포도당   ㄹ. 이산화 탄소

개념 ❸ 광합성에 필요한 물질 확인 실험

1 **과정** 숨을 불어 넣어 파란색에서 노란색으로 변한 BTB 용액을 시험관 A~C에 나누어 담고 그림과 같이 장치한 다음, 햇빛이 잘 비치는 곳에 두고 BTB 용액의 색깔 변화를 관찰한다.

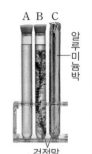

2 **결과**

• A: 색깔 변화 없다.

• B: 파란색으로 변한다. ➡ 햇빛을 받은 검정말이 광합성을 하면서 ❶⬜가 사용된다.

• C: 색깔 변화 없다. ➡ 알루미늄박에 의해 햇빛이 차단되어 검정말이 광합성을 하지 않는다.

3 **정리** 광합성은 ❷⬜이 있을 때 일어나며, 광합성 과정에는 이산화 탄소가 필요하다.

❶이산화 탄소 ❷빛

확인Q 3 파란색 BTB 용액에 숨을 불어 넣으면 무슨 색깔로 변하는지 쓰시오.

개념 ❹ 광합성에 영향을 미치는 환경 요인

• **광합성에 영향을 미치는 환경 요인**

빛의 세기	이산화 탄소의 농도	온도
빛의 세기가 셀수록 광합성량이 증가하다가 일정 세기 이상이 되면 ❶⬜해진다.	이산화 탄소의 농도가 증가할수록 광합성량이 증가하다가 일정 농도 이상이 되면 일정해진다.	온도가 높을수록 광합성량이 증가하다가 일정 온도 이상이 되면 급격히 ❷⬜한다.

광합성은 빛의 세기, 이산화 탄소의 농도, 온도가 모두 적절하게 유지될 때 활발하게 일어난다.

❶일정 ❷감소

확인Q 4 그림은 어떤 환경 요인에 따른 광합성량의 변화를 나타낸 것이다. 빈칸에 알맞은 환경 요인을 쓰시오.

개념 ⑤ 증산 작용

1 증산 작용 식물체 내의 물이 잎의 ❶◻◻◻ 을 통해 수증기 상태로 공기 중으로 빠져나가는 현상

2 증산 작용의 확인 2개의 눈금실린더에 같은 양의 물을 넣고 그림과 같이 장치한 다음, 빛이 잘 비치는 곳에 두고 일정 시간 후 줄어든 물의 양을 비교한다.

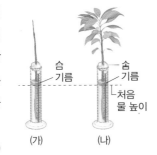

(가) (나)

• 물이 줄어든 양: (가) < (나)
➡ (가)에서는 ❷◻◻◻ 작용이 일어나지 않고, (나)에서는 증산 작용이 활발하게 일어나 물이 식물체 안으로 이동하였기 때문이다.

3 증산 작용과 기공 기공이 많이 열리면 증산 작용이 활발해진다.

❶기공 ❷증산

확인Q 5 식물의 잎에 비닐봉지를 씌워 놓으면 비닐봉지 안쪽에 물방울이 맺히는데 이와 관련된 작용을 쓰시오.

개념 ⑥ 잎의 구조

1 표피 잎의 가장 바깥쪽을 싸고 있는 한 겹의 세포층으로, 안쪽의 여러 세포층을 보호한다.

2 기공 잎의 표면에 있는 작은 구멍으로, 2개의 ❶◻◻◻ 로 둘러싸여 있다. 육상 식물은 기공이 주로 잎 뒷면에 분포한다. ➡ 산소, 이산화 탄소, 수증기와 같은 기체가 드나드는 통로이다.

▲ 잎의 구조

3 공변세포 ❷◻◻◻ 가 있어 초록색을 띠고 광합성을 한다. 안쪽 세포벽이 바깥쪽 세포벽보다 두껍다.

❶공변세포 ❷엽록체

확인Q 6 그림은 어떤 식물의 잎 뒷면의 표피를 벗겨 현미경으로 관찰한 모습을 나타낸 것이다. A와 B의 이름을 쓰시오.

A
B

개념 ⑦ 증산 작용의 조절

1 증산 작용의 조절 공변세포가 기공을 열고 닫으면서 증산 작용을 조절 ➡ 기공이 열릴 때 증산 작용이 일어나며, 기공은 주로 낮에 열리므로 ❶◻◻◻ 에 증산 작용이 활발하게 일어난다.

2 기공이 열리는 과정 공변세포의 엽록체에서 광합성이 일어남 → 공변세포 내의 농도 ❷◻◻◻ → 주위 세포에서 공변세포로 물이 들어옴 → 공변세포가 팽창하여 공변세포가 바깥쪽으로 활처럼 휨 → 기공 열림

공변세포는 기공 쪽의 세포벽이 바깥쪽의 세포벽보다 두꺼워 물이 들어오면 바깥쪽이 더 늘어나 공변세포가 바깥쪽으로 휜다. ➡ 기공 열림

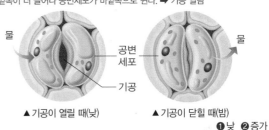

물 공변세포 물
기공

▲ 기공이 열릴 때(낮) ▲ 기공이 닫힐 때(밤)

❶낮 ❷증가

확인Q 7 기공은 주로 ㉠ (낮, 밤)에 열리며, 증산 작용은 기공이 ㉡ (열릴, 닫힐) 때 일어난다.

개념 ⑧ 증산 작용이 잘 일어나는 환경 조건과 역할

1 증산 작용이 잘 일어나는 환경 조건

햇빛	온도	습도	바람
강할 때	❶◻◻◻ 때	낮을 때	잘 불 때

2 증산 작용의 역할

• 물 상승의 원동력: ❷◻◻◻ 에서 흡수한 물과 무기 양분을 잎까지 상승시키는 원동력

• 체온 조절: 식물체의 온도가 상승하는 것을 방지

• 체내 수분량 조절: 식물체 내의 수분량 조절 ➡ 체내 수분량이 많으면 기공을 열고, 적으면 기공을 닫아 일정 수준의 수분량을 유지

• 무기 양분 농축: 식물체 내의 수분을 증발시켜 무기 양분을 농축

❶높을 ❷뿌리

확인Q 8 증산 작용은 햇빛이 ㉠ (약하고, 강하고), 온도가 ㉡ (낮고, 높고), 습도가 ㉢ (낮고, 높고), 바람이 잘 불 때 활발하게 일어난다.

개념 ❶ 식물의 호흡

1 호흡 식물이 산소를 이용해서 양분(포도당)을 분해하여 생명 활동에 필요한 ❶ [　　]를 얻는 과정

> 포도당+산소 ──→ 이산화 탄소+물+에너지

2 호흡이 일어나는 시기 밤낮 구분 없이 ❷ [　　]

3 호흡이 일어나는 장소 살아 있는 모든 세포(미토콘드리아)

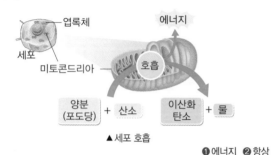

▲ 세포 호흡

❶에너지 ❷항상

확인Q 1 식물의 호흡은 양분(포도당)을 분해하여 ㉠ (　　　　)를 얻는 과정으로, 살아 있는 모든 ㉡ (　　　　)에서 일어난다.

개념 ❷ 호흡에 필요한 물질과 생성되는 요소

1 호흡에 필요한 물질

포도당	광합성 결과 생성되는 양분
산소	광합성을 통해 생성되거나 잎의 ❶ [　　]을 통해 공기 중에서 흡수

2 호흡으로 생성되는 요소

이산화 탄소	광합성에 이용되거나 기공을 통해 공기 중으로 방출
물	식물에서 사용되거나 공기 중으로 방출
에너지	싹을 틔우고 꽃을 피우고 열매를 맺는 등 생명 활동에 사용

3 호흡이 왕성할 때 씨가 싹틀 때, 꽃이 필 때, 급격한 생장이 일어날 때 많은 ❷ [　　]가 필요하여 호흡이 왕성하게 일어난다.

❶기공 ❷에너지

확인Q 2 식물은 호흡을 할 때 ㉠ (산소, 이산화 탄소)를 흡수하고, ㉡ (산소, 이산화 탄소)를 방출한다.

개념 ❸ 호흡으로 생성되는 기체 확인 실험

1 과정 2개의 페트병 중 하나에만 시금치를 넣고 그림과 같이 장치하고 어두운 곳에 하루 동안 놓아둔 후, 각 페트병 속의 공기를 석회수에 통과시킨다.

석회수는 이산화 탄소와 반응하면 뿌옇게 흐려진다.

시금치　석회수

2 결과 시금치를 넣은 페트병의 기체를 통과시킨 석회수만 뿌옇게 흐려진다. ➡ 시금치의 ❶ [　　]으로 방출된 이산화 탄소는 석회수를 뿌옇게 흐려지게 만든다.

3 정리 식물은 빛이 없을 때 호흡만 하며, 호흡 결과 ❷ [　　]가 방출된다.

❶호흡 ❷이산화 탄소

확인Q 3 위 실험에서 시금치를 넣은 페트병의 기체를 석회수 대신 초록색 BTB 용액에 통과시키면 BTB 용액이 무슨 색깔로 변하는지 쓰시오.

개념 ❹ 광합성과 호흡의 비교

• 광합성과 호흡의 비교

$$물+이산화 탄소 \overset{광합성(빛에너지 흡수)}{\underset{호흡(에너지 발생)}{\rightleftharpoons}} 양분(포도당)+산소$$

구분	광합성	호흡
일어나는 시기	낮(빛이 있을 때)	❶ [　　]
일어나는 장소	엽록체	살아 있는 모든 세포
흡수하는 기체	이산화 탄소	산소
배출하는 기체	산소	❷ [　　]
양분	무기물 → 유기물 (양분 합성)	유기물 → 무기물 (양분 분해)
에너지 관계	에너지 저장	에너지 생성

❶항상 ❷이산화 탄소

확인Q 4 그림은 광합성과 호흡의 관계를 나타낸 것이다. A, B의 이름을 쓰시오.

개념 **5** 식물의 기체 교환

1 낮과 밤의 기체 교환 낮과 밤에 기체 교환이 반대로 일어난다.

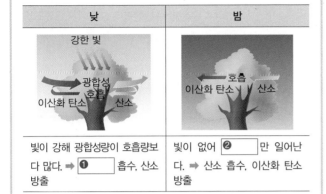

낮	밤
빛이 강해 광합성량이 호흡량보다 많다. ➡ **❶** [ ] 흡수, 산소 방출	빛이 없어 **❷** [ ]만 일어난다. ➡ 산소 흡수, 이산화 탄소 방출

2 아침과 저녁의 기체 교환 빛이 약해 광합성량과 호흡량이 같아 겉으로 보기에 기체 출입이 없는 것처럼 보인다.

> → 광합성으로 생성된 산소는 모두 호흡에 이용되고, 호흡으로 생성된 이산화 탄소는 모두 광합성에 이용되기 때문

❶ 이산화 탄소 **❷** 호흡

확인Q 5 하루 중 그림과 같은 기체 교환이 일어나는 때를 모두 쓰시오.

개념 **6** 광합성 산물의 이동

1 양분의 생성(낮) 광합성으로 만들어진 포도당은 호흡에 사용되거나 물에 녹지 않는 **❶** [   ]로 바뀌어 엽록체에 일시적으로 저장된다.

2 양분의 이동(밤) 엽록체에 저장된 녹말은 물에 잘 녹는 **❷** [   ]으로 바뀌어 주로 밤에 체관을 통해 각 기관으로 이동한다.

3 양분의 이동 통로 확인 나무줄기의 껍질을 고리 모양으로 둥글게 벗겨 내면 벗겨 낸 부분의 위쪽이 부풀어 오르고 위쪽의 열매가 크게 자란다. ➡ 체관이 제거되어 광합성으로 만들어진 양분이 아래쪽으로 이동하지 못하기 때문이다.

❶ 녹말 **❷** 설탕

확인Q 6 광합성으로 만들어진 포도당은 낮 동안에 ㉠ (   )로 바뀌어 ㉡ (   )에 저장된다.

개념 **7** 광합성 산물의 이용과 저장

1 광합성 산물의 이용
- 생명 활동에 필요한 에너지원으로 이용
- 식물체의 구성 성분이 되어 식물이 **❶** [   ]하는 데 이용

2 광합성 산물의 저장 남은 양분은 다양한 형태로 저장 기관에 **❷** [   ]된다.
- 저장 기관: 뿌리, 줄기, 열매, 씨 등
- 저장 형태: 녹말, 설탕, 포도당, 단백질, 지방 등

녹말	설탕	포도당	단백질	지방
감자, 고구마, 벼 등	사탕수수, 사탕무 등	양파, 포도 등	콩 등	땅콩, 깨 등
▲감자	▲사탕수수	▲양파	▲콩	▲땅콩

❶ 생장 **❷** 저장

확인Q 7 각 식물에서 광합성으로 생성된 양분의 저장 형태를 쓰시오.

(1) 콩 (2) 포도 (3) 고구마

개념 **8** 광합성 산물의 생성, 이동, 이용, 저장

- 광합성 산물의 생성, 이동, 이용, 저장

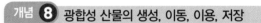

양분의 생성(낮)		양분의 이동	양분의 저장
❶ [ ] ➡ 녹말		**❷** [ ] ➡	포도당, 설탕, 녹말, 단백질, 지방 등 다양한 형태
(최초 산물) (엽록체)		(체관)	(뿌리, 줄기, 열매, 씨 등)

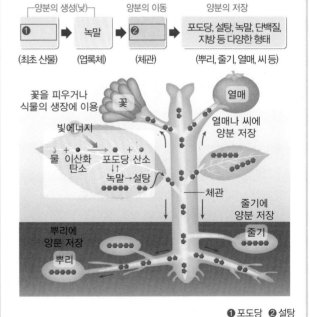

❶ 포도당 **❷** 설탕

확인Q 8 식물체 내에서 다음의 물질이 이동하는 통로를 각각 쓰시오.

(1) 물 (2) 설탕

1 광합성에 대한 설명으로 옳은 것을 |보기|에서 모두 고른 것은?

┌ 보기 ┐
ㄱ. 광합성은 빛이 있을 때 일어난다.
ㄴ. 광합성은 식물의 엽록체에서 일어난다.
ㄷ. 광합성 결과 물과 이산화 탄소가 생성된다.
ㄹ. 광합성 결과 생성되는 최초의 양분은 포도당이다.

① ㄱ, ㄴ　　　　② ㄴ, ㄷ　　　　③ ㄱ, ㄴ, ㄷ
④ ㄱ, ㄴ, ㄹ　　⑤ ㄴ, ㄷ, ㄹ

문제 해결 전략

식물이 ❶ 를 이용하여 이산화 탄소와 물을 원료로 ❷ (양분)을 만드는 과정을 광합성이라고 한다.

답 ❶빛에너지 ❷포도당

---

2 그림은 이산화 탄소의 농도와 온도가 일정할 때 빛의 세기와 광합성량의 관계를 나타낸 것이다. 이에 대한 설명으로 옳은 것을 |보기|에서 모두 고른 것은?

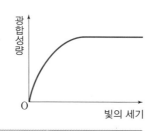

┌ 보기 ┐
ㄱ. 빛의 세기가 세질수록 광합성량은 계속 증가한다.
ㄴ. 빛의 세기가 세질수록 잎에서 이산화 탄소가 더 많이 방출된다.
ㄷ. 이산화 탄소의 농도에 따른 광합성량의 관계를 나타내는 그래프도 이와 비슷한 형태로 나타난다.

① ㄱ　　　　② ㄴ　　　　③ ㄷ
④ ㄱ, ㄴ　　⑤ ㄴ, ㄷ

문제 해결 전략

빛의 세기가 세질수록 광합성량이 ❶ 하지만, 일정 세기 이상이 되면 광합성량은 ❷ 해진다.

답 ❶증가 ❷일정

---

3 그림은 식물 잎의 기공이 열리고 닫힌 모습을 나타낸 것이다. 이에 대한 설명으로 옳은 것을 |보기|에서 모두 고르시오.

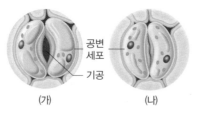

┌ 보기 ┐
ㄱ. 빛이 강할 때 기공은 (가)의 상태가 된다.
ㄴ. 증산 작용은 (나)의 상태에서 일어난다.
ㄷ. (가)는 기공이 열린 상태, (나)는 기공이 닫힌 상태이다.
ㄹ. 공변세포에는 엽록체가 있어 광합성이 일어난다.

문제 해결 전략

증산 작용은 잎의 기공을 통해 식물체 내의 물이 ❶ 의 상태로 공기 중으로 빠져나가는 현상으로, ❷ 가 기공을 열고 닫아 증산 작용을 조절한다.

답 ❶수증기 ❷공변세포

8강_식물의 호흡과 광합성 산물의 이용

4 식물의 호흡에 대한 설명으로 옳지 <u>않은</u> 것은?

① 호흡은 항상 일어난다.

② 호흡은 엽록체에서 일어난다.

③ 식물의 호흡에 산소가 이용된다.

④ 식물은 호흡을 통해 에너지를 얻는다.

⑤ 호흡은 광합성과 기체 출입이 반대로 일어난다.

문제 해결 전략

호흡은 세포에서 양분을 분해하여 생명 활동에 필요한 **❶**를 얻는 과정으로, 광합성이 **❷**가 있는 세포에서만 일어나는 것과 달리 모든 살아 있는 세포에서 일어난다.

답 ❶ 에너지 ❷ 엽록체

5 그림은 낮 동안에 일어나는 식물의 기체 교환을 나타낸 것이다. 이에 대한 설명으로 옳은 것을 |보기|에서 모두 고른 것은?

보기
ㄱ. 낮에는 광합성과 호흡이 모두 일어난다.

ㄴ. 빛이 강하므로 호흡량이 광합성량보다 많다.

ㄷ. 광합성으로 발생한 산소의 일부는 호흡의 원료로 이용된다.

ㄹ. 낮에는 광합성만 일어나므로 잎을 통해 산소만 방출하고 이산화 탄소를 흡수한다.

① ㄱ, ㄷ   ② ㄴ, ㄷ   ③ ㄷ, ㄹ

④ ㄱ, ㄴ, ㄷ   ⑤ ㄴ, ㄷ, ㄹ

문제 해결 전략

빛이 강한 낮에는 식물에서 광합성과 호흡이 일어나는데 광합성량이 호흡량보다 많아 **❶**를 흡수하고 **❷**를 방출한다.

답 ❶ 이산화 탄소 ❷ 산소

6 다음은 광합성 산물의 이동과 저장에 대한 설명이다. 빈칸에 알맞은 말을 옳게 짝 지은 것은?

광합성 결과 최초로 만들어지는 양분인 ㉠ (　　　)은 ㉡ (　　　)(으)로 바뀌어 엽록체에 일시적으로 저장된다. 물에 잘 녹지 않는 ㉡ (　　　)은 물에 잘 녹는 ㉢ (　　　)으로 전환되어 주로 밤에 식물의 각 기관으로 운반된다.

	㉠	㉡	㉢		㉠	㉡	㉢
①	설탕	녹말	포도당	②	녹말	설탕	포도당
③	녹말	포도당	설탕	④	포도당	설탕	녹말
⑤	포도당	녹말	설탕				

문제 해결 전략

포도당과 달리 **❶**은 다른 물질과 화학 반응을 일으킬 가능성이 낮고 안정적이다. 따라서 밤에 **❷**을 따라 이동할 때는 물에 녹으면서 반응성이 작고 안정적인 설탕의 형태로 이동한다.

답 ❶ 설탕 ❷ 체관

대표 기출 ①
| 광합성 과정 |

그림은 광합성 과정을 나타낸 것이다.

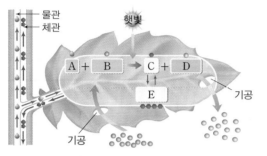

이에 대한 설명으로 옳지 않은 것을 모두 고르면? [정답 2개]

① A는 뿌리에서 흡수되어 체관을 통해 잎까지 이동한다.

② B는 공기 중에서 잎의 기공을 통해 흡수된다.

③ C는 광합성에 의해 최초로 만들어지는 물질이다.

④ C는 아이오딘 반응에 의해 청람색을 띤다.

⑤ C는 E로 바뀌어 엽록체에 일시적으로 저장된다.

⑥ D는 식물체에서 사용되거나 공기 중으로 방출된다.

Tip 아이오딘 반응에 의해 청람색을 띠는 것은 녹말이다.

풀이 A: 물, B: 이산화 탄소, C: 포도당, D: 산소, E: 녹말
① 물(A)은 뿌리를 통해 흡수되어 물관을 통해 잎까지 이동한다.
④ 아이오딘 반응에 의해 청람색을 띠는 것은 녹말(E)이다. 포도당(C)은 베네딕트 반응에 의해 황적색으로 변한다. **답** ①, ④

①-1 그림은 광합성 과정을 나타낸 것이다.

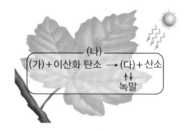

이에 대한 설명으로 옳은 것을 | 보기 |에서 모두 고르시오.

┌─ 보기 ─────────────────────────
ㄱ. (가)는 물로, 식물의 뿌리를 통해 흡수된다.
ㄴ. 광합성이 일어나는 장소인 (나)는 엽록체이다.
ㄷ. (다)는 설탕으로, 광합성 결과 생성된다.
└──────────────────────────────

대표 기출 ②
| 광합성 산물 확인 |

그림은 광합성 산물을 확인하는 실험을 나타낸 것이다.

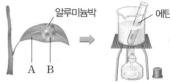

잎의 일부분을 알루미늄박으로 가린 후 햇빛이 잘 비치는 곳에 둔다. 다음날 잎을 따서 에탄올에 넣고 물중탕을 한다. 물로 씻은 잎을 아이오딘-아이오딘화 칼륨 용액에 담근다.

이 실험에 대한 설명으로 옳지 않은 것을 모두 고르면? [정답 2개]

① 알루미늄박은 빛을 더 잘 흡수하도록 돕는다.

② 광합성 결과 포도당이 만들어진다는 것을 알 수 있다.

③ 광합성은 빛이 있을 때만 일어난다는 것을 알 수 있다.

④ 식물의 잎을 에탄올에 넣고 물중탕하는 까닭은 엽록소를 제거하기 위해서이다.

⑤ 아이오딘-아이오딘화 칼륨 용액에 잎을 담그는 까닭은 녹말을 확인하기 위해서이다.

Tip 이 실험을 통해 빛이 있을 때만 엽록체에서 광합성이 일어난다는 것을 알 수 있다.

풀이 ① 알루미늄박은 빛을 차단하기 위한 것이다.
② 알루미늄박으로 가리지 않은 잎의 부위가 아이오딘 반응에 의해 청람색으로 변한 것으로 보아 광합성 결과 녹말이 만들어진다는 것을 알 수 있다.
④ 잎을 에탄올에 넣고 물중탕하는 까닭은 엽록소를 제거하여 아이오딘 반응으로 나타나는 색깔 변화를 선명하게 관찰하기 위해서이다.
⑤ 녹말은 아이오딘-아이오딘화 칼륨 용액과 반응하여 청람색을 띤다. **답** ①, ②

②-1 위 실험에서 아이오딘-아이오딘화 칼륨 용액에 담근 잎의 A와 B 부분을 각각 현미경으로 관찰하였더니 그림과 같이 나타났다.

(가)   (나)

(1) (가)와 (나) 중 B 부분에 해당하는 것을 쓰시오.

(2) 청람색으로 변한 ㉠의 이름을 쓰시오.

대표 기출 ❸ | 광합성에 필요한 요소 |

파란색 BTB 용액에 숨을 불어 넣어 노란색으로 만든 뒤 그림과 같이 장치하고, 햇빛이 잘 비치는 창가에 3시간 정도 둔 다음 색깔 변화를 관찰하였다.

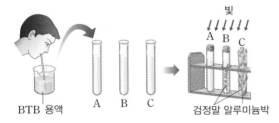

이에 대한 설명으로 옳은 것을 모두 고르면? [정답 2개]

① 시험관 A는 파란색으로 변한다.
② 시험관 B에서는 이산화 탄소가 감소하여 용액의 색깔이 파란색으로 변한다.
③ 시험관 B에서는 광합성 작용만 일어난다.
④ 시험관 C는 색깔 변화가 없다.
⑤ 시험관 C에서는 산소가 감소하여 용액의 색깔이 초록색으로 변한다.

Tip BTB 용액 속에 이산화 탄소가 많으면 용액이 산성이 되어 노란색을 띠고, 이산화 탄소가 적으면 용액이 염기성이 되어 파란색을 띤다.

풀이 ① 시험관 A는 아무 변화가 일어나지 않으므로 색깔 변화가 없다.
② 시험관 B에서는 검정말이 광합성을 하여 이산화 탄소를 사용하여 BTB 용액 속의 이산화 탄소가 감소하므로 BTB 용액의 색깔이 파란색으로 변한다.
③ 시험관 B에서는 광합성과 호흡이 모두 일어난다.
④, ⑤ 시험관 C는 햇빛이 차단되어 검정말이 광합성을 하지 않고 호흡만 하므로 산소가 감소하고 이산화 탄소가 증가하므로 색깔 변화가 없다.
답 ②, ④

❸-1 위 실험을 통해 알 수 있는 광합성에 필요한 요소를 옳게 짝 지은 것은?

① 물, 빛
② 포도당, 산소
③ 물, 이산화 탄소
④ 빛, 이산화 탄소
⑤ 산소, 이산화 탄소

대표 기출 ❹ | 빛의 세기와 광합성 |

그림과 같이 장치하고 전등 빛의 밝기를 달리하면서 1분 동안 검정말에서 발생하는 기포 수를 측정하였다. 이에 대한 설명으로 옳은 것을 모두 고르면? [정답 3개]

① 기포 수는 상대적인 광합성량을 의미한다.
② 기포는 검정말의 광합성 결과 발생한 이산화 탄소이다.
③ 탄산수소 나트륨 수용액은 산소를 공급하기 위한 것이다.
④ 빛의 세기가 일정 세기 이상이 되면 발생하는 기포 수가 급격히 증가한다.
⑤ 빛의 밝기 대신 검정말과 전등 사이의 거리를 조절해도 같은 결과를 얻을 수 있다.
⑥ 발생하는 기포가 모인 시험관에 꺼져가는 성냥불을 넣으면 다시 타오른다.

Tip 이 실험은 빛의 세기에 따른 광합성량의 변화를 알아보는 실험이다.

풀이 ①, ②, ⑥ 기포는 검정말의 광합성 결과 발생한 산소로, 기포 수는 상대적인 광합성량을 의미한다. 산소는 다른 물질이 타는 것을 돕는 성질이 있다.
③ 탄산수소 나트륨 수용액은 이산화 탄소를 공급하기 위한 것이다.
④ 빛의 세기가 일정 세기 이상이 되면 발생하는 기포 수는 일정해진다.
⑤ 검정말과 전등 사이의 거리를 다르게 해도 빛의 세기를 조절할 수 있다.
답 ①, ⑤, ⑥

❹-1 그림은 위 실험 결과를 그래프로 나타낸 것이다.

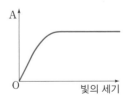

A에 알맞은 것을 |보기|에서 모두 고르시오.

┌─ 보기 ─────────────────────────────┐
│ ㄱ. 기포 수   ㄴ. 광합성량   ㄷ. 산소 발생량 │
└───────────────────────────────────┘

대표 기출 ⑤
|광합성에 영향을 미치는 환경 요인|

그림은 식물의 광합성량에 영향을 미치는 환경 요인과 광합성량의 관계를 그래프로 나타낸 것이다.

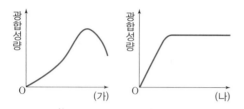

이에 대한 설명으로 옳은 것을 모두 고르면? [정답 2개]

① (가)에 알맞은 환경 요인은 빛의 세기이다.

② (나)에 알맞은 환경 요인은 온도이다.

③ 빛의 세기와 광합성량은 항상 비례한다.

④ 일정 온도 이상에서는 광합성량이 급격히 감소한다.

⑤ 이산화 탄소의 농도가 증가할수록 광합성량이 증가하다가 일정 농도 이상에서는 더 이상 증가하지 않는다.

Tip 광합성에 영향을 미치는 환경 요인에는 빛의 세기, 이산화 탄소의 농도, 온도가 있다.

풀이 ① (가)에 알맞은 환경 요인은 온도이다.

② (나)에 알맞은 환경 요인은 빛의 세기와 이산화 탄소의 농도이다.

③ 빛의 세기가 셀수록 광합성량이 증가하다가 일정 세기 이상이 되면 광합성량이 일정해진다.

④ 온도가 높을수록 광합성량이 증가하지만, 일정 온도 이상에서는 광합성에 관여하는 효소가 변성되어 광합성량이 급격하게 감소한다.

⑤ 일정 농도까지는 이산화 탄소의 농도와 광합성량이 비례하지만, 일정 농도 이상에서는 광합성량이 더 이상 증가하지 않고 일정하게 유지된다.

답 ④, ⑤

⑤-1 그림은 이산화 탄소의 농도에 따른 광합성량의 변화를 나타낸 것이다. 이에 대한 설명으로 옳은 것을 |보기|에서 모두 고르시오.

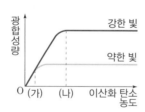

┌ 보기 ┐
ㄱ. 이산화 탄소의 농도와 광합성량은 반비례한다.

ㄴ. (가) 이상에서는 빛의 세기가 약할 때보다 빛의 세기가 강할 때 광합성이 더 활발하게 일어난다.

ㄷ. (나)에서는 빛의 세기보다 이산화 탄소의 농도의 영향을 더 많이 받는다.
└────────────────┘

대표 기출 ⑥
|공변세포와 증산 작용|

그림은 식물 잎의 표피를 얇게 벗겨 관찰한 세포를 나타낸 것이다. 이에 대한 설명으로 옳지 않은 것을 모두 고르면? [정답 2개]

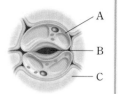

① A는 공변세포, B는 기공, C는 표피 세포이다.

② A의 세포벽은 기공 쪽보다 바깥쪽이 더 두껍다.

③ A의 모양에 따라 B가 열리고 닫힌다.

④ A에서 C 쪽으로 물이 들어가면 기공이 열린다.

⑤ B가 열릴 때 증산 작용이 일어난다.

⑥ B는 잎의 앞면보다는 뒷면에서 많이 관찰된다.

⑦ B는 산소와 이산화 탄소가 드나들고, 물이 수증기 상태로 빠져나가는 통로이다.

Tip 공변세포가 기공을 열고 닫아 증산 작용을 조절한다.

풀이 A는 공변세포, B는 기공, C는 표피 세포이다.

② 공변세포는 기공 쪽의 세포벽이 바깥쪽의 세포벽보다 두꺼워 물이 들어오면 바깥쪽이 더 늘어나 공변세포가 바깥쪽으로 휜다.

④ 공변세포의 엽록체에서 광합성이 일어나면 공변세포 내의 농도가 증가하여 주위 세포에서 공변세포로 물이 들어와 공변세포가 팽창하면서 공변세포가 바깥쪽으로 활처럼 휘게 되어 기공이 열린다.

답 ②, ④

⑥-1 그림은 현미경으로 공변세포를 관찰한 것이다.

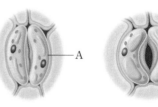

이에 대한 설명으로 옳지 않은 것은?

① A는 공변세포로, 엽록체가 있다.

② (가)와 같은 상태에서 식물의 증산 작용은 일어나지 않는다.

③ 증산 작용은 (나) 상태일 때 일어난다.

④ (가)는 밤에, (나)는 낮에 주로 관찰된다.

⑤ 낮에는 호흡만 일어나고 기공이 (가)와 같이 닫혀 증산 작용이 일어나지 않는다.

대표 기출 **7** | 증산 작용 |

증산 작용에 대한 설명으로 옳지 <u>않은</u> 것을 모두 고르면?

[정답 2개]

① 식물체 내의 수분량을 조절한다.

② 밤보다 낮에 활발하게 일어난다.

③ 공변세포로 둘러싸인 기공을 통해 일어난다.

④ 대부분 잎의 앞면보다 뒷면에서 활발하게 일어난다.

⑤ 증산 작용은 환경 조건과 관계없이 항상 일정하다.

⑥ 식물체의 물이 수증기 상태로 빠져나가는 현상이다.

⑦ 공변세포가 기공을 열고 닫아 증산 작용을 조절한다.

⑧ 물이 증발할 때 주변의 열을 흡수하므로 식물과 주변의 온도를 높인다.

⑨ 뿌리에서 흡수된 물이 줄기를 거쳐 잎까지 상승할 수 있는 힘을 제공한다.

Tip 증산 작용은 기공을 통해 식물체 내의 물이 수증기 상태로 빠져나가는 현상이다.

풀이 ⑤ 증산 작용은 빛이 강할 때, 습도가 낮을 때, 바람이 잘 불 때, 온도가 높을 때 활발하게 일어난다.
⑧ 증산 작용은 물이 증발할 때 주변의 열을 빼앗으므로 식물과 주변의 온도를 낮춘다.

답 ⑤, ⑧

대표 기출 **8** | 증산 작용 |

눈금실린더 (가)~(다)에 같은 양의 물을 넣고 그림과 같이 장치하여 햇빛이 잘 드는 창가에 일정 시간 동안 두었다.

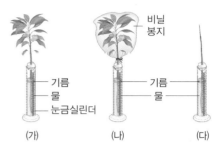

이 실험에 대한 설명으로 옳지 <u>않은</u> 것은?

① 증산 작용은 (가)에서 가장 활발하게 일어난다.

② (나)의 비닐봉지 안에는 물방울이 맺힌다.

③ 남아 있는 물의 양은 (가)>(나)>(다)이다.

④ 증산 작용이 잎에서 일어남을 알 수 있다.

⑤ 기름은 눈금실린더의 물이 자연 증발하는 것을 막기 위해 넣은 것이다.

Tip 이 실험은 증산 작용을 확인하는 실험이다.

풀이 ①, ②, ③ 잎에서 증산 작용이 일어나므로 (가)에서 증산 작용이 가장 활발하게 일어나며, (나)는 비닐봉지 안에서 증산 작용으로 방출된 수증기가 모여 습도가 높아져 증산 작용이 점차 줄어든다. 잎이 없는 (다)에서는 증산 작용이 일어나지 않아 수면의 변화가 거의 없다.
④ (가)와 (다)를 비교하면 증산 작용이 잎에서 일어남을 알 수 있다.
⑤ 기름은 물이 자연 증발하지 못하도록 넣은 것이다.

답 ③

7-1 증산 작용에 대한 설명으로 옳은 것을 |보기|에서 모두 고른 것은?

┌─ 보기 ┐

ㄱ. 식물체의 온도가 올라가는 것을 방지한다.

ㄴ. 뿌리에서 흡수한 물과 무기 양분을 잎까지 상승시키는 원동력이다.

ㄷ. 식물체 내의 수분이 공기 중으로 빠져나가지 못하게 하여 무기 양분을 농축한다.

ㄹ. 식물체 내의 수분량이 많으면 기공을 열고, 적으면 기공을 닫아 일정 수준의 수분량을 유지한다.

└────────┘

① ㄱ, ㄴ   ② ㄴ, ㄷ   ③ ㄷ, ㄹ

④ ㄱ, ㄴ, ㄹ   ⑤ ㄴ, ㄷ, ㄹ

8-1 눈금실린더 (가)~(라)에 같은 양의 물을 넣고 그림과 같이 장치하여 햇빛이 잘 비치는 곳에 일정 시간 동안 두었다.

(1) 빛이 증산 작용에 미치는 효과를 알아보기 위해 비교해야 할 눈금실린더를 쓰시오.

(2) 바람이 증산 작용에 미치는 효과를 알아보기 위해 비교해야 할 눈금실린더를 쓰시오.

(3) 물이 가장 많이 줄어드는 눈금실린더를 쓰시오.

1 그림은 식물의 광합성 과정을 나타낸 것이다.

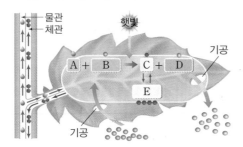

이에 대한 설명으로 옳지 <u>않은</u> 것은?

① A는 물관을 통해 공급되는 물이다.

② B는 잎의 기공을 통해 흡수된 이산화 탄소이다.

③ C는 광합성 결과 생성되는 포도당이다.

④ D는 석회수를 뿌옇게 흐리게 하는 물질이다.

⑤ E는 아이오딘-아이오딘화 칼륨 용액과 반응하여 청람색을 나타낸다.

> **Tip** 광합성은 식물이 ❶ ☐ 를 이용하여 물과 이산화 탄소를 원료로 포도당과 ❷ ☐ 를 만드는 과정이다.
>
> **답** ❶빛에너지 ❷산소

2 광합성에 대한 설명으로 옳은 것을 |보기|에서 모두 고르시오.

┌ 보기 ┐
ㄱ. 광합성의 에너지원인 빛에너지를 흡수하는 색소는 엽록소이다.

ㄴ. 광합성 결과 생성된 산소는 모두 기공을 통해 바깥으로 방출된다.

ㄷ. 광합성으로 생성된 녹말은 포도당으로 바뀌어 엽록체에 저장된다.
└────────┘

> **Tip** 광합성 산물 중 산소는 일부 ❶ ☐ 에 이용되고 나머지는 ❷ ☐ 을 통해 방출된다.   **답** ❶호흡 ❷기공

3 초록색 BTB 용액에 입김을 불어 넣은 후 네 개의 시험관 A~D에 나누어 담아 그림과 같이 장치하고, 시험관 B만 알코올램프로 가열한 후 모두 햇빛이 잘 비치는 곳에 두었다.

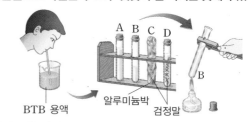

이에 대한 설명으로 옳은 것은?

① 초록색 BTB 용액에 입김을 불어 넣으면 날숨의 이산화 탄소가 녹아 들어가 파란색으로 변한다.

② 시간이 지난 후 B와 D는 파란색으로 변한다.

③ C는 초록색으로 변한다.

④ C에서는 검정말이 이산화 탄소를 흡수한다.

⑤ C와 D를 비교하여 광합성에 산소가 필요하다는 것을 알 수 있다.

> **Tip** BTB 용액은 산성일 때 ❶ ☐ , 중성일 때 초록색, 염기성일 때 ❷ ☐ 을 나타낸다.   **답** ❶노란색 ❷파란색

4 시금치 잎 조각을 1 % 탄산수소 나트륨 수용액이 담긴 비커에 가라앉히고 그림과 같이 장치한 후 전등이 켜진 개수를 달리하면서 시금치 잎 조각이 모두 떠오르는 데 걸리는 시간을 측정하였다. 단, 전등은 열을 내지 않는다.

발광 다이오드
(LED) 전등
비커
1 % 탄산수소
나트륨 수용액
시금치 잎 조각

이에 대한 설명으로 옳은 것을 ┃보기┃에서 모두 고르시오.

┌─ 보기 ┐
ㄱ. 잎 조각이 떠오르는 까닭은 잎에서 광합성이 일어나 산소가 발생하기 때문이다.
ㄴ. 전등이 켜진 개수가 늘어날수록 잎 조각이 모두 떠오르는 데 걸리는 시간은 짧아진다.
ㄷ. 탄산수소 나트륨 수용액을 사용하는 까닭은 이산화 탄소를 충분히 공급하기 위해서이다.
└─────┘

① ㄱ   ② ㄴ   ③ ㄷ
④ ㄱ, ㄴ   ⑤ ㄱ, ㄴ, ㄷ

Tip) 시금치 잎 조각에 빛을 비추면 **❶**   이 일어나 **❷**   가 발생한다.   답 **❶**광합성 **❷**산소

5 식물을 그림과 같이 장치하고 햇빛이 비치는 곳에 두었다. 시간이 지남에 따라 비닐봉지에 맺히는 물방울의 양을 그래프로 옳게 나타낸 것은?

비닐봉지

①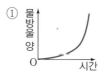
물방울 양 / 시간

②
물방울 양 / 시간

③
물방울 양 / 시간

④
물방울 양 / 시간

⑤
물방울 양 / 시간

Tip) 식물의 잎에서 **❶**   작용이 일어나면 기공을 통해 물이 수증기 상태로 빠져나와 주위의 **❷**   가 점점 높아진다.   답 **❶**증산 **❷**습도

6 눈금실린더 (가)~(라)에 같은 양의 물을 넣고 그림과 같이 장치하여 햇빛이 잘 비치는 곳에 일정 시간 동안 두었다.

(가)   (나)   (다)   (라)
선풍기
기름
물

증산 작용에 영향을 미치는 요인과 그에 따라 비교할 눈금실린더를 옳게 짝 지은 것은?

	영향을 미치는 요인	비교할 눈금실린더
①	잎의 유무	(가)와 (나)
②	잎의 수	(가)와 (다)
③	온도	(가)와 (라)
④	습도	(나)와 (라)
⑤	바람	(다)와 (라)

Tip) 증산 작용은 빛이 **❶**   하고 온도가 **❷**   으며 바람이 잘 불 때 잘 일어난다.   답 **❶**강 **❷**높

대표 기출 1 | 식물의 호흡 |

식물의 호흡에 관한 설명으로 옳지 않은 것을 모두 고르면?
[정답 3개]

① 하루 중 밤에만 일어난다.

② 살아 있는 모든 세포에서 일어난다.

③ 낮에는 광합성량이 호흡량보다 많다.

④ 식물의 호흡에는 이산화 탄소가 필요하다.

⑤ 생활하는 데 필요한 에너지를 얻는 과정이다.

⑥ 호흡은 광합성과 기체 출입이 반대로 일어난다.

⑦ 호흡으로 생성된 산소는 광합성에 이용되거나 공기 중으로 방출된다.

Tip 식물의 호흡은 양분을 분해하여 생명 활동에 필요한 에너지를 얻는 과정이다.

풀이 ① 식물의 호흡은 빛의 유무와 관계없이 항상 일어난다.
④ 식물의 호흡에는 산소가 필요하다.
⑦ 호흡으로 생성된 이산화 탄소는 광합성에 이용되거나 공기 중으로 방출된다.

답 ①, ④, ⑦

1-1 식물이 호흡을 하는 궁극적인 목적으로 가장 옳은 것은?

① 양분을 합성하기 위해서이다.

② 양분을 분해하기 위해서이다.

③ 증산 작용을 하기 위해서이다.

④ 살아가는 데 필요한 에너지를 얻기 위해서이다.

⑤ 광합성에 필요한 이산화 탄소를 얻기 위해서이다.

대표 기출 2 | 호흡의 산물 확인 실험 |

다음은 호흡 결과 발생한 기체를 확인하기 위한 실험이다.

| 실험 과정 |

(가) 빈 페트병 2개를 준비하여 페트병 A에만 시금치를 넣는다.

(나) 두 페트병을 밀봉하여 어두운 곳에 놓아둔다.

(다) 2~3시간 후 핀치 집게를 열어 각 페트병 속의 공기를 석회수에 통과시키고 나타나는 변화를 관찰한다.

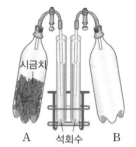

이에 대한 설명으로 옳은 것을 모두 고르면? [정답 2개]

① 석회수는 이산화 탄소를 검출하는 데 사용한다.

② 시금치의 호흡으로 산소가 발생하였음을 알 수 있다.

③ 페트병 A의 시금치에서 광합성과 호흡이 모두 일어난다.

④ 이 실험을 통해 식물의 호흡에는 이산화 탄소가 필요함을 알 수 있다.

⑤ 페트병을 어두운 곳에 두는 까닭은 광합성은 일어나지 않고 호흡만 일어나게 하기 위해서이다.

Tip 석회수는 이산화 탄소와 반응하면 탄산 칼슘 앙금이 생겨 뿌옇게 흐려진다.

풀이 ② 페트병 A의 기체가 통과한 석회수가 뿌옇게 흐려지는 것을 통해 시금치의 호흡으로 이산화 탄소가 발생한다는 것을 알 수 있다.
③ 빛이 없는 곳에 두었으므로 광합성은 일어나지 않는다.
④ 이 실험을 통해 식물의 호흡 결과 이산화 탄소가 발생함을 알 수 있다.

답 ①, ⑤

2-1 위 실험에서 ㉠ 석회수에 페트병 속의 공기를 통과시켰을 때 뿌옇게 변하는 페트병의 기호와 ㉡ 페트병 속에서 발생한 기체의 이름을 쓰시오

대표 기출 ③　　　| 하루 동안 식물의 기체 교환 |

그림은 맑은 날 하루 동안에 같은 식물에서 일어난 기체 출입을 나타낸 것이다.

이에 대한 설명으로 옳은 것을 모두 고르면? [정답 3개]

① 호흡만 일어나는 시기는 (가)이다.

② (나)의 광합성량과 호흡량은 같다.

③ (나)는 전체적으로 봤을 때 기체 출입이 없는 것처럼 보인다.

④ 광합성이 가장 활발한 시기는 (다)이다.

⑤ (가)와 (나)에서는 광합성과 호흡이 모두 일어난다.

⑥ (가)는 밤, (나)는 아침과 저녁, (다)는 낮에 일어나는 기체 교환이다.

Tip　광합성량과 호흡량이 같으면 식물 전체로는 기체 출입이 없는 것처럼 보인다.

풀이　(가)는 이산화 탄소를 흡수하고 산소를 방출하므로 광합성량이 호흡량보다 많은 낮이다. (나)는 광합성량과 호흡량이 같은 아침이나 저녁이다. (다)는 산소를 흡수하고 이산화 탄소를 방출하므로 호흡만 일어나는 밤이다.

① 호흡만 일어나는 시기는 (다)이다.

③ (나)에서는 광합성량과 호흡량이 같아 식물 전체로는 기체 출입이 없는 것처럼 보이지만 실제로는 기체 출입이 있다.

④ (가)~(다) 중 광합성이 가장 활발하게 일어나는 시기는 (가)이다.

답 ②, ③, ⑤

대표 기출 ④　　　| 광합성과 호흡의 비교 |

식물의 광합성과 호흡에 대한 설명으로 옳은 것을 모두 고르면? [정답 3개]

① 호흡은 빛이 있을 때만 일어난다.

② 호흡으로 광합성 결과 생성된 포도당이 분해된다.

③ 광합성은 모든 살아 있는 세포에서, 호흡은 엽록체에서 일어난다.

④ 호흡은 이산화 탄소를 흡수하고 산소를 방출하는 과정이다.

⑤ 광합성은 빛에너지를 흡수해서 포도당을 합성하는 과정이다.

⑥ 광합성은 낮과 밤에 관계없이 일어나지만, 호흡은 밤에만 일어난다.

⑦ 광합성은 양분을 만들어 에너지를 저장하고, 호흡은 양분을 분해하여 에너지를 얻는 과정이다.

Tip　호흡의 궁극적인 목적은 생명 활동에 필요한 에너지를 얻는 것이다.

풀이　① 호흡은 낮과 밤 구분 없이 항상 일어난다.

③ 광합성은 엽록체에서, 호흡은 식물의 모든 살아 있는 세포(미토콘드리아)에서 일어난다.

④ 호흡은 산소를 흡수하고 이산화 탄소를 방출하는 과정이다.

⑥ 광합성은 빛이 있는 낮에만 일어나고, 호흡은 낮과 밤에 관계없이 항상 일어난다.

답 ②, ⑤, ⑦

③-1 그림은 낮과 밤 동안 식물에서 A, B, C 작용이 일어날 때의 기체 출입을 나타낸 것이다. A, B, C는 각각 호흡과 광합성 중 하나이고, (가)~(라)는 기체이다.

(가)~(라)와 A~C는 각각 무엇인지 쓰시오.

④-1 광합성과 호흡을 비교한 내용으로 옳지 <u>않은</u> 것은?

	구분	광합성	호흡
①	시기	빛이 있을 때	항상
②	장소	엽록체	살아 있는 모든 세포 (미토콘드리아)
③	재료	이산화 탄소, 물	산소, 포도당
④	양분	합성	분해
⑤	에너지	생성	저장

대표 기출 5 | 광합성과 호흡 |

초록색 BTB 용액을 5개의 시험관에 나누어 넣고, 그림과 같이 장치하여 햇빛이 잘 드는 곳에 둔 후 3시간 정도 지나고 나서 BTB 용액의 색깔 변화를 관찰하였다.

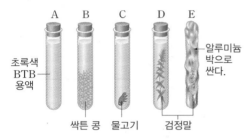

이에 대한 설명으로 옳은 것을 모두 고르면? [정답 2개]

① A는 노란색으로 변한다.

② B는 콩의 광합성 결과 발생한 산소에 의해 BTB 용액이 초록색에서 노란색으로 변한다.

③ C는 물고기의 호흡 결과 발생한 이산화 탄소에 의해 BTB 용액이 파란색으로 변한다.

④ D에서는 검정말의 광합성과 호흡이 모두 일어난다.

⑤ E는 검정말의 호흡으로 발생한 이산화 탄소에 의해 노란색으로 변한다.

Tip BTB 용액에 이산화 탄소가 많아지면 용액이 산성이 되어 노란색을 띠게 된다.

풀이 ① 시험관 A는 아무런 처리를 하지 않았으므로 BTB 용액의 색깔 변화가 없다.
② 시험관 B의 BTB 용액은 콩의 호흡 결과 발생한 이산화 탄소에 의해 초록색에서 노란색으로 변한다.
③ 시험관 C의 BTB 용액은 물고기의 호흡 결과 발생한 이산화 탄소에 의해 초록색에서 노란색으로 변한다. 답 ④, ⑤

5-1 파란색 BTB 용액에 입김을 불어 넣어 노란색이 되게 한 후 그림과 같이 장치하여 빛이 잘 비치는 곳에 3시간 정도 두었다. BTB 용액이 파란색으로 변하는 시험관을 모두 골라 기호를 쓰시오.

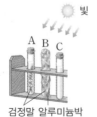

대표 기출 6 | 광합성과 호흡 |

밀폐된 3개의 유리종 속에 각각 촛불을 넣고, (나)와 (다)에는 식물을 함께 넣었다. 이때 (다)에는 빛을 비추지 않고 (나)에만 빛을 비추었다.

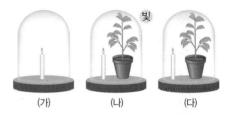

이에 대한 설명으로 옳은 것을 모두 고르면? [정답 2개]

① 식물의 광합성에는 빛이 필요함을 알 수 있다.

② (가)는 (다)보다 빨리 촛불이 꺼질 것이다.

③ 촛불이 가장 오래 타는 것은 (나)이다.

④ (다)에서는 광합성 결과 산소를 생성한다.

⑤ 식물의 호흡은 빛이 없는 (다)에서만 일어난다.

Tip 촛불의 연소와 식물의 호흡에는 산소가 필요하다.

풀이 ② (다)는 식물이 호흡만 하기 때문에 산소를 소모하고, 촛불이 연소되면서 산소를 소모하기 때문에 (가)보다 더 빨리 촛불이 꺼진다.
③ (나)에서는 식물의 광합성에 의해 산소가 생성되므로 다른 유리종에 비해 촛불이 오래 탄다.
④ (다)에서는 빛이 없으므로 식물의 광합성이 일어나지 않고 호흡만 일어나기 때문에 이산화 탄소를 생성한다.
⑤ 식물의 호흡은 빛에 상관없이 항상 일어난다. 답 ①, ③

6-1 두 유리종 속에 각각 식물과 쥐를 넣고 그림과 같이 실험하였더니 햇빛에 놓아둔 경우에만 쥐가 살아남았다.

이에 대한 설명으로 옳은 것을 | 보기 |에서 모두 고르시오.

┌ 보기 ┐
ㄱ. 식물의 호흡에는 반드시 빛이 필요하다.

ㄴ. (가)의 쥐는 식물의 광합성 결과 방출된 산소를 이용하여 호흡한다.

ㄷ. (나)의 어둠상자 속 쥐가 오래 살지 못하는 까닭은 호흡에 필요한 산소를 공급받지 못해서이다.

대표 기출 **7** | 광합성 산물의 생성과 이동 |

광합성 산물의 생성과 이동에 대한 설명으로 옳은 것을 모두 고르면? [정답 2개]

① 광합성 결과 생성된 최초의 양분은 포도당이다.

② 광합성으로 생성된 양분은 낮에 엽록체에 일시적으로 저장된다.

③ 광합성으로 생성된 양분의 이동 형태는 물에 잘 녹는 녹말이다.

④ 광합성 결과 생성된 양분은 물에 녹지 않는 형태인 설탕으로 전환된다.

⑤ 광합성으로 만들어진 양분은 주로 낮에 이동한다.

⑥ 광합성으로 생성된 양분은 물관을 통해 뿌리, 줄기, 열매 등 식물의 각 부분으로 이동한다.

Tip 광합성 산물은 주로 밤에 반응성이 작고 안정적인 설탕의 형태로 이동한다.

풀이 ③ 광합성 결과 생성된 포도당은 물에 녹지 않는 형태인 녹말로 전환되어 일시적으로 저장된다

④ 광합성으로 생성된 양분의 이동 형태는 물에 잘 녹는 설탕이다.

⑤ 광합성으로 만들어진 양분은 주로 밤에 이동한다.

⑥ 광합성으로 생성된 양분은 체관을 통해 뿌리, 줄기, 열매 등 식물의 각 부분으로 이동한다. **답** ①, ②

대표 기출 **8** | 광합성 산물의 이용과 저장 |

광합성으로 만들어진 양분에 대한 설명으로 옳지 않은 것을 모두 고르면? [정답 2개]

① 식물의 호흡에 이용된다.

② 식물이 생장하는 데 이용된다.

③ 식물의 에너지원으로 이용된다.

④ 식물의 구성 성분으로 이용된다.

⑤ 광합성에 의해 처음으로 생성된 양분은 녹말이다.

⑥ 식물에서 사용되고 남은 양분은 각 저장 기관에 녹말의 형태로만 저장된다.

⑦ 광합성으로 만들어진 양분은 사람을 비롯한 동물의 먹이가 되어 생명 활동에 필요한 에너지원이 된다.

Tip 광합성 결과 만들어진 양분은 호흡을 통해 생명 활동에 필요한 에너지를 얻는 데 이용되기도 한다.

풀이 ①~④ 광합성 결과 만들어진 양분은 식물의 여러 기관에서 호흡에 이용되거나 생장하는 조직과 기관의 성분으로 이용되고, 남은 양분은 저장 기관에 저장된다.

⑤ 광합성에 의해 처음으로 생성된 양분은 포도당이다.

⑥ 사용하고 남은 양분은 뿌리, 줄기, 열매, 씨 등의 저장 기관에 포도당, 단백질, 지방 등의 여러 형태로 저장된다. **답** ⑤, ⑥

7-1 다음은 광합성 산물의 생성과 이동에 대한 설명이다.

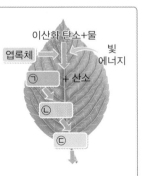

광합성에 의해 만들어지는 최초의 양분은 ㉠( )이다. ㉠( )은 ㉡( )로 바뀌어 잎의 엽록체에 일시적으로 저장되었다가 밤이 되면 ㉢( )으로 전환되어 체관을 통해 저장 기관으로 이동한다.

이산화 탄소+물
엽록체 ⟶ 빛 에너지
㉠ + 산소
㉡
㉢

㉠~㉢에 들어갈 알맞은 말을 쓰시오.

8-1 각 식물의 광합성 결과 생성된 양분의 저장 기관과 저장 형태를 순서대로 옳게 짝 지은 것은?

① 씨 – 녹말

▲콩

② 줄기 – 포도당

▲포도

③ 뿌리 – 단백질

▲감자

④ 씨 – 단백질

▲깨

⑤ 뿌리 – 녹말

▲고구마

1 다음은 식물의 호흡 과정을 나타낸 것이다.

> 포도당 + A ⟶ 물 + B + 에너지

이에 대한 설명으로 옳은 것은?

① A는 식물의 광합성 결과 생성된다.

② A를 석회수에 통과시키면 석회수가 뿌옇게 흐려진다.

③ B는 산소로, 동물의 호흡에 이용된다.

④ 빛이 없는 밤에만 일어나는 현상이다.

⑤ 빛에너지를 흡수하여 양분을 합성하는 과정이다.

> **Tip** 식물의 호흡으로 ❶ ☐ 결과 생성된 양분이 분해되면서 ❷ ☐ 가 발생한다.
>
> 답 ❶광합성 ❷에너지

2 그림은 어떤 식물의 이산화 탄소 흡수량과 방출량을 이틀 동안 1시간 간격으로 측정하여 나타낸 것이다.

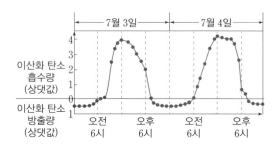

이에 대한 설명으로 옳은 것을 |보기|에서 모두 고르시오.

> |보기|
> ㄱ. 광합성이 가장 활발할 때는 7월 3일과 4일 정오이다.
> ㄴ. 7월 4일 오전 6시에는 광합성량과 호흡량이 같기 때문에 기체 출입이 없는 것처럼 보인다.
> ㄷ. 7월 4일 오전 6시 이후부터 오후 6시까지 이산화 탄소가 방출되지 않는 것으로 보아 광합성만 일어나는 것을 알 수 있다.

> **Tip** 광합성량과 ❶ ☐ 이 같으면 식물 전체로는 기체 출입이 ❷ ☐ 것처럼 보인다.
>
> 답 ❶호흡량 ❷없는

3 그림은 식물이 촛불의 연소에 어떤 영향을 주는지를 알아보기 위한 두 과학자의 실험을 나타낸 것이다.

> 빛이 있는 상태에서 밀폐된 유리종에 촛불을 넣어 두면 얼마 후 촛불이 꺼지지만 식물을 함께 넣어 주면 촛불은 꺼지지 않고 더 오래 탄다는 것을 확인했어요. 이 실험으로 식물은 탁해진 공기를 정화하는 역할을 한다고 생각합니다.

> 그런데 빛이 없는 상태에서 식물을 넣으면 오히려 촛불이 더 빨리 꺼져요.

(가) (나)   (다)

이에 대한 설명으로 옳은 것을 |보기|에서 모두 고르시오.

> |보기|
> ㄱ. (가)에서 촛불이 꺼지는 것은 공기 중 이산화 탄소가 부족하기 때문이다.
> ㄴ. (나)에서 식물의 광합성량이 호흡량보다 많아 공기 중의 이산화 탄소를 흡수하고 산소를 방출하기 때문에 촛불이 더 오래 탄다.
> ㄷ. (다)에서 식물은 호흡만 일어나서 공기 중의 산소를 흡수하고 이산화 탄소를 방출하기 때문에 촛불이 (가)보다 더 빨리 꺼진다.

> **Tip** 식물의 광합성 결과 만들어지는 기체인 ❶ ☐ 는 생물의 ❷ ☐ 에 이용된다.
>
> 답 ❶산소 ❷호흡

4 표는 어떤 식물의 잎과 줄기에서 녹말과 설탕의 양을 시간 대별로 조사한 결과를 나타낸 것이다.

구분	오전 5시	오후 2시	오후 8시
잎(녹말)	−	++	+
줄기(설탕)	−	+	++

(−: 없음, +: 적음, ++: 많음)

이에 대한 설명으로 옳지 <u>않은</u> 것은?

① 오후 2시경에는 잎에 포도당은 존재하지 않는다.

② 광합성 결과 만들어진 양분은 녹말의 형태로 잎에 일시적으로 저장된다.

③ 오전 5시경에는 녹말이 밤 사이에 다른 곳으로 모두 이동하고, 광합성은 일어나지 않는다.

④ 오후 2시경에 녹말의 양이 가장 많은 것으로 보아 광합성이 가장 활발하게 일어남을 알 수 있다.

⑤ 오후 8시경에 녹말의 양이 줄고, 설탕의 양이 많아진 것으로 보아 녹말이 설탕으로 전환되는 것을 알 수 있다.

> **Tip** 광합성 결과 잎에서 만들어진 **❶** 은 주로 밤에 **❷** 으로 전환되어 줄기를 따라 다른 부위로 이동한다.
>
> **답 ❶**녹말 **❷**설탕

5 그림은 광합성 산물의 전환과 이동 과정을 나타낸 것이다. 이에 대한 설명으로 옳지 <u>않은</u> 것은?

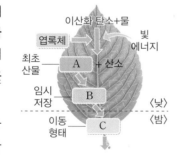

① A는 포도당, B는 녹말, C는 설탕이다.

② A는 광합성 결과 최초로 생성된 양분이다.

③ A는 B로 바뀌어 엽록체에 일시적으로 저장된다.

④ B는 주로 밤에 물에 녹지 않는 C로 바뀐다.

⑤ C는 체관을 통해 식물의 각 기관으로 이동한다.

> **Tip** 녹말과 설탕 중 **❶** 은 물에 녹지 않고 **❷** 은 물에 잘 녹는다.
>
> **답 ❶**녹말 **❷**설탕

6 그림은 나무줄기의 껍질을 고리 모양으로 둥글게 벗겨 낸 모습을 나타낸 것이다.

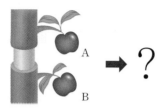

이에 대한 설명으로 옳은 것을 모두 고르면? [정답 2개]

① A는 크게 자라지만 B는 잘 자라지 못한다.

② 벗겨 낸 나무줄기의 아랫부분이 뭉툭하게 부풀어 오른다.

③ 나무줄기의 바깥쪽 껍질을 벗겨 낼 때 물관이 제거된다.

④ 뿌리에서 흡수한 물이 벗겨 낸 나무줄기의 위쪽으로 이동하지 못한다.

⑤ 벗겨 낸 나무줄기의 위쪽에서 광합성으로 만들어진 양분이 아래로 이동하지 못하고 위쪽에 쌓인다.

> **Tip** 식물의 뿌리에서 흡수된 물과 무기 양분이 이동하는 통로를 **❶** , 잎에서 만들어진 양분이 줄기나 뿌리로 이동하는 통로를 **❷** 이라고 한다.
>
> **답 ❶**물관 **❷**체관

[01~02] 그림은 식물의 광합성 과정을 나타낸 것이다.

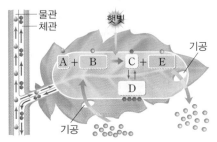

01 A~E는 각각 무엇인지 쓰시오.

02 위 그림에 대한 설명으로 옳은 것을 모두 고르면? [정답 2개]

① A는 물에 녹아 파란색 BTB 용액을 노란색으로 변하게 한다.

② B는 기공을 통해 출입한다.

③ C는 아이오딘-아이오딘화 칼륨 용액과 반응하여 청람색을 나타낸다.

④ D는 물관을 통해 뿌리에서 잎까지 이동한다.

⑤ E를 모아 꺼져가는 성냥 불똥을 갖다 대면 불이 다시 타오른다.

03 그림은 이산화 탄소의 농도에 따른 광합성량의 변화를 나타낸 것이다. 이에 대한 설명으로 옳은 것을 보기에서 모두 고르시오.

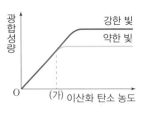

┌ 보기 ┐
ㄱ. 빛의 세기는 광합성량에 영향을 미친다.
ㄴ. 이산화 탄소의 농도가 (가)보다 낮을 때 이산화 탄소의 농도는 광합성량에 영향을 미치지 않는다.
ㄷ. 이산화 탄소의 농도가 (가)보다 높아지면 광합성량이 감소한다.

04 그림은 달개비 잎의 뒷면을 관찰한 것으로, A~C는 표피 세포, 기공, 공변세포 중 하나이다. 이에 대한 설명으로 옳은 것을 보기에서 모두 고른 것은?

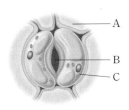

┌ 보기 ┐
ㄱ. B는 기공으로, 기체가 드나드는 통로이다.
ㄴ. C는 세포 안쪽과 바깥쪽 세포벽의 두께가 다르다.
ㄷ. A와 C에서 모두 광합성이 일어난다.

① ㄱ 　　② ㄴ 　　③ ㄱ, ㄴ
④ ㄱ, ㄷ 　　⑤ ㄱ, ㄴ, ㄷ

05 식물의 증산 작용에 대해 알아보기 위해 눈금실린더에 같은 양의 물을 넣고 그림과 같이 장치하여 햇빛이 비치는 창가에 두었다.

이에 대한 설명으로 옳은 것을 보기에서 모두 고른 것은?

┌ 보기 ┐
ㄱ. 눈금실린더에 남아 있는 물의 양은 A>C이다.
ㄴ. A~C 중 증산 작용이 가장 활발하게 일어나는 것은 B이다.
ㄷ. 햇빛이 증산 작용에 미치는 영향을 알아보기 위해서는 C와 D를 비교해야 한다.

① ㄱ 　　② ㄴ 　　③ ㄱ, ㄷ
④ ㄴ, ㄷ 　　⑤ ㄱ, ㄴ, ㄷ

06 시금치를 넣은 페트병 (가)와 아무 것도 넣지 않은 페트병 (나)를 어두운 곳에 2~3시간 동안 둔 후, 페트병 속의 기체를 그림과 같이 각각 석회수에 통과시켰더니 (가)의 기체를 통과시킨 석회수만 뿌옇게 흐려졌다. 실험 결과에 대한 설명으로 옳은 것을 |보기|에서 모두 고른 것은?

(가) 시금치   (나)

┌ 보기 ┐
ㄱ. 석회수가 페트병 (가)에서 생성된 기체인 이산화탄소와 반응했다.
ㄴ. 시금치에서 호흡이 일어났음을 알 수 있다.
ㄷ. 시금치의 광합성 결과 산소가 생성된다는 사실을 알 수 있다.
└─────┘

① ㄱ   ② ㄷ   ③ ㄱ, ㄴ
④ ㄴ, ㄷ   ⑤ ㄱ, ㄴ, ㄷ

07 파란색 BTB 용액에 입김을 불어 넣어 노란색이 되게 한 후 그림과 같이 장치하여 햇빛이 잘 비치는 곳에 1시간 정도 두었다.

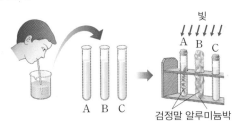

빛
A B C

A B C
검정말 알루미늄박

이 실험에 대한 설명으로 옳은 것을 모두 고르면? [정답 2개]
① A의 검정말은 광합성과 호흡을 모두 한다.
② A와 B에서 BTB 용액의 색깔 변화가 같게 나타난다.
③ BTB 용액에 입김을 불어 넣는 까닭은 이산화탄소를 공급하기 위해서이다.
④ B와 C의 실험 결과로 광합성에 필요한 기체가 무엇인지 알 수 있다.
⑤ B의 실험 결과로 온도에 따른 광합성량을 알 수 있다.

08 광합성과 호흡의 공통점으로 옳은 것은?
① 동물과 식물에서 모두 일어난다.
② 기공을 통해 기체의 출입이 일어난다.
③ 무기물을 유기물로 합성하는 과정이나.
④ 빛이 있을 때와 없을 때 모두 일어난다.
⑤ 살아 있는 식물의 모든 세포에서 일어난다.

09 광합성 결과 만들어진 양분에 대한 설명으로 옳은 것을 |보기|에서 모두 고른 것은?

┌ 보기 ┐
ㄱ. 호흡으로 소모된다.
ㄴ. 생장하는 조직과 기관의 성분으로 사용된다.
ㄷ. 녹말의 형태로 엽록체에 일시적으로 저장된다.
└─────┘

① ㄱ   ② ㄷ   ③ ㄱ, ㄴ
④ ㄴ, ㄷ   ⑤ ㄱ, ㄴ, ㄷ

10 다음은 땅속의 고구마가 생성되는 과정을 순서 없이 나열한 것이다. (가)~(라)를 순서대로 나열하시오.

┌─────────┐
(가) 설탕이 녹말로 바뀌어 뿌리에 저장된다.
(나) 포도당이 녹말로 바뀌어 엽록체에 일시적으로 저장된다.
(다) 잎에서 광합성에 의해 포도당이 만들어진다.
(라) 녹말이 설탕으로 전환되어 체관을 따라 뿌리로 이동한다.
└─────────┘

(   )

1 다음은 민수가 만든 보고서의 목차와 보고서 내용 중 이론적 배경의 일부인 인공 나뭇잎에 대한 자료이다.

〈인공 나뭇잎(silk leaf)〉
미국항공우주국(NASA)은 오래 전부터 장거리 우주 여행을 할 때 우주인에게 산소를 공급할 수 있는 다양한 방법을 찾아왔다. 최근에는 영국의 한 엔지니어가 식물의 광합성에 착안하여 인공 광합성을 하는 인공 나뭇잎을 개발하였다. 인공 나뭇잎은 실크 단백질에 엽록체를 섞어서 만든 것으로, 식물의 잎처럼 물과 이산화 탄소를 흡수하여 산소를 만들어 낼 수 있다.

이산화 탄소 + 물 + 태양광 → 녹말 + 산소
▲ 자연 광합성

이산화 탄소 + 물 + 태양광 → 액체 연료 + 산소
▲ 인공 광합성

㉠의 기대 효과에 포함할 내용으로 옳은 것을 |보기|에서 모두 고르시오.

┌─ 보기 ─────────────────────────
ㄱ. 인공 광합성도 자연 광합성 과정에서와 같이 이산화 탄소와 물이 이용된다.
ㄴ. 현실적으로 우주에서 식물을 키우는 것이 쉽지 않다는 문제가 있어 우주인에게 산소를 공급하는 방법으로 활용하는 데에는 한계가 있다.
ㄷ. 태양 에너지를 사용하고 오염 물질을 만들지 않는 친환경적인 방법으로, 액체 연료와 같은 에너지를 생산하는 데 폭넓게 활용될 것이다.
└────────────────────────────

> **Tip** 광합성은 빛을 이용하여 ❶□□□와 물로 포도당과 ❷□를 생성하는 반응이다.
>
> 답 ❶이산화 탄소 ❷산소

2 다음은 온유가 식물 재배용 애플리케이션 개발에 대해 발표하면서 사용한 프레젠테이션 자료의 일부이다.

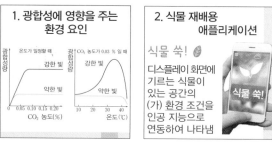

1. 광합성에 영향을 주는 환경 요인

2. 식물 재배용 애플리케이션

식물 쑥!
디스플레이 화면에 기르는 식물이 있는 공간의 (가) 환경 조건을 인공 지능으로 연동하여 나타냄

(가)에 들어갈 환경 조건에 대해 옳게 말한 학생을 모두 고른 것은?

학생 A: 기르는 식물의 광합성이 가장 잘 일어날 수 있는 환경 조건 중 가장 중요한 빛의 세기만 나타내면 깔끔해 보이고 좋을 거야.

학생 B: 복잡하더라도 빛의 세기, 온도, 이산화 탄소의 농도 세 가지는 모두 나타내야 해.

학생 C: 빛의 세기, 온도, 이산화 탄소의 농도 세 가지를 모두 표시하되, 애플리케이션으로 환경을 조절할 수 있도록 하면 좋겠어.

① A   ② B   ③ A, C
④ B, C   ⑤ A, B, C

> **Tip** 광합성에 영향을 주는 환경 요인으로는 빛의 ❶□□, 온도, ❷□□□□의 농도가 있다.
>
> 답 ❶세기 ❷이산화 탄소

3 그림은 빛, 산소, 이산화 탄소, 온도를 광합성과 관련하여 구분한 순서도이다.

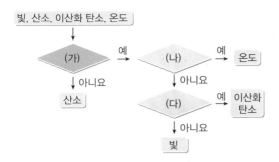

(가)~(다)에 들어갈 내용으로 옳은 것은?

① (가): 농도나 세기가 광합성량에 영향을 주는가?

② (나): 농도나 세기가 높을수록 광합성량이 증가하는가?

③ (나): 농도나 세기가 일정 수준 이상일 때 광합성량이 일정해지는가?

④ (다): 광합성 결과 생성되는 물질인가?

⑤ (다): 농도나 세기가 일정 수준 이상일 때 광합성량이 감소하는가?

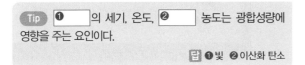

Tip **❶**□□의 세기, 온도, **❷**□□□ 농도는 광합성량에 영향을 주는 요인이다.

답 ❶빛 ❷이산화 탄소

4 다섯 명의 학생들이 '바람이 증산 작용에 영향을 미치는가?'를 알아보기 위해 다음과 같이 실험을 설계하였다.

> (가) 크기와 잎의 수 등의 조건이 같은 봉숭아와 눈금 실린더를 준비하여 그림과 같은 장치를 한 후, 온도가 동일하게 유지되고 빛이 없는 장소에 둔다.
> (나) 5시간 후 A와 B의 물의 높이를 측정한다.

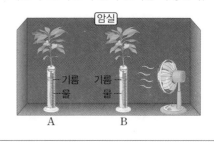

이에 대해 가장 옳게 말한 학생을 쓰시오.

(   )

Tip 식물체 내의 물이 기공을 통해 수증기 상태로 빠져나가는 현상을 **❶**□□□□이라고 하며, 이는 빛, 온도, 습도, **❷**□□의 영향을 받는다.

답 ❶증산 작용 ❷바람

8강_식물의 호흡과 광합성 산물의 이용

5 다음은 식물의 공변세포와 기공 모형 만들기 수행평가를 위한 탐구를 나타낸 것이다.

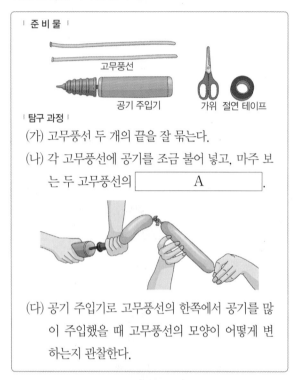

| 준비물 |

고무풍선

공기 주입기   가위 절연 테이프

| 탐구 과정 |

(가) 고무풍선 두 개의 끝을 잘 묶는다.

(나) 각 고무풍선에 공기를 조금 불어 넣고, 마주 보는 두 고무풍선의 [A].

(다) 공기 주입기로 고무풍선의 한쪽에서 공기를 많이 주입했을 때 고무풍선의 모양이 어떻게 변하는지 관찰한다.

(1) 기공 모형을 완성하기 위해 절연 테이프를 사용하여 A에서 수행해야 할 활동을 서술하시오.

(2) 표는 (다)에서 관찰한 내용을 바탕으로 기공 모형과 실제 공변세포의 모양 변화로 기공이 열리고 닫히는 과정을 비교한 것이다. 빈칸에 알맞은 말을 쓰시오.

모형	실제
고무풍선	공변세포
고무풍선에 주입되는 공기	㉠ ( )
고무풍선 사이의 공간이 열림	㉡ ( )

> **Tip** 엽록체가 있는 공변세포에서 광합성이 활발하게 일어나 세포 내 농도가 높아지면 **❶**[   ]로 물이 들어와 공변세포가 팽창한다. 이때 공변세포의 바깥쪽이 안쪽보다 더 많이 늘어나 **❷**[   ]이 열린다.
>
> 답 ❶공변세포 ❷기공

6 다음은 선생님과 학생들이 테라리엄 만들기 활동을 한 후 나눈 대화이다.

내 방 안의 작은 정원, 테라리엄
〈만드는 방법 3단계〉
1. 유리병 안에 흙과 자갈, 모래를 절반 높이까지 채우세요.
2. 원하는 식물을 심으세요.
3. 빛이 잘 드는 곳에 두세요.

다들 쉽게 잘 만들었죠? 식물이 유리병 안에서 잘 자라는 원리는 무엇일까요?
선생님

수분과 양분이 들어 있는 특수한 흙이기 때문입니다.
승환

식물의 광합성으로 산소가 발생하고 호흡으로 이산화 탄소가 생기기 때문입니다.
은혜

유리병 안에 식물이 자라는 데 도움을 주는 세균이 있기 때문입니다.
권율

증산 작용으로 생긴 수분이 식물의 생장을 촉진했기 때문입니다.
서아

식물은 광합성만 잘 하면 생존이 가능하므로 빛만 있으면 어디서든 잘 자랍니다.
채린

가장 옳게 말한 학생은?

① 승환   ② 은혜   ③ 권율
④ 서아   ⑤ 채린

> **Tip** 식물은 빛이 있을 때 광합성을 통해 산소를 생성하고, **❶**[   ]을 통해 **❷**[   ]를 방출하면서 살아간다.
>
> 답 ❶호흡 ❷이산화 탄소

7 다음은 같은 종의 키가 큰 나무인 자이언트 세콰이어 두 그루 (가)와 (나)에 대해 탐구한 과학자가 내린 결론이다.

〈과학자가 내린 결론〉
- (가)가 (나)에서보다 광합성 속도가 빠르다.
- (가)가 (나)에서보다 여러 기관에서 세포 분열이 활발하게 일어나고 있다.
- (가)가 (나)에서보다 증산 작용이 더 활발하게 일어난다.
- 이외의 모든 생명 활동에서는 (가)와 (나)에서 차이가 없다.

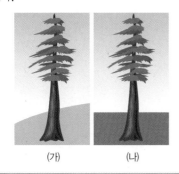

(가)   (나)

위의 결론을 보고 학생들이 나눈 대화 내용 중 옳지 않은 것은?

① 영희: 나무 그늘에 앉아 더위를 식히려면 (가)가 (나)보다 적당하겠군.
② 철수: 잎에 비닐봉지를 씌워 보면 (가)가 (나)보다 비닐봉지 안이 더 빨리 뿌옇게 되겠지.
③ 민수: 체관 내부를 관찰할 수 있다면 (가)가 (나)보다 체관 내부에 설탕이 더 많겠어.
④ 영수: 줄기와 잎맥의 내부를 관찰할 수 있다면 (가)가 (나)보다 물이 더 빨리 위쪽으로 이동하겠군.
⑤ 경훈: (가)가 (나)보다 시간당 이산화 탄소 흡수량과 산소 방출량이 적겠어.

> **Tip** 광합성 결과 생성된 녹말은 ❶⬜⬜⬜의 형태로 전환되어 ❷⬜⬜을 통해 식물 각 기관으로 이동한다.
>
> 답 ❶설탕 ❷체관

8 그림은 광합성 산물의 이동과 사용, 저장 과정을 애니메이션으로 표현하기 위한 코딩 중 일부를 나타낸 것이다.

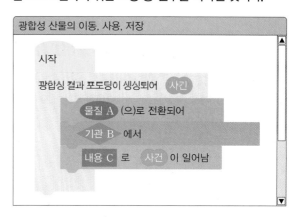

그림에서 사건, 물질 A, 기관 B, 내용 C에 들어갈 내용으로 옳은 것은?

	사건	물질 A	기관 B	내용 C
①	이동하기	설탕	체관	체관을 따라 설탕이 이동
②	사용하기	녹말	뿌리	호흡으로 에너지 생성
③	저장하기	포도당	뿌리	체관을 따라 포도당이 이동
④	이동하기	녹말	물관	물관을 따라 녹말이 이동
⑤	저장하기	설탕	뿌리	호흡으로 에너지 생성

> **Tip** 광합성 산물이 이동할 때는 엽록체에 일시적으로 저장되었던 녹말이 ❶⬜⬜으로 전환되어 줄기의 ❷⬜⬜을 통해 이동한다.
>
> 답 ❶설탕 ❷체관

기말고사 마무리 전략

○ 핵심 Point 체크

5강_지구와 달의 운동, 6강_태양계 행성과 태양 활동

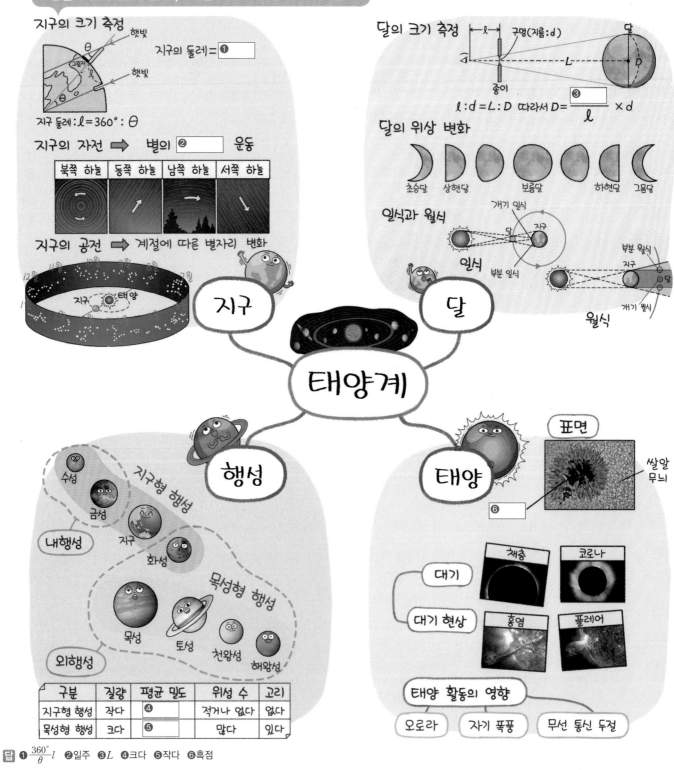

지구의 크기 측정

지구의 둘레 = **❶**

지구 둘레 : $l = 360° : \theta$

지구의 자전 ➡ 별의 **❷** 운동

북쪽 하늘	동쪽 하늘	남쪽 하늘	서쪽 하늘

지구의 공전 ➡ 계절에 따른 별자리 변화

달의 크기 측정

구멍(지름:d)

종이

$l : d = L : D$ 따라서 $D = \dfrac{\text{❸}}{l} \times d$

달의 위상 변화

초승달　상현달　보름달　하현달　그믐달

일식과 월식

개기 일식

일식 / 부분 일식

월식 / 부분 월식 / 개기 월식

태양계

지구

달

행성

지구형 행성 / 수성 / 금성 / 지구 / 화성

내행성

목성형 행성 / 목성 / 토성 / 천왕성 / 해왕성

외행성

구분	질량	평균 밀도	위성 수	고리
지구형 행성	작다	**❹**	적거나 없다	없다
목성형 행성	크다	**❺**	많다	있다

태양

표면 / 쌀알 무늬 / **❻**

대기 / 채층 / 코로나

대기 현상 / 홍염 / 플레어

태양 활동의 영향 / 오로라 / 자기 폭풍 / 무선 통신 두절

답 ❶ $\dfrac{360°}{\theta} l$ ❷일주 ❸L ❹크다 ❺작다 ❻흑점

7강_광합성, 8강_식물의 호흡과 광합성 산물의 이용

물관 / 체관

빛의 세기, 이산화 탄소의 농도, 온도가 모두 알맞게 유지되어야 해.

광합성 과정
❶
물 + 이산화 탄소 → 포도당 + 산소
녹말
기공

광합성이 잘 일어나는 조건

증산 작용
❷
공변 세포

증산 작용이 잘 일어나는 조건

❸
습도
강한 빛

강한 바람
높은 온도
증산 작용

빨래가 빨리 마르기 위한 조건과 같아!

기공이 열릴 때 밖으로 나가자!

광합성 과정
잎 / 줄기 / 뿌리

광합성

식물과 에너지

호흡 과정

호흡으로 에너지가 발생되네.

세포
호흡
산소 + 포도당 → 이산화 탄소 + 물
❹

하루 동안 식물의 기체 교환

낮
이산화 탄소 / 산소
광합성량 > 호흡량

밤
산소 / 이산화 탄소
호흡만 함

광합성과 호흡의 비교

광합성
양분 합성
이산화 탄소 흡수
산소 방출
에너지 저장

호흡
양분 분해
이산화 탄소 방출
산소 흡수
에너지 생성

호흡

광합성 산물의 이동, 이용, 저장

잎
포도당 → ❺
(광합성 산물) (잎에 저장)
체관 ─ 설탕 (이동 형태)
뿌리·줄기·열매·씨
저장 녹말·단백질·지방 등

답 ❶ 빛에너지 ❷ 기공 ❸ 낮은 ❹ 에너지 ❺ 녹말

1 계절에 따른 별자리의 변화

그림은 지구의 공전 궤도와 황도 12궁을 나타낸 것이다.

이에 대해 옳게 말한 학생을 모두 고른 것은?

4월의 한밤중에 남쪽 하늘에서 물고기자리를 볼 수 있어. (학생 A)

6월에 태양은 황소자리 부근에 위치하지. (학생 B)

태양이 양자리 부근에 있을 때 한밤중 남쪽 하늘에서 천칭자리를 볼 수 있어. (학생 C)

① A   ② B   ③ A, C

④ B, C   ⑤ A, B, C

> **Tip** 지구가 **❶** 함에 따라 천구상에서 태양의 위치가 조금씩 달라지면 태양 반대편에 있는 **❷** 도 바뀐다.
>
> **답** ❶공전 ❷별자리

2 빛의 세기와 광합성

빛의 세기에 따른 광합성량 변화를 알아보기 위해 다음과 같이 실험하였다.

> (가) 20 ℃의 1 % 탄산수소 나트륨 수용액을 수조에 넣는다.
>
> (나) 그림과 같이 검정말을 깔때기에 넣고, 그 위에 1 % 탄산수소 나트륨 수용액을 가득 담은 시험관을 설치한다.
>
> (다) 수조에서 30 cm 떨어진 위치에 LED 전등을 두고 일정 시간 빛을 비춘다.
>
> (라) 1분 동안 발생하는 기포 수를 센다.
>
> (마) [?   ]

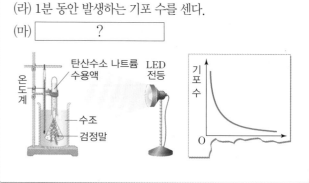

실수로 실험 보고서가 찢어져 실험 결과를 나타낸 그래프의 X축 부분이 사라졌다. 실험 목표에 따라 (마)의 내용에 의해 작성한 그래프의 사라진 부분에 들어갈 내용으로 가장 적절한 것은?

① 검정말의 질량

② 수조 내의 온도

③ LED 전등의 밝기

④ 검정말과 전등 사이의 거리

⑤ 탄산수소 나트륨 수용액의 농도

> **Tip** 광합성 결과 발생하는 기체는 **❶** 이며, 일정 수준까지는 빛의 세기가 증가할수록 광합성량이 **❷** .
>
> **답** ❶산소 ❷증가한다

3 태양의 활동과 영향

다음은 어느 신문 기사의 일부를 나타낸 것이다.

○○신문

○○○○년 ○월 ○○일

내년 '태양 활동 극대기' 지구촌 비상

지난 △△일 강력한 태양 폭발이 7년 만에 발생한 가운데 내년에는 태양 활동이 극대기에 들어서면서 사회 전반에 대규모 피해가 발생할 수 있다는 진단이 나왔다. 이에 우리나라 기상청과 미항공우주국(NASA)은 전 지구 차원에서 대비책을 세워야 한다고 지적했다.

태양 활동 극대기일 때 나타나는 특징에 대한 설명으로 옳은 것을 보기에서 모두 고른 것은?

┌─ 보기 ┐
ㄱ. 흑점 수가 늘어나고 홍염과 플레어가 자주 발생한다.
ㄴ. 인공위성이나 GPS가 교란되어 고장나거나 제 기능을 못할 수 있다.
ㄷ. 강한 태양풍으로 평상시보다 오로라가 발생하는 지역이 좁아진다.
└──────┘

① ㄱ　　　　② ㄴ　　　　③ ㄷ
④ ㄱ, ㄴ　　　⑤ ㄱ, ㄷ

Tip 태양의 활동이 활발해지면 ❶ 의 수가 늘어나고, ❷ 이 강해지면서 지구에 여러 가지 영향을 미친다.

답 ❶흑점 ❷태양풍

4 식물의 광합성, 증산 작용, 호흡

다음은 식물에서 일어나는 여러 가지 현상을 확인하기 위한 세 가지 탐구이다.

┌──────────────────────────────┐
│ 탐구 1
│ 하루 동안 빛을 받은 검정말 잎을 탈색시킨 후, 아이오딘 반응을 시켜 현미경으로 관찰하였더니 엽록체가 청람색으로 변했다.　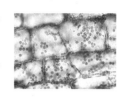
│
│ 탐구 2
│ 식물을 그림과 같이 장치한 다음 햇빛이 비치는 창가에 두었더니 일정 시간이 지난 후 (가)에서만 비닐봉지 안이 뿌옇게 흐려졌다.　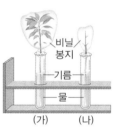
│
│ 탐구 3
│ 시금치를 넣은 페트병 (가)와 빈 페트병 (나)를 어두운 곳에 놓아두었다가 페트병 속의 공기를 석회수에 통과시켰더니 (가)의 기체를 통과시킨 석회수만 뿌옇게 변했다.　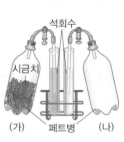
└──────────────────────────────┘

탐구 1~3에서 탐구한 식물의 생명 현상과 탐구 결과의 원인이 되는 물질을 모두 옳게 짝 지은 것은?

	탐구 1		탐구 2		탐구 3	
	현상	물질	현상	물질	현상	물질
①	광합성	녹말	호흡	이산화 탄소	증산 작용	물
②	증산 작용	물	호흡	이산화 탄소	광합성	산소
③	광합성	녹말	증산 작용	물	호흡	이산화 탄소
④	호흡	포도당	광합성	산소	증산 작용	물
⑤	광합성	포도당	증산 작용	물	호흡	산소

Tip 광합성 결과 생성되는 ❶ 은 아이오딘 반응으로 검출할 수 있고, 식물의 호흡으로 생성된 ❷ 는 석회수를 뿌옇게 흐려지게 만든다.

답 ❶녹말 ❷이산화 탄소

5 일식과 월식

다음은 일식과 월식이 일어날 때 태양, 지구, 달의 위치 관계에 대한 자료이다.

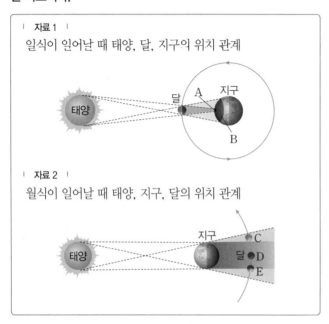

| 자료 1 |
일식이 일어날 때 태양, 달, 지구의 위치 관계

| 자료 2 |
월식이 일어날 때 태양, 지구, 달의 위치 관계

(1) A~E 중에서 개기 일식과 개기 월식을 관찰할 수 있는 위치를 각각 쓰시오.

개기 일식: (   ), 개기 월식: (   )

(2) 일식이 지속되는 시간과 월식이 지속되는 시간을 비교하여 서술하시오.

~~~~~~~~~~~~~~~~~~~~~~

~~~~~~~~~~~~~~~~~~~~~~

~~~~~~~~~~~~~~~~~~~~~~

Tip 월식은 달이 지구를 중심으로 태양 ❶   에 있어서 지구의 ❷   속으로 들어가 가려질 때 일어난다.

답 ❶반대쪽 ❷그림자

6 태양계 행성의 특징

그림은 태양계 행성을 나타낸 것이다.

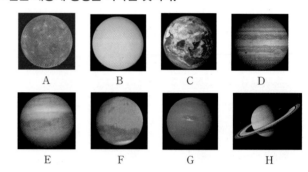

A   B   C   D

E   F   G   H

(1) A~H를 지구형 행성과 목성형 행성으로 구분하여 각각 기호를 쓰시오.

지구형 행성: (   )

목성형 행성: (   )

(2) 지구형 행성과 목성형 행성의 질량, 반지름, 평균 밀도, 위성의 수 및 고리의 유무를 비교하여 서술하시오.

~~~~~~~~~~~~~~~~~~~~~~

~~~~~~~~~~~~~~~~~~~~~~

~~~~~~~~~~~~~~~~~~~~~~

Tip 태양계 행성은 ❶   특성을 기준으로 지구형 행성과 ❷   형 행성으로 분류할 수 있다.

답 ❶물리적 ❷목성

7 광합성 산물의 이동

다음은 광합성 산물이 이동하는 부위를 확인하기 위한 두 가지 탐구이다.

> | 탐구 1 |
> 어린 나무 줄기의 바깥쪽 껍질을 벗겨 내고 일정 기간이 지난 후 줄기를 관찰하였더니 그림과 같이 껍질을 벗겨 낸 부위의 윗부분(A)이 부풀어 오른 것을 관찰할 수 있었다.
>
>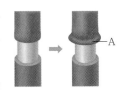
>
> | 탐구 2 |
> 식물 줄기 안에 기다란 침을 꽂아 수액을 빨아먹는 진딧물에서 침만 남기고 진딧물을 제거하면, 침을 통해 수액이 흘러나와 액체 방울이 맺힌다. 침을 꽂은 관다발 부위의 기능을 알기 위해 이 액체 방울의 성분을 조사하였더니 설탕이 포함되어 있었다. ㉠과 ㉡은 각각 물관과 체관 중 하나이다.
>
> 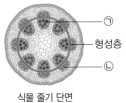　　
>
> 식물 줄기 단면　　　　　진딧물

(1) [탐구 1]에서 A 부분이 부풀어 오른 까닭을 서술하시오.

(2) [탐구 2]에서 ㉠과 ㉡ 중 침을 꽂은 관다발 부위는 어느 부분인지 쓰고, 그렇게 생각한 까닭을 [탐구 1]의 결과를 바탕으로 서술하시오.

> Tip 광합성 산물은 녹말의 형태로 잎에 일시적으로 저장되었다가 주로 밤에 ❶□□으로 전환되어 ❷□□을 따라 이동한다.
>
> 답 ❶ 설탕 ❷ 체관

8 광합성과 호흡

다음은 햇빛이 잘 비치는 실험실에서의 실험 수업에 사용될 실험 준비물이다.

> | 준 비 물 |
> 시험관, 고무마개, 초록색 BTB 용액, 검정말, 알루미늄박

(1) 위의 실험 준비물 중 일부를 사용하여 파란색 BTB 용액을 얻을 수 있도록 실험을 설계하고, 그렇게 설계한 까닭을 광합성량과 호흡량을 바탕으로 서술하시오.

(2) 위의 실험 준비물을 모두 사용하여 노란색 BTB 용액을 얻을 수 있도록 실험을 설계하고, 그렇게 설계한 까닭을 서술하시오.

> Tip 식물은 빛이 강할 때 ❶□□량이 ❷□□량보다 많아 이산화 탄소 흡수량이 방출량보다 많다.
>
> 답 ❶ 광합성 ❷ 호흡

5강_지구와 달의 운동

** 1등급 킬러

01 그림 (가)~(다)는 우리나라 어느 지역에서 15일 간격으로 같은 시각에 관측한 천칭자리와 태양의 위치를 순서대로 나타낸 것이다.

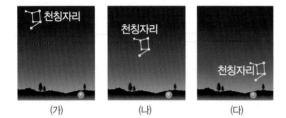

(가)   (나)   (다)

이에 대한 설명으로 옳은 것은?

① 해가 뜨기 전 동쪽 하늘의 모습이다.

② 별이 일주 운동하는 경로를 알 수 있다.

③ 15일 동안 천칭자리는 약 45°만큼 이동하였다.

④ 별자리를 기준으로 태양은 동에서 서로 이동하였다.

⑤ 천칭자리가 움직여 간 것은 지구 공전에 의한 겉보기 운동이다.

02 그림은 달의 공전 궤도를 나타낸 것이다.

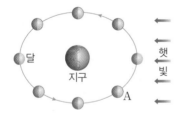

달이 A 위치에 있을 때 달의 모양으로 옳은 것은?

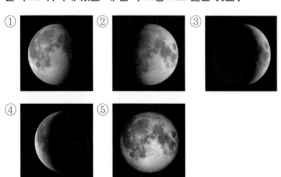

03 그림은 개기 일식이 일어났을 때의 모습을 나타낸 것이다.

이에 대한 설명으로 옳은 것을 l 보기 l에서 모두 고른 것은?

┌─ 보기 ┐
ㄱ. 부분 일식 때보다 태양의 코로나를 자세히 관측할 수 있다.
ㄴ. 개기 일식이 일어나면 지구에는 달의 본그림자가 닿는 지역이 없다.
ㄷ. 부분 일식보다 더 넓은 지역에서 관측할 수 있다.
└─────────────────────────────┘

① ㄱ   ② ㄷ   ③ ㄱ, ㄴ

④ ㄴ, ㄷ   ⑤ ㄱ, ㄴ, ㄷ

서술형

04 그림은 지구의 공전 궤도와 황도 12궁을 나타낸 것이다.

(1) 한밤중에 남쪽 하늘에서 사자자리를 관측하였다면, 이때 태양이 지나는 별자리는 무엇인지 쓰시오.

(   )

(2) 계절에 따라 지구에서 관측되는 별자리가 달라지는 이유를 서술하시오.

∴ 1등급 킬러

05 그림은 우리나라의 어느 지역에서 관측한 별의 일주 운동 모습을 나타낸 것이다.

이에 대한 설명으로 옳을 것을 |보기|에서 모두 고른 것은?

> 보기
> ㄱ. 지구 공전에 의한 겉보기 운동이다.
> ㄴ. 별들은 시계 반대 방향으로 원운동한다.
> ㄷ. 지구에서 거리가 먼 별일수록 느리게 움직인다.

① ㄱ   ② ㄴ   ③ ㄱ, ㄷ
④ ㄴ, ㄷ   ⑤ ㄱ, ㄴ, ㄷ

∴∴ 1등급 킬러

06 그림은 우리나라에서 어느 날 한밤중에 관측한 별자리의 모습을 나타낸 것이다.

이날로부터 3개월 전 같은 시각에 남쪽 하늘에서 관측할 수 있었던 별자리는?

① 처녀자리   ② 사자자리
③ 황소자리   ④ 양자리
⑤ 물고기자리

07 그림은 해가 진 직후 15일 동안 같은 시각에 관측한 달의 모습을 나타낸 것이다.

이에 대한 설명으로 옳지 <u>않은</u> 것은?

① 달이 뜨는 위치는 매일 서에서 동으로 이동한다.
② 음력 3일경 달의 위상은 그믐달이다.
③ 음력 7~8일경 태양, 지구, 달은 직각을 이룬다.
④ 음력 15일경에 달이 가장 오랫동안 관측된다.
⑤ 달의 모양은 약 한 달을 주기로 변화한다.

서술형

08 그림은 북반구 어느 지역에서 개기 일식이 일어났을 때의 모습을 나타낸 것이다.

A와 B 중 개기 일식이 진행된 순서는 어느 방향인지 고르고, 그 이유를 서술하시오.

빈출도 ● > ● > ●

6강_태양계 행성과 태양 활동

** 1등급 킬러

09 그림 (가)~(라)는 태양계 행성의 모습을 나타낸 것이다.

(가)   (나)   (다)   (라)

이 행성들에 대한 설명으로 옳지 <u>않은</u> 것은?

① (가)는 두꺼운 이산화 탄소 대기를 가지고 있다.

② (나)는 태양계 행성 중 두 번째로 크다.

③ (다)에는 대기의 소용돌이로 생긴 대흑점이 있다.

④ (라)의 자전축은 공전 궤도면과 거의 나란하다.

⑤ (가)~(라) 중에서 지구로부터 거리가 가장 먼 것은 (다)이다.

10 그림은 천체 망원경의 모습을 나타낸 것이다.

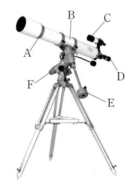

천체 망원경 각 부분에 대한 설명으로 옳지 <u>않은</u> 것은?

① A의 지름이 클수록 더 많은 빛을 모은다.

② B는 대물렌즈와 접안렌즈를 연결한다.

③ C는 관측할 천체를 찾을 때 사용한다.

④ D를 바꾸면 망원경의 배율이 달라진다.

⑤ E는 천체 망원경을 세우고 고정해준다.

11 그림은 태양 흑점 수의 변화를 나타낸 것이다.

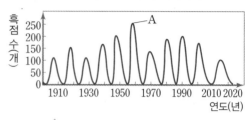

A와 같은 시기에 지구에서 일어날 수 있는 현상으로 옳지 <u>않은</u> 것은?

① 오로라의 발생 지역이 넓어진다.

② 인공위성의 여러 센서들이 고장난다.

③ 자기 폭풍이나 델린저 현상이 발생한다.

④ 비행기의 북극 항로 운항이 활발해진다.

⑤ 지상의 전력 장비에 손상을 일으켜 정전이 일어난다.

서술형

12 그림은 금성과 지구의 공전 궤도를 나타낸 것이다.

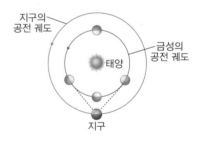

금성의 공전 궤도를 참고하여 금성을 한밤중에 관측할 수 없는 이유를 서술하시오.

13 그림은 망원경으로 천체를 관측하는 모습을 나타낸 것이다.
망원경으로 천체를 관측할 때 주의할 점에 대한 설명으로 옳은 것을 |보기|에서 모두 고른 것은?

┌ 보기 ┐
ㄱ. 태양을 관측할 때에는 반드시 필터 또는 투영판을 사용해야 한다.
ㄴ. 관측을 하기 전에 보조 망원경과 주 망원경의 방향을 일치시킨다.
ㄷ. 접안렌즈를 바꿔가며 고배율부터 시작하여 점차 저배율로 관측한다.

① ㄱ   ② ㄷ   ③ ㄱ, ㄴ
④ ㄴ, ㄷ   ⑤ ㄱ, ㄴ, ㄷ

14 그림은 일정 시간 간격으로 태양의 표면을 관측한 결과를 나타낸 것이다.

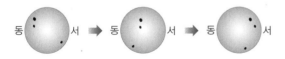

이에 대한 설명으로 옳은 것을 |보기|에서 모두 고른 것은?

┌ 보기 ┐
ㄱ. 태양 표면의 흑점은 동에서 서로 이동한다.
ㄴ. 지구가 태양 주위를 공전한다는 근거로 활용할 수 있다.
ㄷ. 저위도의 흑점이 고위도의 흑점보다 빠르게 이동한다.

① ㄱ   ② ㄷ   ③ ㄱ, ㄷ
④ ㄴ, ㄷ   ⑤ ㄱ, ㄴ, ㄷ

15 그림 (가)와 (나)는 각각 내행성과 외행성의 공전 궤도를 나타낸 것이다.

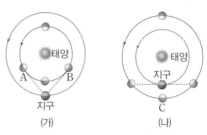

(가)   (나)

이에 대한 설명으로 옳지 않은 것은?

① A에서 내행성은 오른쪽이 밝은 반달 모양으로 보인다.
② B 위치에 있는 내행성은 해가 뜨기 전 동쪽 하늘에서 볼 수 있다.
③ C 위치에 있을 때 외행성을 가장 오랜 시간 동안 관측할 수 있다.
④ 내행성은 지구와 가장 가까이 있을 때 보름달 모양으로 보인다.
⑤ 내행성과 달리 외행성은 한밤중에 남쪽 하늘에서 관측할 수 있다.

서술형

16 그림 (가)와 (나)는 태양에서 관측되는 특징적인 모습을 나타낸 것이다.

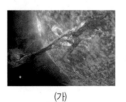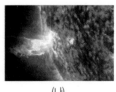

(가)   (나)

(가)와 (나)의 명칭을 쓰고, 각각에 대해 서술하시오.

~~~~~~~~~~~~~~~~~~~~~~~~~~~~~~~~~~~~~

~~~~~~~~~~~~~~~~~~~~~~~~~~~~~~~~~~~~~

7강_광합성

01 다음은 광합성 과정을 나타낸 것으로, ㉠과 ㉡은 산소와 이산화 탄소 중 하나이다.

$$물 + (\quad ㉠ \quad) \xrightarrow{\text{빛에너지}} 포도당 + (\quad ㉡ \quad)$$

이에 대한 설명으로 옳은 것을 |보기|에서 모두 고른 것은?

> **보기**
> ㄱ. 탄산수소 나트륨 수용액에 ㉠을 공급하면 뿌옇게 침전된다.
> ㄴ. 빛의 세기와 온도가 일정할 때, ㉠의 농도가 증가할수록 광합성량은 증가하다가 일정해진다.
> ㄷ. 꺼져가는 불씨에 ㉡을 공급하면 다시 불이 타오른다.

① ㄱ   ② ㄷ   ③ ㄱ, ㄴ
④ ㄴ, ㄷ   ⑤ ㄱ, ㄴ, ㄷ

02 그림은 광합성 산물을 확인하는 실험을 나타낸 것이다.

| 잎의 일부분을 알루미늄박으로 가린다. ㉠ | 다음날 잎을 따서 에탄올에 넣고 물중탕을 한다. ㉡ | 물로 씻은 잎을 아이오딘-아이오딘화 칼륨 용액에 담근다. ㉢ |

이에 대한 설명으로 옳은 것을 |보기|에서 모두 고른 것은?

> **보기**
> ㄱ. ㉠에 의해 B 부분에서 광합성이 일어나지 않는다.
> ㄴ. ㉡을 하지 않으면 아이오딘 반응이 일어나지 않는다.
> ㄷ. ㉢과 반응하여 청람색을 나타내는 부분은 A이다.

① ㄱ   ② ㄴ   ③ ㄱ, ㄷ
④ ㄴ, ㄷ   ⑤ ㄱ, ㄴ, ㄷ

03 빛의 세기와 광합성의 관계를 알아보기 위해 1 % 탄산수소 나트륨 수용액이 들어 있는 비커 (가)와 (나)에 시금치 잎 조각을 10개씩 가라앉히고 그림과 같이 장치한 후 시금치 잎 조각이 떠오르는 데 걸리는 시간을 측정하였다. 이에 대한 설명으로 옳은 것을 |보기|에서 모두 고른 것은?

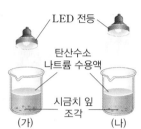

LED 전등
탄산수소 나트륨 수용액
시금치 잎 조각
(가)   (나)

> **보기**
> ㄱ. 시금치 잎 조각이 떠오르는 것은 잎 세포에서 생성된 이산화 탄소 때문이다.
> ㄴ. 탄산수소 나트륨 수용액을 넣는 것은 광합성에 필요한 산소를 공급하기 위해서이다.
> ㄷ. (가)와 (나)에서 시금치 잎 조각이 모두 떠오르는 데 걸리는 시간으로 광합성량을 비교할 수 있다.
> ㄹ. (가)가 (나)보다 시금치 잎 조각이 모두 떠오르는 데 걸리는 시간이 짧다.

① ㄱ, ㄴ   ② ㄴ, ㄷ   ③ ㄷ, ㄹ
④ ㄱ, ㄴ, ㄷ   ⑤ ㄴ, ㄷ, ㄹ

04 그림은 빛의 세기를 달리했을 때 온도에 따른 광합성 속도를 나타낸 것이다. 이에 대한 설명으로 옳은 것을 |보기|에서 모두 고르시오.

※ 1등급 킬러

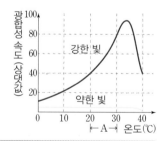

광합성 속도 (상댓값)
강한 빛
약한 빛
A 온도(℃)

> **보기**
> ㄱ. 구간 A에서 약한 빛일 때 광합성 속도는 온도의 영향을 받지 않는다.
> ㄴ. 강한 빛에서 온도가 어느 정도 이상일 때 광합성 속도는 온도의 영향을 받지 않는다.
> ㄷ. 구간 A에서 강한 빛일 때 온도가 10 ℃ 올라갈 때 광합성 속도가 2배 정도 증가한다.

05 그림은 닭의장풀의 잎 뒷면을 낮과 밤에 현미경으로 관찰한 것이다. 이에 대한 설명으로 옳은 것을 모두 고르면?

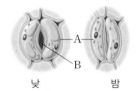

낮　　밤

[정답 2개]

① A의 부피는 낮보다 밤에 더 커진다.

② A의 세포벽은 기공 쪽보다 바깥쪽이 두껍다.

③ A는 표피 세포가 변형된 것으로, 엽록체가 있다.

④ B로 산소, 이산화 탄소, 수증기가 출입한다.

⑤ B를 통한 증산 작용은 낮보다 밤에 활발하게 일어난다.

★ 1등급 킬러

06 다음은 식물의 생명 현상에 대한 실험이다.

| 실험 과정 |

그림과 같이 같은 양의 물을 넣은 삼각 플라스크에 잎이 달린 봉숭아를 넣고 양팔 저울의 접시 위에 올려놓았다. A의 잎 뒷면에만 바셀린을 두껍게 바른 후 저울의 균형을 맞추고, 따뜻하고 햇빛이 잘 비치는 곳에 일정 시간 동안 두었다.

| 실험 결과 |

저울이 A 쪽으로 기울었다.

이 실험에서 알아보고자 한 내용으로 가장 옳은 것은?

① 광합성은 빛이 있을 때 일어난다.

② 증산 작용은 빛이 있을 때 일어난다.

③ 증산 작용은 기공을 통해 물이 빠져나가는 현상이다.

④ 광합성은 잎의 뒷면보다 앞면에서 더 활발하게 일어난다.

⑤ 증산 작용은 잎의 뒷면보다 앞면에서 더 활발하게 일어난다.

07 서술형　　*★★ 1등급 킬러*

다음은 식물의 증산 작용에 관한 실험이다.

| 실험 과정 |

(가) 2개의 눈금실린더 A와 B에 크기와 잎의 수 등의 조건이 같은 봉숭아와 같은 양의 물을 각각 넣고, 그림과 같이 장치한 후 A에는 빛을 비추고, B는 어둠상자에 넣는다.

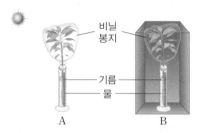

비닐봉지

기름
물

A　　B

(나) 온도가 일정하게 유지되는 장소에서 충분한 시간이 지난 후, A와 B의 눈금실린더 안의 물의 높이 변화와 A와 B의 비닐봉지 안의 변화, 식물 잎의 기공을 관찰한다.

| 실험 결과 |

| ⊙ |

| 결론 |

증산 작용은 빛이 있을 때 활발하게 일어난다.

위 실험의 결론에 알맞은 실험 결과 ⊙을 다음과 같이 표로 나타내었다. 빈칸에 알맞은 말을 쓰시오.

구분	A	B
물의 높이		
비닐봉지 안		
기공 상태		

8강_식물의 호흡과 광합성 산물의 이용

08 그림은 맑은 날 하루 동안에 같은 식물에서 일어난 기체 출입을 나타낸 것이다. (가)~(다)는 각각 낮, 저녁, 밤 중 하나일 때이며, 그림에서 화살표의 크기는 기체 출입량에 비례한다.

(가)   (나)   (다)

이에 대한 설명으로 옳은 것을 |보기|에서 모두 고른 것은?

| 보기 |
ㄱ. (가)는 낮일 때이다.
ㄴ. (가)와 (나)에서 광합성과 호흡이 모두 일어난다.
ㄷ. (다)는 광합성량과 호흡량이 같은 상태이다.

① ㄱ   ② ㄷ   ③ ㄱ, ㄴ
④ ㄴ, ㄷ   ⑤ ㄱ, ㄴ, ㄷ

09 다음은 선생님과 학생들이 온라인 모둠 활동을 하는 과정의 일부이다. 빈칸에 들어갈 모둠원을 모두 쓰시오.

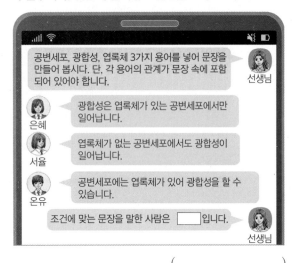

(   )

** 1등급 킬러

10 다음은 식물의 광합성과 호흡에 대해 알아보기 위한 실험이다.

| 실험 과정 |
같은 양의 초록색 BTB 용액을 시험관 A~E에 넣고 그림과 같이 장치한 후 빛이 비치는 곳에 둔다. 3시간 후 BTB 용액의 색깔 변화를 관찰한다.

시험관	장치
A	그대로 막는다.
B	싹튼 콩을 넣고 막는다.
C	물고기를 넣고 막는다.
D	검정말을 넣고 막는다.
E	검정말을 넣고 막은 후 알루미늄박으로 감싼다.

| 실험 결과 |

시험관	A	B	C	D	E
색깔 변화	변화 없음	노란색	노란색	파란색	노란색

이에 대한 설명으로 옳은 것을 |보기|에서 모두 고른 것은?

| 보기 |
ㄱ. A와 D의 결과를 통해 광합성을 할 때 이산화 탄소가 사용된다는 것을 알 수 있다.
ㄴ. B의 싹튼 콩과 C의 물고기, E의 검정말에서 공통적으로 호흡이 일어났다.
ㄷ. D에서 검정말의 광합성량은 호흡량과 같다.

① ㄱ   ② ㄷ   ③ ㄱ, ㄴ
④ ㄴ, ㄷ   ⑤ ㄱ, ㄴ, ㄷ

11

** 1등급 킬러

그림은 싹튼 콩을 빛이 있는 곳(A)과 빛이 없는 곳(B)에서 기르면서 30일 동안의 건조 질량을 기록한 것이다.

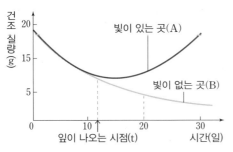

이에 대한 설명으로 옳은 것을 |보기|에서 모두 고르시오.

┌─ 보기 ─
ㄱ. 잎이 나오는 시점(t) 이후 A에서 싹튼 콩의 호흡량보다 광합성량이 많다.
ㄴ. 잎이 나오는 시점(t) 이후 싹튼 콩의 호흡에 빛의 세기가 영향을 미친다.
ㄷ. 잎이 나오는 시점(t) 이전 A와 B에서 싹튼 콩의 건조 질량 감소는 호흡 때문이다.
└─────

12

그림은 광합성 결과 생성된 양분의 전환과 이동 과정을 나타낸 것이다.

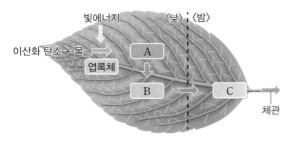

이에 대한 설명으로 옳은 것을 |보기|에서 모두 고른 것은?

┌─ 보기 ─
ㄱ. 낮에는 광합성 산물이 A로 바뀌어 엽록체에 저장된다.
ㄴ. B보다 C가 물에 잘 녹는다.
ㄷ. B의 확인은 아이오딘-아이오딘화 칼륨 용액으로 할 수 있다.
└─────

① ㄱ   ② ㄷ   ③ ㄱ, ㄷ

④ ㄴ, ㄷ   ⑤ ㄱ, ㄴ, ㄷ

13

서술형   ** 1등급 킬러

표는 식물 A, B의 빛의 세기에 따른 이산화 탄소의 흡수량을 나타낸 것이다.

빛의 세기(lx)		0	4000	8000	12000	16000
이산화 탄소 흡수량 (mg/분)	A	−15	−5	5	15	25
	B	−40	−20	0	20	40

(이산화 탄소 흡수량 (−): 이산화 탄소 방출량을 의미)

A와 B의 호흡량을 비교하고, 그렇게 생각한 까닭을 서술하시오. (단, 두 식물의 호흡 속도는 각각 일정하다.)

14

** 1등급 킬러

그림 (가)는 어떤 식물의 온도에 따른 광합성량과 호흡량을, (나)는 여름철 평지와 고랭지에서의 하루 중 기온 변화를 나타낸 것이고, (다)는 식물의 생산량에 대한 설명이다.

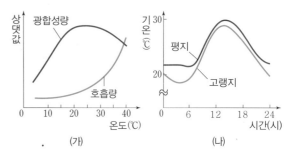

(다) 식물체 내에 저장되는 양분의 양을 식물의 생산량이라고 하며, 이는 광합성량에서 호흡량을 뺀 양이다.

이에 대한 설명으로 옳은 것을 |보기|에서 모두 고른 것은?

┌─ 보기 ─
ㄱ. 온도가 높아질수록 호흡량이 증가한다.
ㄴ. 이 식물의 밤 동안 호흡량은 평지보다 고랭지에서 더 많다.
ㄷ. 이 식물을 여름철에 고랭지에서 재배하면 평지보다 생산량을 늘릴 수 있다.
└─────

① ㄱ   ② ㄴ   ③ ㄱ, ㄷ

④ ㄴ, ㄷ   ⑤ ㄱ, ㄴ, ㄷ

book.chunjae.co.kr

교재 내용 문의 ·························· 교재 홈페이지 ▶ 중학 ▶ 교재상담

교재 내용 외 문의 ···················· 교재 홈페이지 ▶ 고객센터 ▶ 1:1문의

발간 후 발견되는 오류 ············· 교재 홈페이지 ▶ 중학 ▶ 학습지원 ▶ 학습자료실

일등공략 필승학습!
단기간에 끝장내자!

중학 과학 2-1

BOOK 3
정 답 과 해 설

특목고 대비
일등
전략

천재교육

정답은
이안에
있어!

정답과 해설

1주 I 물질의 구성

1강_원소, 원자, 원소 기호

1 ㄱ, ㄷ 2 원소 3 ②, ④ 4 연속 5 ㉠ 원자핵 ㉡ 전자
6 -3 7 Cl 8 (1) H (2) He (3) Mg (4) F

1 산소와 나트륨은 원소이다. 바닷물은 수소, 산소, 염소, 나트륨, 마그네슘, 황 등의 여러 가지 물질이 섞인 혼합물이고, 소금은 원소(나트륨, 염소)가 결합하여 만들어진 화합물이다. 이처럼 우리 주위에 있는 다양한 물질은 여러 가지 원소로 이루어져 있다.

구분	물체나 물질을 이루는 여러 가지 원소
비행기	알루미늄, 구리, 마그네슘, 니켈, 타이타늄 등
치약	플루오린, 나트륨, 탄소, 수소 등
비누	나트륨, 탄소, 수소, 산소 등
사람	수소, 탄소, 질소, 산소, 칼륨, 칼슘, 철 등
휴대폰	금, 은, 주석, 니켈, 리튬 등
플라스틱 병	수소, 탄소, 염소 등
바닷물	수소, 산소, 염소, 나트륨, 마그네슘, 황 등
다이아몬드 반지	탄소 등
자동차	철, 탄소, 망가니즈, 크로뮴, 바나듐, 텅스텐 등

2 라부아지에는 물 분해 실험을 통해 당시 기본 원소 중 하나라고 여겨 왔던 물이 두 가지 물질로 분해된다는 사실을 입증하였다.

3 염화 나트륨과 질산 나트륨은 서로 다른 물질이지만 불을 붙이면 동일하게 노란색 불꽃이 나타난다. 이것은 두 물질이 모두 나트륨을 포함하고 있기 때문이다.

👁️ **바로 알기** ① 염화 칼륨에는 칼륨이 포함되어 있으므로 염화 칼륨의 불꽃색은 보라색이다.
③ 염화 구리(Ⅱ)에는 구리가 포함되어 있으므로 염화 구리(Ⅱ)의 불꽃색은 청록색이다.
⑤ 염화 스트론튬에는 스트론튬이 포함되어 있으므로 염화 스트론튬의 불꽃색은 빨간색이다.

4 햇빛을 분광기로 관찰할 때 나타나는 연속적인 색의 띠를 연속 스펙트럼이라고 한다. 금속 원소의 불꽃을 분광기로 관찰할 때 나타나는 밝은색 선의 띠를 선 스펙트럼이라고 한다.

5 원자는 (+)전하를 띠는 원자핵과 (-)전하를 띠는 전자로 구성되어 있는데, 원자를 구성하는 원자핵의 (+)전하량과 전자들의 (-)전하량의 합이 같아서 원자는 전기적으로 중성이다. 예를 들어, 전하량이 +1인 수소 원자핵 주위에는 전하량이 -1인 전자 1개가 있다. 또한 전하량이 +6인 탄소 원자핵 주위에는 전하량이 -1인 전자 6개가 있다. 따라서, 수소 원자와 탄소 원자 모두 한 원자의 전하량은 0이다.

6 전하량이 +3인 리튬 원자핵 주위에는 전하량이 -1인 전자 3개가 있으므로 전자들의 (-)전하량의 합은 -3이다.

7 원소 기호를 나타낼 때 첫 글자가 같을 때는 중간 글자를 택하여 첫 글자 다음에 소문자로 나타낸다.

👁️ **바로 알기** H는 수소, C는 탄소, He는 헬륨의 원소 기호이다. CL은 첫 글자 다음에 글자를 대문자로 잘못 나타낸 경우이다. 첫 글자 다음에 글자는 소문자로 나타내야 한다.

8 수소는 hydrogen에서 H, 헬륨은 helium에서 He, 마그네슘은 magnesium에서 Mg, 플루오린은 fluorine에서 F라는 기호로 정해진 것이다.

2강_분자, 분자식, 이온

1 ②, ④ 2 $2NH_3$ 3 CO_2 4 O_2 5 ㉠ 양이온 ㉡ 음이온
6 Cl^- 7 양금 8 염화

1 독립된 입자로 존재하여 물질의 성질을 나타내는 가장 작은 입자를 분자라고 한다.

👁️ **바로 알기** ②, ④ 헬륨, 네온 등의 일원자 분자를 제외한 원자는 물질의 성질을 나타내지 않는다. 수소와 산소의 성질을 나타내는 것은 수소 분자(H_2)와 산소 분자(O_2)이다.

2 암모니아 분자(NH_3)는 질소 원자(N) 1개와 수소 원자(H) 3개가 결합하여 만들어진 물질이고, 그림은 암모니아 분자 2개이므로, 이를 분자식으로 나타내면 $2NH_3$이다.

3 제시된 그림은 탄소 원자(C) 1개와 산소 원자(O) 2개로 이루어진 이산화 탄소의 분자 모형이므로, 이를 분자식으로 표현하면 CO_2이다.

4 산소(O_2)는 다른 물질이 타도록 돕는 성질이 있으며 생물이 호흡할 때 필요하다.

5 전하를 띤 입자를 이온이라고 하며, (+)전하를 띤 입자를 양이온, (−)전하를 띤 입자를 음이온이라고 한다. 원자가 전자를 잃으면 (+)전하를 띠는 양이온이 되고, 원자가 전자를 얻으면 (−)전하를 띠는 음이온이 된다.

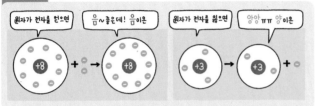

6 이온이 들어 있는 수용액에 전류를 흘려 주면 양이온은 (−)극으로, 음이온은 (+)극으로 이동하므로 이온이 전하를 띠고 있음을 알 수 있다. 염화 나트륨 수용액에는 나트륨 이온(Na^+)과 염화 이온(Cl^-)이 들어 있어 이 수용액에 전류를 흘려 주면 나트륨 이온(Na^+)은 (+)전하를 띠기 때문에 (−)극 쪽으로 이동하고, 염화 이온(Cl^-)은 (−)전하를 띠기 때문에 (+)극 쪽으로 이동한다.

7 수용액 속에서 특정한 양이온과 음이온이 반응하면 물에 녹지 않는 앙금을 생성하기도 하는데, 이러한 반응을 앙금 생성 반응이라고 한다. 앙금 생성 반응은 수용액 중에 녹아 있는 이온을 검출할 때 이용한다.

8 염화 나트륨 수용액 속의 염화 이온(Cl^-)과 질산 은 수용액 속의 은 이온(Ag^+)이 반응하면 흰색의 염화 은($AgCl$) 앙금이 생긴다.

바로 알기 아이오딘화 이온(I^-)과 은 이온(Ag^+)이 반응하면 노란색의 아이오딘화 은이 생성된다. 납 이온(Pb^{2+})은 양이온이므로 은 이온(Ag^+)과 반응하지 않는다.

1일 개념 돌파 전략 2   12~13쪽

1 ③	2 ②	3 ③, ④	4 ⑤
5 ③	6 ①		

---

1 원소

다른 물질로 분해되지 않으며 물질을 구성하는 기본 성분을 원소라고 한다. H(수소), Fe(철), F(플루오린)은 원소이다.

바로 알기 H_2O(물), NaCl(염화 나트륨), N_2(질소)는 물질의 성질을 나타내는 가장 작은 입자인 분자이다. 분자는 대부분 2개 이상의 원자가 결합하여 이루어진다. 헬륨은 원자 1개가 헬륨 기체의 성질을 나타낸다. 헬륨처럼 원자 1개로 이루어진 분자를 일원자 분자라고 한다. 네온도 일원자 분자이다.

2 여러 가지 금속 원소의 불꽃 반응

자료 분석 +   불꽃색을 비교하여 물질 속에 포함된 원소 구별하기

• 생일 케이크의 촛불에서 볼 수 있는 불꽃색은 노란색, 보라색, 청록색, 빨간색이다.

• 금속 원소를 포함한 물질에 불을 붙였을 때 나타나는 불꽃색은 다양하게 나타난다.

• 여러 가지 금속 원소의 불꽃색

나트륨	리튬	스트론튬
노란색	빨간색	빨간색

구리	칼륨	칼슘
청록색	보라색	주황색

① 질산 칼륨은 칼륨이 포함되어 있으므로 불꽃색이 보라색이다.

③ 염화 구리(Ⅱ)는 구리가 포함되어 있으므로 불꽃색이 청록색이다.

④ 염화 나트륨은 나트륨이 포함되어 있으므로 불꽃색이 노란색이다.

⑤ 질산 스트론튬은 스트론튬이 포함되어 있으므로 불꽃색이 빨간색이다.

👁‍🗨 바로 알기 ② 염화 칼슘은 칼슘이 포함되어 있으므로 불꽃색이 주황색이다. 그림에는 주황색 불꽃이 나타나 있지 않다.

암기 Tip 불꽃색

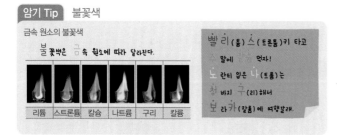

3 원자 모형

자료 분석 + 원자의 구조

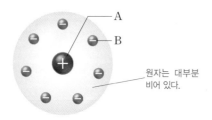

원자는 대부분 비어 있다.

원자핵(A)	전자(B)
•(+)전하를 띰 •원자의 중심에 위치 •원자 질량의 대부분을 차지	•(−)전하를 띰 •원자핵 주위를 빠르게 움직임 •질량이 매우 작음

• 원자는 종류에 따라 원자핵의 (+)전하량이 다르고, 전자의 개수도 다르다.
• 전자 1개는 −1의 전하량을 나타내므로 전자들의 총 전하량의 크기와 원자핵의 전하량의 크기가 같아지는 개수만큼 전자가 존재한다.

③ 원자핵은 원자의 중심에 위치하고 전자는 원자핵 주위를 빠르게 움직인다.

④ 원자는 (+)전하를 띠는 원자핵과 (−)전하를 띠는 전자로 구성되어 있으며, 한 원자를 구성하는 원자핵의 (+)전하량과 전자들의 (−)전하량의 합이 같아서 원자는 전기적으로 중성이다.

👁‍🗨 바로 알기 ① A(원자핵)의 전하량은 +7이다.

② A는 원자핵이고, B는 전자이다.

⑤ 원자는 원자핵과 전자로 구성되어 있지만 빈 공간이 많이 있어 대부분 비어 있다.

4 분자 모형

① 분자는 독립된 입자로 존재하여 물질의 성질을 나타내는 가장 작은 입자이다.

② 암모니아 분자는 수소 원자와 질소 원자로 이루어져 있으므로 2종류의 원소로 이루어져 있다.

③ 제시된 모형은 질소 원자 1개와 수소 원자 3개로 이루어진 분자이다. 이를 분자식으로 나타내면 NH_3이다.

④ 분자는 독립된 입자로 존재하여 물질의 성질을 나타내는 가장 작은 입자이다.

👁‍🗨 바로 알기 암모니아 분자가 질소 원자와 수소 원자로 나누어지면 암모니아의 성질을 나타내지 않는다.

5 이온 형성 과정

전기적으로 중성인 원자가 전자를 잃으면 (+)전하를 띠고, 전자를 얻으면 (−)전하를 띤다. 알루미늄(Al)의 이온 형성 과정은 $Al \rightarrow Al^{3+} + 3\ominus$이다.

👁‍🗨 바로 알기 ① 황(S)의 이온 형성 과정: $S + 2\ominus \rightarrow S^{2-}$

② 마그네슘(Mg)의 이온 형성 과정: $Mg \rightarrow Mg^{2+} + 2\ominus$

④ 나트륨(Na)의 이온 형성 과정: $Na \rightarrow Na^{+} + \ominus$

⑤ 납(Pb)의 이온 형성 과정: $Pb \rightarrow Pb^{2+} + 2\ominus$

6 앙금 생성 반응

아이오딘화 칼륨 수용액 속의 아이오딘화 이온(I^-)과 질산 납 수용액 속의 납 이온(Pb^{2+})이 반응하면 노란색 앙금(PbI_2)이 생긴다.

👁‍🗨 바로 알기 ② KNO_3은 물에 녹아 이온이 되기 때문에 앙금으로 남지 않는다.

③ 실험에서 Na^+과 Cl^-은 반응 물질의 수용액에 포함되지 않았다.

④ 실험에서 Ag^+과 Cl^-은 반응 물질의 수용액에 포함되지 않았으므로 염화 은($AgCl$) 앙금이 생기지 않는다. 염화 은 앙금은 흰색이다.

⑤ 실험에서 Ca^{2+}과 CO_3^{2-}은 반응 물질의 수용액에 포함되지 않았으므로 탄산 칼슘($CaCO_3$) 앙금은 생기지 않는다. 탄산 칼슘 앙금은 흰색이다.

| 2일 | 필수 체크 전략 1 | 기출 선택지 All | 14~17쪽 |

❶-1 ㄱ, ㅂ
❷-1 ㉠ 녹 ㉡ 수소
❸-1 ㄴ
❹-1 ①
❺-1 원소 B, 원소 C
❻-1 21
❼-1 ㄱ, ㄴ, ㄷ
❽-1 ③

❶-1 원소

바닷물은 수소, 산소, 염소, 나트륨, 마그네슘, 황 등의 원소를 포함하고 있다.

바로 알기 ㄱ, ㅂ 바닷물에는 물과 소금 등을 포함하고 있지만, 물과 소금은 원소가 아니라 물질(분자)이다. 물을 이루는 성분 원소는 산소와 수소이고, 소금을 이루는 성분 원소에는 염소와 나트륨 등이 있다.

❷-1 라부아지에의 물 분해 실험

매우 뜨겁게 가열된 주철관에서 물이 수소와 산소로 분해되어 산소는 철과 결합하여 주철관이 녹슬고 수소는 냉각수를 통과하여 집기병에 모인다.

자료 분석 + 라부아지에의 물 분해 실험

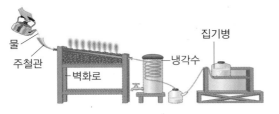

- 주철관을 뜨겁게 가열하면서 주철관 안으로 물을 통과시켰다.
- 물이 분해되어 생성된 산소가 주철관의 철과 결합하여 주철관 안에 녹이 슬고 주철관의 질량이 증가하였다.
- 물이 분해되어 생성된 수소 기체는 집기병에 모인다.
- 물을 수소와 산소로 분해하여 물이 원소가 아님을 증명하였다.

❸-1 물 분해 실험

제시된 물 분해 실험에서 기체가 많이 모인 빨대에 들어 있는 기체는 수소이고, 기체가 적게 모인 빨대에 들어 있는 기체는 산소이다. 기체가 적게 모인 쪽의 빨대에서 마개를 열고 성냥불을 가까이 가져가면 불꽃이 다시 타오르는 것으로 보아 이 기체는 산소 기체임을 알 수 있다.

바로 알기 ㄱ. 기체가 많이 모인 쪽의 빨대에서 마개를 열고 성냥불을 가까이 가져가면 폭발하면서 '퍽' 소리를 내면서 타므로 이 빨대에 모인 기체는 수소 기체임을 알 수 있다.

❹-1 여러 가지 원소의 불꽃색

불꽃 반응에서 나타나는 불꽃색으로 물질 속에 포함된 원소를 구별할 수 있다. 질산 칼륨은 칼륨을 포함하고 있으므로 불꽃색이 보라색이다.

바로 알기 ② 염화 칼슘은 칼슘을 포함하고 있으므로 불꽃색이 주황색이다.
③ 질산 나트륨은 나트륨을 포함하고 있으므로 불꽃색이 노란색이다.
④ 염화 구리(Ⅱ)는 구리를 포함하고 있으므로 불꽃색이 청록색이다.
⑤ 염화 스트론튬은 스트론튬을 포함하고 있으므로 불꽃색이 빨간색이다.

❺-1 스펙트럼

물질 (가)의 선 스펙트럼에 원소 B와 원소 C의 선 스펙트럼에 나타난 선이 모두 포함되어 있으므로 물질 (가)는 원소 B와 원소 C가 포함되어 있음을 알 수 있다.

바로 알기 원소 A의 선 스펙트럼에서 가운데 부분에 있는 노란색 계열의 선 2개는 물질 (가)의 선 스펙트럼에 나타나 있지 않다. 따라서 물질 (가)는 원소 A를 포함하고 있지 않음을 알 수 있다.

❻-1 원자의 구조

한 원자를 구성하는 원자핵의 (+)전하량과 전자들의 (-)전하량의 합이 같아서 원자는 전기적으로 중성이다. 따라서 수소는 원자핵의 전하량이 +1이므로 전자의 수가 1개이다. 산소는 전자의 수가 8개이므로 원자핵의 전하량이 +8이다. 마그네슘은 원자핵의 전하량이 +12이므로 전자의 수가 12개이다. 따라서 빈칸에 들어갈 숫자들의 합은 1+8+12=21이다.

❼-1 원소 기호를 나타내는 방법

현재 사용하고 있는 원소 기호는 베르셀리우스가 제안한 것으로 원소를 기호로 간단히 나타낸 것이다. 베르셀리우스가 제안한 원소 기호를 나타내는 방법은 아래와 같다.
첫째, 원소 이름의 첫 글자를 알파벳의 대문자로 나타낸다.
둘째, 첫 글자가 같을 때는 중간 글자를 택하여 다음에 소문자로 나타낸다.

8-1 여러 가지 원소 기호

철의 원소 기호는 Fe이다.

바로 알기 ① 칼륨의 원소 기호는 K이다.

② 칼슘의 원소 기호는 Ca이다.

④ 은의 원소 기호는 Ag이고, Au는 금의 원소 기호이다.

⑤ 망가니즈의 원소 기호는 Mn이고, Mg는 마그네슘의 원소 기호이다.

자료 분석 + 여러 가지 원소 이름과 원소 기호

원소 이름	원소 기호	원소 이름	원소 기호
수소	H	헬륨	He
리튬	Li	탄소	C
산소	O	질소	N
플루오린	F	염소	Cl
나트륨(소듐)	Na	마그네슘	Mg
알루미늄	Al	황	S
칼륨(포타슘)	K	칼슘	Ca
구리	Cu	스트론튬	Sr
은	Ag	아이오딘	I
바륨	Ba	납	Pb

• 최근에는 영어나 독일어로 된 원소 이름의 알파벳을 이용하여 원소 기호로 나타내기도 한다.

2일 필수 체크 전략 ② 최다 오답 문제   18~19쪽

1 ③, ⑤	2 ④	3 ⑤	4 ⑤
5 ②, ③	6 ⑤	7 ④	

1 물질관

아리스토텔레스는 물, 불, 흙, 공기가 세상의 모든 물질을 만드는 기본 성분이라고 주장하였고, 라부아지에는 물 분해 실험을 통해 물이 물질을 이루는 기본 성분이라는 아리스토텔레스의 생각에 의문을 제기하였다.

바로 알기 ① 모든 물질의 근원은 물이라고 주장한 사람은 탈레스이다.

② 연금술사들은 값싼 금속을 금이나 은으로 바꿀 수 있다고 주장하였다.

④ 보일은 물질을 이루는 기본 성분은 더 이상 분해되지 않는다고 주장하였다.

자료 분석 + 아리스토텔레스의 4원소설

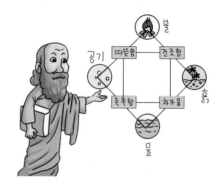

• 아리스토텔레스는 물, 불, 흙, 공기가 세상 모든 물질을 만드는 기본 성분이라고 주장하였다.

• 만물은 물, 불, 흙, 공기의 4원소에 따뜻함, 차가움, 건조함, 습함의 4가지 기본 성질의 조합으로 형성된다고 주장하였다.

• 아리스토텔레스의 4원소설은 이후 중세까지 서양 철학과 과학의 근간이 되었고, 4가지 원소의 결합으로 새로운 물질을 만들 수 있다는 점은 연금술에도 영향을 미쳤다.

---

2 원소

원소는 다른 물질로 분해되지 않으며 물질을 구성하는 기본 성분으로, 모든 물질은 원소로 이루어져 있다. 물질을 구성하는 기본 입자를 원자라고 한다.

바로 알기 ㄱ. 돌턴은 모든 물질은 더 이상 쪼갤 수 없는 원자로 이루어져 있다고 주장하였다.

3 원소를 구별하는 방법

원소의 스펙트럼에는 몇 개의 밝은 선이 나타나는데, 원소에 따라 선이 나타나는 위치, 색깔, 굵기, 수 등이 달라 선 스펙트럼을 이용하면 원소를 구별할 수 있다.

바로 알기 ① 불꽃 반응에서 나타나는 원소의 불꽃색을 비교하면 원소를 구별할 수 있지만, 모든 종류의 원소를 구별할 수 있는 것은 아니다.

② 원소의 불꽃색을 분광기로 관찰하면 선 스펙트럼이 나타나고 햇빛을 분광기로 관찰하면 연속 스펙트럼이 나타난다.

③ 리튬과 스트론튬은 불꽃색이 빨간색으로 비슷하지만 선 스펙트럼의 모습은 다르다.

④ 염화 나트륨과 질산 나트륨은 모두 나트륨을 포함하고 있으므로 불꽃색을 비교하면 노란색으로 같다. 하지만, 이 방법으로 염소와 질소를 구별할 수는 없다.

4 선 스펙트럼

자료 분석 + 선 스펙트럼 분석

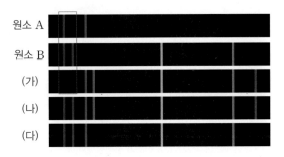

- 물질 (가)에는 원소 A와 B의 선 스펙트럼 중 일부가 포함되어 있지 않으므로 물질 (가)는 원소 A와 B를 포함하지 않는다.
- 물질 (나)에는 원소 A와 B의 선 스펙트럼이 모두 포함되어 있으므로 물질 (나)는 원소 A와 B를 포함한다.
- 물질 (다)에는 원소 A와 B의 선 스펙트럼이 모두 포함되어 있으므로 물질 (나)는 원소 A와 B를 포함한다.

원소 A와 B의 선 스펙트럼이 모두 포함되어 있는 물질은 (나)와 (다)이다.

암기 Tip 스펙트럼

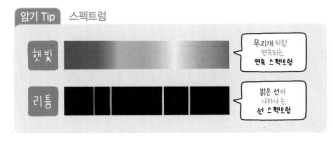

5 여러 가지 원자의 원자 모형

① 수소의 전자의 개수는 1개 질소의 전자의 개수는 7개, 리튬의 전자의 개수는 3개, 산소의 전자의 개수는 8개이므로, 전자의 개수가 가장 적은 것은 수소이다.

④ 수소 원자의 원자핵의 전하량은 +1, 질소 원자의 원자핵의 전하량은 +7, 리튬 원자의 원자핵의 전하량은 +3, 산소 원자의 원자핵의 전하량은 +8이므로 원자핵의 (+)전하량이 가장 큰 것은 산소이다.

⑤ 원자에는 빈 공간이 많이 있으며 원자핵은 원자의 중심에 위치하고 전자는 원자핵 주위를 빠르게 움직이고 있다.

바로 알기 ② 수소 원자의 원자핵의 전하량은 +1이고, 질소 원자의 원자핵의 전하량은 +7이며, 리튬 원자의 원자핵의 전하량은 +3이고, 산소 원자의 원자핵의 전하량은 +8이다. 따라서 모든 원자의 (+)전하량의 합은 1+7+3+8=+19이다.

③ 원자의 질량 대부분은 원자핵이 차지하고 전자의 질량은 매우 작다.

6 원소 기호와 표기법

자료 분석 I 원소 기호를 나타내는 방법

① 원소 이름의 첫 글자를 알파벳의 대문자로 나타낸다.
② 첫 글자가 같을 때는 중간 글자를 택하여 첫 글자 다음에 소문자로 나타낸다.

원소 이름		원소 기호
수소	hydrogen	H
헬륨	helium	He
리튬	lithium	Li
탄소	carboneum	C
산소	oxygen	O
질소	nitrogen	N
플루오린	fluorine	F
염소	chlorum	Cl
나트륨(소듐)	natrium	Na
마그네슘	magnesium	Mg
알루미늄	aluminium	Al
황	sulfur	S
칼륨(포타슘)	kalium	K
칼슘	calcium	Ca
구리	cuprum	Cu
스트론튬	strontium	Sr
은	argentum	Ag
아이오딘	iodine	I
바륨	barium	Ba
납	plumbum	Pb

바로 알기 원소 기호를 나타낼 때 첫 글자가 같을 때는 중간 글자를 택하여 첫 글자 다음에 소문자로 나타낸다.

7 여러 가지 원소 기호

철의 원소 기호는 Fe이다.

바로 알기 ① 구리의 원소 기호는 Cu이다.
② 황의 원소 기호는 S이고, 규소의 원소 기호는 Si이다.
③ 질소의 원소 기호는 N이고, 플루오린의 원소 기호는 F이다.
⑤ 칼슘의 원소 기호는 Ca이다.

3일 필수 체크 전략 **1** 기출 선택지 All 20~23쪽

①-1 ㄴ, ㅁ **②**-1 ②
③-1 ㄱ, ㄷ **④**-1 ⑤
⑤-1 ③ **⑥**-1 ⑤
⑦-1 ②, ③ **⑧**-1 ③

①-1 분자

ㄱ. 물은 수소 원사 2개와 산소 원자 1개가 결합하여 만들어진 분자이다.

ㄷ. 암모니아는 질소 원자 1개와 수소 원자 3개가 결합하여 만들어진 분자이다.

ㄹ. 산소는 산소 원자 2개가 결합하여 만들어진 분자이다.

ㅂ. 염화 나트륨은 나트륨 원자 1개와 염소 원자 1개가 결합하여 만들어진 분자이다.

👁 **바로 알기** ㄴ, ㅁ. 헬륨과 네온은 원자 1개가 기체의 성질을 나타내는데, 이처럼 원자 1개로 이루어진 분자를 일원자 분자라고 한다.

②-1 분자식과 모형

$2CH_4$는 탄소 원자 1개와 수소 원자 4개로 이루어진 메테인 분자가 2개이므로, 총 10개의 원자로 이루어져 있다. $5O_2$는 산소 원자 2개로 구성된 산소 분자가 5개이므로, 원자의 총 개수는 $5 \times 2 = 10$개이다.

👁 **바로 알기** ① $4NH_3$는 질소 원자 1개와 수소 원자 3개로 구성된 암모니아 분자가 4개이므로, $4NH_3$를 이루는 원자의 총 개수는 $4 \times (1+3) = 16$개이다.

③ $3HCl$은 수소 원자 1개와 염소 원자 1개로 구성된 염화 수소 분자가 3개이므로, $3HCl$을 이루는 원자의 총 개수는 $3 \times (1+1) = 6$개이다.

④ $2CO_2$는 탄소 원자 1개와 산소 원자 2개로 구성된 이산화 탄소 분자가 2개이므로, $2CO_2$를 이루는 원자의 총 개수는 $2 \times (1+2) = 6$개이다.

⑤ $3H_2O$는 수소 원자 2개와 산소 원자 1개로 구성된 물 분자가 3개이므로, $3H_2O$를 이루는 원자의 총 개수는 $3 \times (2+1) = 9$개이다.

③-1 여러 가지 분자의 이용

분자는 결합하는 원자의 종류와 수에 따라 분자의 종류가 달라진다. 분자를 구성하는 원자의 종류가 같더라도 결합하는 원자의 수가 다르면 분자의 종류가 달라진다.

자료 분석 + 일산화 탄소와 이산화 탄소의 성질

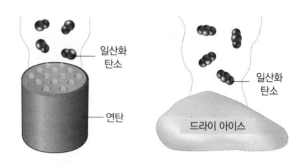

일산화 탄소 / 연탄 / 드라이 아이스 / 일산화 탄소

- 연탄은 탄소(C)로 이루어져 있어 산소가 충분한 경우에는 완전 연소하여 이산화 탄소(CO_2)가 발생하고, 산소가 충분하지 않은 경우에는 불완전 연소하여 일산화 탄소(CO)가 발생한다.
- 일산화 탄소(CO)에 중독되면 혈액의 산소 운반 능력이 상실되어 저산소증이 생기게 되므로 주의해야 한다.
- 드라이 아이스(CO)는 이산화 탄소(CO_2)의 고체 상태이다.
- 드라이 아이스는 대기압에서 승화하여 기체 상태의 이산화 탄소가 된다.
- 이산화 탄소(CO_2)는 날숨에 포함된 기체로서 공기보다 무겁다.

선택지 분석

ㄱ 같은 종류의 원자로 이루어져 있다.
✗ 두 물질의 성질은 같다. → 다른 물질이므로 성질이 다르다.
ㄷ 분자를 구성하는 원자의 개수와 배열이 다르므로 다른 물질이다.

👁 **바로 알기** 일산화 탄소(CO)와 이산화 탄소(CO_2)는 모두 탄소 원자와 산소 원자로 이루어져 있지만 분자를 구성하는 원자의 개수와 배열이 다르므로 두 물질의 성질은 같지 않다.

④-1 이온의 형성

중성인 원자 A가 전자 2개를 잃으면 $+2$ 전하량을 갖는 양이온(A^{2+})이 된다.($A \rightarrow A^{2+} + 2\ominus$)

👁 **바로 알기** ① A^{3-}는 중성 원자 A가 전자를 3개 얻어서 생성된다.($A + 3\ominus \rightarrow A^{3-}$)

② A^{2-}는 중성 원자 A가 전자를 2개 얻어서 생성된다.($A + 2\ominus \rightarrow A^{2-}$)

③ A^-는 중성 원자 A가 전자를 1개 얻어서 생성된다.($A + \ominus \rightarrow A^-$)

④ A^+는 중성 원자 A가 전자를 1개 잃어서 생성된다.($A \rightarrow A^+ + \ominus$)

⑤-1 이온식

이온의 이름을 부를 때 양이온은 원소 이름 뒤에 '이온'을 붙이고, 음이온은 원소 이름 뒤에 '~화 이온'을 붙인다. 이때 산소, 염소와 같이 원소 이름이 '소'로 끝나는 음이온은 '소'를 빼고 '~화 이온'을 붙인다.

③ Pb^{2+}는 납 이온이다.

👁️‍🗨️ **바로 알기** ① S^{2-}는 황화 이온이다.

② H^+는 수소 이온이다.

④ Cl^-는 염화 이온이다.

⑤ Cu^{2+}는 구리 이온이다.

⑥-1 이온의 이동

자료 분석 + 염화 나트륨 수용액에서 이온의 이동

• 염화 나트륨이 물에 녹으면 양이온인 나트륨 이온과 음이온인 염화 이온으로 나누어진다.

• 이온의 이동

이온	이온의 종류	이온의 이동
염화 이온(Cl^-)	음이온	(+)극으로 이동
나트륨 이온(Na^+)	양이온	(−)극으로 이동

(+)극 (−)극
염화
나트륨
수용액

이온이 들어 있는 수용액에 전류를 흘려 주면 양이온은 (−)극으로, 음이온은 (+)극으로 이동한다. 이 현상은 이온이 전하를 띠고 있기 때문에 나타나는 현상이다

👁️‍🗨️ **바로 알기** ① 수용액에 전류가 흐르면 수용액 속의 이온이 이동한다.

② 음이온은 (+)극 쪽으로 이동한다.

③ 양이온은 (−)극 쪽으로 이동한다.

④ 설탕은 물에 녹을 때 이온을 생성하지 않으므로 염화 나트륨 수용액에서처럼 음이온과 양이온이 이동하는 모습을 볼 수 없다.

⑦-1 앙금 생성 반응

은 이온(Ag^+)은 염화 이온(Cl^-)과 반응하여 흰색 앙금($AgCl$)을 생성한다.

👁️‍🗨️ **바로 알기** 양이온과 음이온이 반응해도 앙금을 생성하지 않을 수 있다. 나트륨 이온(Na^+), 칼륨 이온(K^+), 암모늄 이온(NH_4^+), 질산 이온(NO_3^-) 등은 다른 이온과 반응해도 앙금을 생성하지 않는다

⑧-1 이온의 검출

납 이온과 아이오딘화 이온이 반응하면 노란색의 아이오딘화 납 앙금을 생성하므로 공장 폐수에 아이오딘화 이온이 들어 있는 수용액을 떨어뜨리면 납 이온이 들어 있는지 확인할 수 있다.

👁️‍🗨️ **바로 알기** ①, ②, ⑤ 납 이온(Pb^{2+})이 반응하여 앙금을 생성하려면 음이온과 결합하여야 한다. 칼륨 이온(K^+), 수소 이온(H^+), 암모늄 이온(NH_4^+)은 양이온이므로 납 이온을 검출할

때 사용할 수 없다.

④ 납 이온(Pb^{2+})은 질산 이온(NO_3^-)과 반응하여 앙금을 생성하지 않는다.

3일 필수 체크 전략 ② 최다 오답 문제 24~25쪽

| 1 ④ | 2 ②, ③ | 3 ③ | 4 ④ |
| 5 ④ | 6 ② | 7 (가) 염화 칼륨, (나) 질산 나트륨, (다) 염화 칼슘 | |

1 원소, 원자, 분자의 정의

이산화 탄소 분자 1개는 탄소 원자 1개와 산소 원자 2개로 이루어져 있다.

👁️‍🗨️ **바로 알기** ① 암모니아 분자(NH_3)는 질소와 수소 두 종류의 원소로 이루어져 있다.

② 물 분자(H_2O) 1개는 수소 원자 2개와 산소 원자 1개로 구성되어 있으므로 물 분자 1개를 구성하는 총 원자 수는 3개이다.

③ 분자는 원자로 분해될 수 있다.

⑤ 물질을 구성하는 가장 작은 단위로 더 이상 쪼개지지 않는 기본 입자를 원자라고 한다.

2 같은 종류의 원자로 이루어진 분자

자료 분석 + 산소 원자로 이루어진 물질

물질	산소	오존
모형	물질 A	물질 B
구성 원자의 종류	산소 원자	산소 원자
구성 원자의 수	2개	3개
산소	생물이 호흡할 때 필요	오존층에 있는 기체로 자외선을 흡수

선택지 분석

✗ 물질 A와 B는 성질이 비슷하다. → 성질이 다르다.

② 물질 A와 B는 서로 다른 물질이다.

③ 물질 A와 B의 성분 원소의 종류는 같다.

✗ 물질 A는 ~~오존~~의 분자 모형이고, 물질 B는 ~~산소~~의 분자 모형이다. 물질 A: 산소, 물질 B: 오존

✗ 분자 1개를 구성하는 원자의 개수는 물질 A가 물질 B보다 ~~많다~~. → 적다.

같은 종류의 원자로 이루어져 있어도 원자의 개수나 배열이 다르면 서로 다른 물질이다.

바로 알기 ① 물질 A와 물질 B는 구성 원자의 개수와 배열이 다르므로 서로 다른 물질이다. 따라서 두 물질의 성질은 다르다.
④ 물질 A는 산소 분자, 물질 B는 오존 분자를 나타낸 분자 모형이다.
⑤ 물질 A는 산소 원자 2개로 구성되어 있고, 물질 B는 산소 원자 3개로 구성되어 있다.

3 분자식

분자식을 나타낼 때에는 분자를 구성하는 원자의 종류를 원소 기호로 쓰고, 분자를 이루는 원자의 수를 원소 기호의 오른쪽 아래에 작은 숫자로 쓴다. 분자의 개수는 분자식 앞에 숫자로 쓴다. 염화 수소의 분자식은 HCl이다.

바로 알기 ① 메테인의 분자식은 CH_4이다.
② 암모니아의 분자식은 NH_3이다.
④ 일산화 탄소의 분자식은 CO이다.
⑤ 과산화 수소의 분자식은 H_2O_2이다.

4 원자가 이온이 되는 과정

자료 분석 + 원자가 이온이 되는 과정

⟨원자 A가 이온이 되는 과정⟩

원자 A

⟨원자 B가 이온이 되는 과정⟩

원자 B

구분	원자 A	이온 A	원자 B	이온 B
원자핵의 전하량	+3	+3	+8	+8
전자의 개수	3	2	8	10
입자의 전하량	0	+1	0	-2
원자식 또는 이온식	A	A^+	B	B^{2-}

원자 A는 전자를 1개 잃어 전하량이 +1인 양이온이 되고, 원자 B는 전자 2개를 얻어 전하량이 -2인 음이온이 된다. 양이온은 원자핵의 (+)전하량이 전자들의 (-)전하량의 합보다 많아 (+)전하를 띠게 된다.

바로 알기 ① 원자 B의 전자는 8개이다.
② 이온 A를 이온식으로 표현하면 A^+이다.
③ 이온 B를 이온식으로 표현하면 B^{2-}이다.
⑤ 원자 B는 진자의 개수가 8개이고, 이온 B는 전자의 개수가 10개이므로, 원자 B는 이온 B보다 전자의 개수가 더 적다.

5 이온의 이동

수용액 속에서 양이온은 (-)극 쪽으로 이동하고, 음이온은 (+)극 쪽으로 이동한다. 전극을 바꿔 전류의 방향을 바꾸면 이온이 이동하는 방향도 바뀐다. 이 실험을 통해 이온이 전하를 띠는 것을 알 수 있다.

바로 알기 ㄱ. 파란색을 띠는 구리 이온(Cu^{2+})은 양이온이므로 (-)극 쪽으로 이동한다.
ㄴ. 칼륨 이온(K^+)은 양이온이므로 (-)극 쪽으로 이동한다.
ㅁ. 과망가니즈산 이온(MnO_4^-)은 음이온이므로 (+)극 쪽으로 이동한다.

6 앙금 생성 반응

자료 분석 + 염화 칼슘 수용액과 탄산 나트륨 수용액의 반응

| 염화 칼슘 수용액 (가) | 탄산 나트륨 수용액 (나) | 혼합 용액 (다) |

(가) 염화 칼슘 수용액에 들어 있는 칼슘 이온(Ca^{2+})과 (나) 탄산 나트륨 수용액에 들어 있는 탄산 이온(CO_3^{2-})이 반응하여 흰색의 탄산 칼슘($CaCO_3$) 앙금이 생긴다.

선택지 분석
✗ (가)와 (나) 용액의 불꽃색은 같다. → 다르다.
○ (다)에서 흰색 앙금이 생성된다.
○ 나트륨 이온과 염화 이온은 반응에 참여하지 않는다.
✗ (다)에는 이온이 포함되어 있지 않다. → Na^+, Cl^- 포함

바로 알기 ㄱ. (가)에는 칼슘 이온이 들어 있고, (나)에는 나트륨 이온이 들어 있어 두 물질의 불꽃색은 주황색과 노란색으로 서로 다르다.

ㄴ. (다)에는 탄산 이온과 칼슘 이온이 반응하여 흰색 앙금이 생성된다.

ㄷ, ㄹ. (다)에는 나트륨 이온과 염화 이온은 앙금 생성 반응에 참여하지 않고 수용액에 남아 있어 전원 장치를 연결하면 전류가 흐른다.

7 이온의 검출

자료 분석 + 이온의 검출

구분	(가) 수용액	(나) 수용액	(다) 수용액
질산 은 수용액	흰색 앙금	변화 없음	흰색 앙금
탄산 나트륨 수용액	변화 없음	변화 없음	흰색 앙금

• (가)~(다) 수용액은 염화 칼륨 수용액, 질산 나트륨 수용액, 염화 칼슘 수용액 중 하나에 해당한다.

• 은 이온(Ag^+)과 염화 이온(Cl^-)이 만나면 흰색의 염화 은($AgCl$) 앙금이 생성되고, 탄산 이온(CO_3^{2-})과 칼슘 이온(Ca^{2+})이 만나면 흰색의 탄산 칼슘($CaCO_3$) 앙금이 생성된다.

• (가) 수용액은 질산 은 수용액과 반응하여 흰색 앙금을 생성하므로 염화 칼륨 수용액이나 염화 칼슘 수용액임을 알 수 있다. (가) 수용액은 탄산 나트륨 수용액과 반응했을 때 앙금이 생성되지 않으므로 칼슘 이온이 들어 있지 않은 염화 칼륨 수용액임을 알 수 있다.

• (나) 수용액은 질산 은 수용액과 탄산 나트륨 수용액과 반응해도 앙금이 생성되지 않으므로 질산 나트륨 수용액이다.

• (다) 수용액은 질산은 수용액과 반응하여 흰색 앙금을 생성하므로 염화 이온이 들어 있음을 알 수 있다. (다) 수용액이 탄산 나트륨 수용액과 반응하여 흰색 앙금을 생성하므로 칼슘 이온이 들어 있음을 알 수 있다. 따라서, (다) 수용액은 염화 칼슘 수용액이다.

은 이온(Ag^+)과 염화 이온(Cl^-)이 만나 염화 은이 생성되므로 (가) 수용액과 (다) 수용액에는 염화 이온이 들어 있다. 탄산 이온과 칼슘 이온이 반응하여 탄산 칼슘이 생성되므로 (다) 수용액에는 칼슘 이온이 들어 있다. 제시된 용액은 염화 칼륨 수용액, 질산 나트륨, 수용액, 염화 칼슘 수용액이므로, (가) 염화 칼륨 수용액, (나)는 질산 나트륨 수용액, (다)는 염화 칼슘 수용액이다.

암기 Tip 흰색 앙금

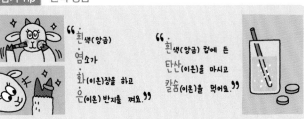

"흰색(앙금) 염소가 화(이온)장을 하고 은(이온) 반지를 껴요."

"흰색(앙금) 컵에 든 탄산(이온)을 마시고 칼슘(이온)을 먹어요."

1주차	누구나 합격 전략	26~27쪽

01 ③ 02 ③ 03 ③ 04 원소 A, 원소 C
05 ⑤ 06 ⑤ 07 ⑤ 08 ①
09 파란색을 띠는 이온: Cu^{2+}, 보라색을 띠는 이온: MnO_4^-
10 ③

01 라부아지에의 물 분해 실험

라부아지에는 물을 매우 높은 온도로 가열하여 산소와 수소로 분해하였다. 이때 발생한 산소는 주철관 내부에서 철과 반응하여 녹이 슬고, 수소는 집기병에 모인다. 이 실험을 통해 물은 산소와 수소로 분해되므로 물질을 이루는 기본 성분인 원소가 아님이 증명되었다.

바로 알기 ㄱ. A에 모이는 기체는 수소 기체이다.

ㄴ. 주철관 내부에서 산소와 철이 반응하여 철이 녹슨다.

02 원자의 구조

원자핵은 원자의 중심에 위치하고 (+)전하를 띤다. 이 원자는 6개의 전자를 가지고 있으므로 원자핵의 전하량이 +6이어야 전기적으로 중성이 된다.

바로 알기 ㄷ. 원자핵의 질량이 원자 질량의 대부분을 차지하고 전자의 질량은 매우 작다.

03 불꽃 반응

자료 분석 + 불꽃색이 같은 물질

불꽃색이 같은 물질	공통으로 포함된 금속 원소	불꽃색
질산 나트륨, 염화 나트륨	나트륨	노란색
질산 칼륨, 황산 칼륨	칼륨	보라색
염화 칼슘, 질산 칼슘	칼슘	주황색
염화 구리, 질산 구리	구리	청록색
질산 리튬, 염화 리튬	리튬	빨간색
질산 스트론튬, 염화 스트론튬	스트론튬	빨간색

불꽃 반응은 금속 원소를 포함한 물질에 불을 붙였을 때 금속 원소의 종류에 따라 특정한 불꽃색이 나타나는 현상이다. 염화 나트륨과 질산 나트륨은 모두 나트륨을 포함하고 있기 때문에 불꽃색이 노란색으로 같다.

바로 알기 ㄷ. 불꽃색이 비슷한 원소는 선 스펙트럼으로 구분할 수 있다.

04 선 스펙트럼으로 원소 구별하기

자료 분석 + 선 스펙트럼 분석

원소 A

원소 B

원소 C

물질 (가)

원소 B의 선 스펙트럼이 나타나 있지 않다.

- 원소 A와 원소 C의 선 스펙트럼은 물질 (가)의 선 스펙트럼에 모두 나타난다.
- 원소 B의 선 스펙트럼 중 오른쪽 끝에 있는 선은 물질 (가)의 선 스펙트럼에 나타나 있지 않다. 따라서, 물질 (가)에는 원소 B가 포함되어 있지 않다.

어떤 물질 속에 여러 가지 원소가 들어 있을 경우에 그 물질의 선 스펙트럼에는 각각의 원소의 선 스펙트럼이 모두 나타난다.

바로 알기 물질 (가)의 선 스펙트럼에는 원소 A와 원소 C의 선 스펙트럼이 모두 나타나므로 물질 (가)에는 원소 A와 원소 C가 모두 포함되어 있다.

05 원소 기호

칼슘의 원소 기호는 Ca이다.

바로 알기 ① 헬륨의 원소 기호는 He이다.

② 나트륨의 원소 기호는 Na이고, 네온의 원소 기호는 Ne이다.

③ 플루오린의 원소 기호는 F이고, 철의 원소 기호는 Fe이다.

④ 마그네슘의 원소 기호는 Mg이고, 망가니즈의 원소 기호는 Mn이다.

06 분자 모형

암모니아는 질소 원자 1개와 수소 원자 3개로 이루어져 있다.

바로 알기 ㄱ. 암모니아의 분자식은 NH_3이다.

ㄴ. 암모니아는 질소와 수소로 이루어져 있다.

ㄷ. 암모니아는 질소 원자(N) 1개와 수소 원자(H) 3개로 이루어져 있으므로 총 4개의 원자로 이루어져 있다.

07 분자식

이산화 탄소의 분자식은 CO_2이고, 일산화 탄소의 분자식은 CO이다.

08 이온식

바로 알기 ② 칼슘 이온은 Ca^{2+}이다.

③ 질산 이온은 NO_3^-이다.

④ 탄산 이온은 CO_3^{2-}이다.

⑤ 암모늄 이온은 NH_4^+이다.

자료 분석 + 여러 가지 이온의 이온식

양이온		음이온	
수소 이온	H^+	플루오린화 이온	F^-
리튬 이온	Li^+	아이오딘화 이온	I^-
칼륨 이온	K^+	염화 이온	Cl^-
은 이온	Ag^+	수산화 이온	OH^-
칼슘 이온	Ca^{2+}	황산 이온	SO_4^{2-}
납 이온	Pb^{2+}	탄산 이온	CO_3^{2-}
알루미늄 이온	Al^{3+}	질산 이온	NO_3^-
암모늄 이온	NH_4^+	과망가니즈산 이온	MnO_4^-

- 이온은 1개의 원자로 이루어진 것도 있지만, 여러 개의 원자가 모여서 이루어진 것도 있다.

09 이온의 이동 확인

파란색을 띠는 이온은 구리 이온(Cu^{2+})으로 (+)전하를 띠므로 (−)극 쪽으로 이동한다. 보라색을 띠는 이온은 과망가니즈산 이온(MnO_4^-)으로 (−)전하를 띠므로 (+)극으로 이동한다.

암기 Tip 이온의 이동

이온은 자신의 전하와 부호가 반대인 극에 끌려요.

(−)극 ← Cu^{2+} MnO_4^- → (+)극

10 앙금 생성 반응

아이오딘화 칼륨 수용액과 질산 납 수용액을 섞으면 노란색의 아이오딘화 납(PbI_2) 앙금이 생성된다.

선택지 분석

ㄱ. 앙금 생성 반응이다.

ㄴ. 노란색 앙금은 PbI_2이다.

✗ 수용액에는 이온이 더 이상 존재하지 않는다. → K^+, NO_3^- 존재

바로 알기 앙금이 생성되어도 수용액에는 칼륨 이온(K^+)과 질산 이온(NO_3^-)이 존재한다.

<table>
<tr><td>1주차</td><td>창의·융합·코딩 전략</td><td>28~31쪽</td></tr>
</table>

1 (1) ㉠ 산소(수소), ㉡ 수소(산소), ㉢ 원소 (2) ①   **2** ②

3 ①   **4** (1) 베르셀리우스 (2) ① 첫 글자 ② 소문자

5 ④   **6** 칼슘 이온, Ca^{2+}

7 (1) 양이온: K^+, 음이온: I^- (2) 양이온: Na^+, 음이온: Cl^-

8 ⑤

1 물질관

(1) 라부아지에는 물을 매우 높은 온도로 가열하여 분해하면 다른 물질(수소, 산소)이 생긴다는 사실을 실험으로 알아냄으로써 물이 원소가 아니라는 것을 증명하였다.

(2) 원소는 다른 물질로 분해되지 않으며 물질을 구성하는 기본 성분이다. 구리, 철, 질소, 수소, 산소, 금, 철, 알루미늄 등은 모두 원소이다.

자료 분석 + 물질관

탈레스	• 모든 물질의 근원은 물이라고 주장
아리스토텔레스	• 물, 불, 흙, 공기가 세상의 모든 물질을 만드는 기본 성분이라고 주장
보일	• 모든 물질은 더 이상 분해되지 않는 원소로 구성되어 있다고 주장 • 현대적인 원소의 개념을 처음 제안
라부아지에	• 더 이상 분해할 수 없는 물질을 원소로 정의 • 물을 수소와 산소로 분해하여 물이 원소가 아님을 증명하였다

선택지 분석

① 구리, 철, 질소

② ~~수소, 산소, 물~~

③ ~~물,~~ 암모니아, 금

④ ~~철, 산소, 이산화 탄소~~

⑤ ~~공기,~~ 알루미늄, ~~탄산 칼슘~~

바로 알기 ② 물(H_2O)은 수소 원자 2개와 산소 원자 1개로 이루어진 분자이므로 원소가 아니다.

③ 암모니아(NH_3)는 수소 원자 3개와 질소 원자 1개로 이루어진 분자이므로 원소가 아니다.

④ 이산화 탄소(CO_2)는 탄소 원자 1개와 산소 원자 2개로 이루어진 분자이므로 원소가 아니다.

⑤ 공기는 여러 가지 기체 물질이 포함된 혼합물이고, 탄산 칼슘($CaCO_3$)은 칼슘 원자 1개, 탄소 원자 1개, 산소 원자 3개로 이루어진 분자이므로 원소가 아니다.

2 원소의 구별

불꽃 놀이는 금속 원소를 포함한 물질과 산소를 발생시키는 물질을 함께 연소시켜 여러 가지 불꽃색이 나타나도록 한다. 청록색은 구리 원소를 포함한 물질을 연소시키고, 보라색은 칼륨 원소를 포함한 물질을 연소시켜서 만든다.

3 원자의 구조

원자는 원자핵과 전자로 이루어져 있고, 원자핵의 (+)전하량과 전자들의 (−)전하량의 합이 같아서 전기적으로 중성이다. 따라서 원자는 원자핵의 (+)전하량과 같은 개수의 전자를 가지고 있다.

4 원소 기호를 나타내는 방법

스웨덴의 과학자 베르셀리우스는 라틴어로 된 원소 이름의 알파벳을 이용하여 원소를 나타내는 방법을 제안하였다.

자료 분석 + 원소 기호를 나타내는 방법

① 원소 이름의 첫 글자를 알파벳의 대문자로 나타낸다.

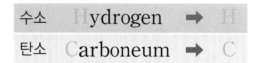

② 첫 글자가 같을 때는 중간 글자를 택하여 첫 글자 다음에 소문자로 나타낸다.

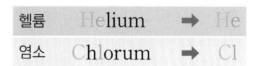

5 분자 모형과 분자식

우리는 일상생활에서 산소, 물 등의 분자로 이루어진 여러 가지 물질을 이용한다.

㉠ 히말라야 산맥과 같은 고산지대에는 산소가 부족하다. 산소는 생물이 호흡할 때 꼭 필요하다.

㉡ 물은 생명체의 생명 활동에 꼭 필요한 물질이다.

㉢ 헬륨은 공기보다 가볍고 불에 잘 타지 않아 풍선이나 비행선 충전 기체로 사용한다.

㉣ 수소는 가장 가벼운 기체로 미래의 청정 에너지원이다. 수소 자동차는 수소를 연료로 사용한다.

구분	분자의 성질과 이용
산소	다른 물질이 타도록 돕는 성질이 있으며, 생물이 호흡할 때 필요함.
수소	가장 가벼운 원소이며, 연소할 때 대기 오염 물질을 발생시키지 않고 에너지를 많이 내어 미래의 청정 에너지원으로 주목받고 있음.
물	생명체의 생명 활동에 꼭 필요한 물질이며, 대표적인 용매로 여러 가지 물질을 녹일 수 있음.
질소	공기의 약 78 %를 차지하며, 다른 물질과 거의 반응을 하지 않아 과자 봉지 등의 충전제로 사용함.
일산화 탄소	화석 연료가 불완전 연소될 때 생기는 물질로 독성이 강함.
이산화 탄소	공기보다 무겁고, 고체 상태의 이산화 탄소인 드라이 아이스는 대기압에서 승화함.
메테인	천연가스의 주성분이며 연료로 이용함. 지구 온난화의 원인이기도 함.
암모니아	자극적인 냄새가 나는 기체로 물에 잘 녹으며, 염색제나 비료의 원료로 이용함.
헬륨	색깔과 냄새가 없고 공기 중에 매우 적은 양이 존재하며, 풍선 등에 사용함.
염화 수소	독성이 강한 기체로 물에 잘 녹음, 염화 수소가 녹은 수용액이 염산임.

6 이온

칼슘 원자(Ca)가 전자 2개를 잃으면 칼슘 이온(Ca^{2+})이 된다. 칼슘 이온은 (+)전하를 띠고, 수용액 상태일 때 탄산 이온을 만나면 반응하여 흰색 앙금($CaCO_3$)이 생긴다. 이온 음료에는 칼슘 이온 뿐만 아니라, 나트륨 이온, 마그네슘 이온, 칼륨 이온, 칼슘 이온, 염화 이온 등이 들어 있어 이온 음료를 마시면 수분과 이온을 보충하는 데 도움이 된다.

7 이온의 확인

(1) 질산 납 수용액과 반응하여 노란색 앙금을 생성하는 이온은 아이오딘화 이온(I^-)으로 노란색 앙금은 아이오딘화 납(PbI_2)이다. 용액 A를 불꽃 반응 실험을 하면 불꽃색이 보라색이므로 용액 A에는 칼륨 이온(K^+)이 들어 있다.

(2) 용액 B에 질산 은 수용액과 반응하여 흰색 앙금을 생성하는 이온은 염화 이온(Cl^-), 탄산 이온(CO_3^{2-}), 황산 이온(SO_4^{2-}) 등이 있지만 용액 B에 포함된 것은 전하량이 -1인 음이온이므로 염화 이온(Cl^-)이다. 용액 B를 불꽃 반응 실험을 하면 불꽃색이 노란색이므로 용액 B에는 나트륨 이온(Na^+)이 들어 있다.

양이온	음이온	앙금	앙금색
은 이온(Ag^+)	염화 이온(Cl^-)	염화 은($AgCl$)	
칼슘 이온(Ca^{2+})	탄산 이온(CO_3^{2-})	탄산 칼슘($CaCO_3$)	흰색
	황산 이온(SO_4^{2-})	황산 칼슘($CaSO_4$)	
바륨 이온(Ba^{2+})	탄산 이온(CO_3^{2-})	탄산 바륨($BaCO_3$)	
	황산 이온(SO_4^{2-})	황산 바륨($BaSO_4$)	
납 이온(Pb^{2+})	아이오딘화 이온(I^-)	아이오딘화 납(PbI_2)	노란색
	황화 이온(S^{2-})	황화 납(PbS)	검은색
구리 이온(Cu^{2+})	황화 이온(S^{2-})	황화 구리(CuS)	검은색
카드뮴 이온(Cd^{2+})		황화 카드뮴(CdS)	노란색

8 이온의 전하 확인

전류가 흐르는 수용액 속에서 양이온은 (−)극 쪽으로 이동하고, 음이온은 (+)극 쪽으로 이동한다. 파란색을 띠는 구리 이온이 (−)극 쪽으로 이동하므로 양이온임을 알 수 있고, 보라색을 띠는 과망가니즈산 이온이 (+)극 쪽으로 이동하므로 음이온임을 알 수 있다.

바로 알기 색깔을 띠지 않지만 황산 이온(SO_4^{2-})은 음이온이므로 (+)극 쪽으로, 칼륨 이온(K^+)은 양이온이므로 (−)극 쪽으로 이동한다.

2주 II 전기와 자기

1일 개념 돌파 전략 1 확인Q 34~35쪽

3강_전기

1 ←   2 전기력, 척력   3 B   4 (−)전하   5 0.1 A   6 1.5 V

7 2 Ω   8 직렬연결

1 전자를 얻으면 (−)전하를 띠고, 잃으면 (+)전하를 띠게 되므로 물체 A는 전자를 얻었고 물체 B는 전자를 잃었다. 따라서 전자는 물체 B에서 물체 A 쪽으로 이동하였다.

2 머리카락은 같은 전하를 띠게 되므로 서로 척력이 작용하여 낱낱이 흩어진다.

3 금속 막대 내의 전자들은 (+) 대전체의 영향을 받아 대전체 쪽으로 끌려오게 되므로 대전체 로부터 먼 쪽 금속 막대는 (+) 전하의 양이 (−)전하의 양보다 많다. 따라서 대전체로부터 먼 쪽인 B 부분이 대전체와 같은 전하를 띠게 된다.

4 (+)전하를 띠고 벌어져 있던 금속박이 오므라들었으므로 전자가 금속박 쪽으로 이동해 온 것이다. 즉, 금속판의 (−)전하를 밀어낸 것이므로 대전체가 띠는 전하는 (−)전하이다.

5 전류의 세기는 도선의 한 단면을 단위 시간당 이동하는 전하의 양으로 구한다. 즉, 전류의 세기는 전하의 양에 비례한다. 따라서 1초 동안 1 C의 전하가 이동할 때 전류의 세기는 1 A 이므로 전하의 양이 0.1 C이면 전류의 세기는 0.1 A가 된다.

6 전압은 바늘이 가리키는 값 중 3 V에 해당하는 1.5 V이다.

7 전압 − 전류 그래프에서 기울기

$$=\frac{전류}{전압}=\frac{1}{저항}$$이므로 기울기가 작을수록 저항이 크다. 따라서 A의 저항이 1 Ω이면 B의 저항은 2 Ω이 된다.

1일 개념 돌파 전략 1 확인Q 36~37쪽

2강_자기

1 S ◆▶ N   2 전류의 방향   3 (나)   4 →   5 전자석

6 A: 자기장, B: 힘, C: 전류   7 (가)>(나)>(다)   8 반대이다

1 자기장의 방향은 자침의 N극이 가리키는 방향이다.

2 직선 도선을 오른나사에 비유할 때 나사가 돌아가는 방향은 자기장의 방향, 나사가 진행하는 방향은 전류의 방향이다.

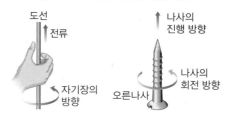

3 원형 도선 각 부분에 흐르는 전류에 의한 자기장이 합해져서 세기가 커지는 위치는 원형 도선의 안쪽인 (나)이다.

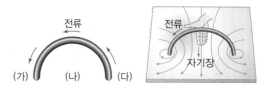

4 오른손의 네 손가락을 전류 방향으로 감아쥐고 엄지손가락을 펼 때 엄지손가락이 가리키는 방향이 코일 내부에서 자기장의 방향이다.

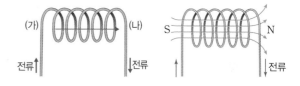

5 (가)는 전류가 흐를 때만 자석이 되어 스프링을 당겼다 놓았다 하여 종을 치게 한다. 따라서 전자석이다.

6 자기장에서 전류가 흐르는 도선이 받는 힘의 방향은 전류와 자기장의 방향에 각각 수직이다.

7 자기장의 방향과 전류의 방향이 수직일 때 가장 큰 힘을 받는다.

8 자석 사이에 놓인 도선 AB와 CD에 흐르는 전류의 방향이 반대이므로 받는 힘의 방향도 반대가 되어 회전하게 된다.

1일 개념 돌파 전략 ②   38~39쪽

1 ②, ⑤	**2** ④	**3** ④	**4** (가): ㉠, (나): ←
5 30 Ω	**6** ②		

1 마찰 전기

②, ⑤ 물체를 마찰할 때 원자핵은 이동하지 않으므로 각 물체의 (+)전하의 양은 변하지 않고 일정하지만, 전자는 B에서 A로 이동하여 상대적으로 (-)전하량이 많아진 A가 (-)전하로 대전된다.

[눈 바로 알기] ① 물체 A, B를 마찰할 때 전자가 B에서 A로 이동하여 물체 B는 (+)전하를 띠게 된다. 이때 물체 B에는 (-)전하를 띠는 전자의 수가 (+)전하를 띠는 원자핵의 수보다 상대적으로 적은 것이지 전자가 전혀 없는 것은 아니다.
③ 마찰할 때 전자의 이동에 의해 (-)전하의 양이 적어지고 많아짐으로써 (+)전하와 (-)전하를 띠는 것이지 (+)전하의 양은 마찰 전후 달라지지 않는다.
④ 마찰 후 물체 A는 (-)전하로 대전되고 물체 B는 (+)전하로 대전되었으므로 두 물체 사이에는 전기적 인력이 작용한다.

2 정전기 유도

대전체를 금속 구에 가까이하면 금속 구에는 정전기 유도 현상이 일어나므로 대전체와 가까운 쪽은 대전체와 다른 전하로, 먼 쪽은 대전체와 같은 전하로 대전된다.

[눈 바로 알기]

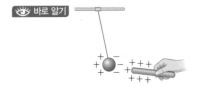

3 검전기에서의 정전기 유도

금속판에 손가락을 대면 손가락에서 금속박 쪽으로 전자가 이동하여 금속박은 오므라든다. 이 상태에서 손가락과 (+)대전체를 동시에 멀리 치우면 검전기는 전체적으로 (-)전하를 띠게 되므로 금속박이 다시 벌어진다.

[눈 바로 알기] (+)대전체에 의한 정전기 유도로 검전기의 금속판은 (-)전하로, 금속박은 (+)전하로 대전된다. 금속판에 손가락을 대면 금속판의 전자는 대전체의 (+)전하에 의해 붙잡혀 있으므로 이동하지 못하고 손가락을 통해 지면의 전자가 이동해 들어와 금속박 쪽으로 내려가게 된다.

4 전자와 전류의 방향

[자료 분석 +] 전자의 이동 방향과 전류의 흐름

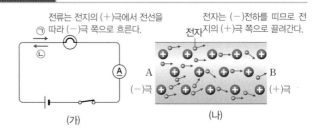

- (가) 기호 ⊣├는 전지를 나타내고 긴 막대는 (+)극, 짧은 막대는 (-)극을 의미한다. 전류는 (+)극에서 (-)극 쪽으로 흐르므로 전류의 방향은 ㉠이다.
- (나) 전자가 B 쪽으로 이동하는 것으로 보아 B 쪽은 전지의 (+)극과 연결되어 있다. 또 전류는 전자의 이동 방향과 반대 방향으로 흐르기 때문에 전류의 방향은 B에서 A 쪽이다.

전류는 전지의 (+)극에서 (-)극 쪽으로 전선을 따라 흐르고, 전자는 전류의 방향과 반대 방향으로 이동한다.

5 전류와 전압의 관계

[자료 분석 +] 전류와 전압의 관계 그래프

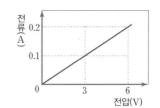

- 전압이 증가할수록 전류의 세기도 커졌다. → 옴의 법칙 적용
- 가로축이 전압, 세로축이 전류일 때
그래프의 기울기 = $\dfrac{전류}{전압}$ = $\dfrac{1}{저항}$

전압이 3 V일 때 전류가 0.1 A 흘렀으므로 저항 = $\dfrac{전압}{전류}$
= $\dfrac{3 \text{ V}}{0.1 \text{ A}}$ = 30 Ω이다.

6 전류에 의한 자기장

자기장의 방향은 자침의 N극이 가리키는 방향이므로 코일 내부에서 자기장의 방향은 코일의 오른쪽에서 나와 왼쪽으로 향하는 방향이다. 따라서 코일의 왼쪽이 N극, 오른쪽이 S극이 된다.
오른손의 엄지손가락을 왼쪽으로 향하게 펴고 네 손가락으로 코일을 감아쥐면, 전류의 방향은 a이다.

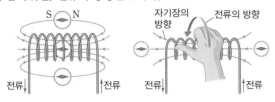

공	A	B	C	D
전하의 종류	+	+	−	−
	−	−	+	+
힘의 방향	←	→	←	→

ㄱ 전하가 같은 것끼리 짝을 지으면 A와 B, C와 D이다.
✗ 서로 당기는 힘이 작용하는 경우는 모두 A와 C, A와 D 뿐이다.
　　　　　　　　　　　　　　　　　　　　→ B와 C, B와 D
ㄷ 작용한 힘의 방향이 서로 같은 것끼리 짝을 지으면 A와 C, B와 D이다.

ㄱ. 같은 전하를 띠는 공 사이에는 서로 척력이 작용하고, 다른 전하를 띠는 공 사이에는 서로 인력이 작용한다. 따라서 서로 밀어내고 있는 A와 B, C와 D가 같은 전하를 띤다.

ㄷ. 작용하는 힘의 방향은 A, C가 오른쪽, B, D가 왼쪽이다.

👁 바로 알기 ㄴ. 서로 당기는 힘을 작용하는 경우는 서로 다른 전하를 띤 A와 C, A와 D, B와 C, B와 D이다.

❸-1 정전기 유도

정전기 유도와 전하 분리

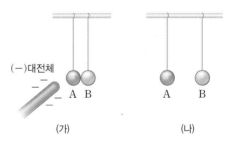

(가)	(나)

• 금속 구 A의 내부에서 전자는 (−)대전체와 척력이 작용하여 대전체로부터 먼 B 쪽으로 이동한다.
• 대전체와 가까운 쪽 금속 구 A는 상대적으로 (+)전하의 양이 (−)전하의 양보다 많기 때문에 (+)전하를 띠게 된다.

ㄱ (가)에서 전자는 A에서 B 쪽으로 이동한다.
✗ (가)에서 B 쪽은 (+)전하를 띤다. → (−)전하
✗ (나)에서 A는 (−)전하를 띤다. → (+)전하
ㄹ (나)에서 A와 B 사이에는 서로 당기는 힘이 작용한다.

ㄱ. (가)에서 금속 구 A 내의 전자는 (−)대전체와 척력이 작용하여 대전체로부터 먼 B 쪽으로 이동한다.

ㄹ. (나)에서 A는 (+)전하, B는 (−)전하를 띠고 있으므로 A와 B 사이에는 서로 당기는 힘이 작용한다.

👁 바로 알기 ㄴ. (가)에서 B 쪽은 대전체로부터 먼 쪽이므로 대전체와 같은 (−)전하를 띤다.

2일 필수 체크 전략 1 기출 선택지 All　40~43 쪽

❶-1 ④　　❷-1 ㄱ, ㄷ　　❸-1 ㄱ, ㄹ
❹-1 ⑤, ⑥　❺-1 ③　　❻-1 ②
❼-1 ①, ⑤　❽-1 ㄴ, ㄷ, ㄹ

❶-1 마찰 전기

마찰 전기의 발생

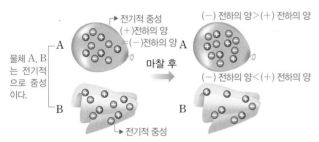

• 마찰 전후 전하의 총량은 변하지 않는다. 물체 A는 마찰 후 전자의 수가 더 많아졌으므로 물체 B에서 이동해 온 것이다.
• 마찰 후 물체 B는 (+)전하의 양이 (−)전하의 양보다 많다. 따라서 (+)전하를 띠게 된다.

마찰 후 A는 전자를 얻었고 B는 전자를 잃었으므로 마찰할 때 전자는 B → A로 이동하고 B는 (+)전하를 띤다.

❷-1 전기력

대전된 공 사이에 작용하는 전기력

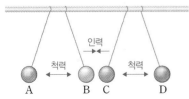

• 전기력은 전하 사이에 작용하는 힘이다.
• 같은 전하 사이에는 서로 밀어내는 힘이 작용하고, 다른 전하 사이에는 서로 당기는 힘이 작용한다.

ㄷ. (나)에서 A는 (＋)전하를 띤다. 그 까닭은 (가)에서 A의 전자가 (－)대전체와 척력이 작용하여 B 쪽으로 이동하므로 (＋)전하의 양이 (－)전하의 양보다 상대적으로 많아졌기 때문이다.

❹-1 검전기에서의 정전기 유도

자료 분석＋ 정전기 유도

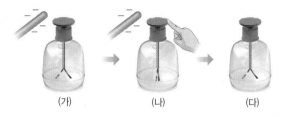

(가)　　　　(나)　　　　(다)

- (가) 정전기 유도에 의해 금속판은 (＋)전하, 금속박은 (－)전하로 대전된다.
- (나) 금속박의 전자는 손가락을 통해 빠져나간다.
- (다) 손가락과 대전체를 치우면 검전기 전체는 (＋)전하로 대전된다.

선택지 분석

✖ (가)에서 금속판은 (－)전하를 띤다. → (＋)전하
✖ (가)에서 금속박은 (＋)전하를 띠고 벌어진다. → (－)전하
✖ (가)에서 금속박과 금속판은 (＋)전하를 띤다.
✖ (나)에서 금속박과 금속판은 (－)전하를 띤다.
⑤ (나)에서 금속박의 전자가 손가락으로 이동한다.
⑥ (나)에서 대전체와 손가락을 치우면 금속박은 다시 벌어진다.

⑤ (나)에서 손가락을 금속판에 접촉하면 금속박의 전자는 손가락 쪽으로 이동하여 금속박이 오므라든다.
⑥ 대전체와 손가락을 치우면 검전기 전체는 (＋)전하를 띠게 되어 오므라들었던 금속박이 다시 벌어진다.

바로 알기 ①, ②, ③ (가)에서 금속판은 (＋), 금속박은 (－)전하를 띤다.
④ (나)에서 금속판은 (＋)전하를 띠고, 금속박은 전하를 띠지 않으므로 금속박이 붙어 있다.

❺-1 전선 속 전류 모형

자료 분석＋ 전자의 이동과 전류의 흐름

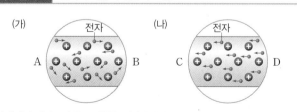

- (가)에서 전자들의 운동 방향은 제각각이며 매우 불규칙하다.
- (나)에서 전자의 이동 방향은 D → C 방향으로 일정하다.

선택지 분석

✖ (가)에서 전류의 방향은 B → A이다. → 전류가 흐르지 않는다.
✖ (가)에서 전자의 이동 방향은 일정하다. → 일정하지 않다.
③ (나)에서 전류의 방향은 C → D이다.
✖ (나)에서 (－)전하의 이동 방향은 C → D이다. → D → C이다.
✖ (나)에서 D 쪽은 전지의 (＋)극과 연결되어 있다. → (－)극

③ (나)에서 전자가 D → C 방향으로 이동하므로 전류는 전자의 이동과 반대 방향인 C → D 방향으로 흐른다.

바로 알기 ①, ② (가)에서 전류가 흐르지 않으므로 전자는 불규칙하게 움직인다.
④ (나)에서 (－)전하의 이동 방향은 전자의 이동 방향이며 D → C이다.
⑤ 전류는 전지의 (＋)극에서 전선을 따라 (－)극 쪽으로 흐르므로 C 쪽이 전지의 (＋)극과 연결되어 있다.

❻-1 전류계와 전압계

전류계는 직렬연결, 전압계는 병렬연결하며 전류계와 전압계의 (＋)단자는 전지의 (＋)극 쪽에, (－)단자는 전지의 (－)극 쪽에 연결한다. 전류와 전압의 크기를 예측하기 어려울 때는 (－)단자를 값이 큰 쪽 단자부터 연결한다.

참고 자료＋ 전류계와 전압계 사용법

- 전류계와 전압계의 공통점과 차이점

구분	전류계	전압계
공통점	• (＋)단자는 전지의 (＋)극 쪽에, (－)단자는 전지의 (－)극 쪽에 연결 • 크기를 예측할 수 없을 경우 여러 개의 (－)단자 중 값이 가장 큰 단자부터 연결	
차이점	• 전류의 세기를 측정하려는 기구에 직렬연결 • 저항이나 전구 없이 전지에 직접 연결하지 않는다.	• 전압의 크기를 측정하려는 기구에 병렬연결 • 전지에 직접 연결할 수 있다.

- 눈금 읽는 방법: (－)단자에 연결된 값에 해당하는 눈금에서 바늘이 가리키는 눈금 값을 읽는다. (⑩ (－)단자 중 500 mA에 연결하였으므로 눈금판에서 바늘이 가리키는 눈금을 읽으면 전류의 세기는 300 mA이다.)

❼-1 옴의 법칙

자료 분석 + 전류와 전압의 관계

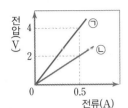

- 전류–전압 그래프에서 기울기 $=\dfrac{전압}{전류}=$ 저항
- 전압 ? V가 걸릴 때 ㉠에 흐르는 전류는 0.5 A보다 작고 ㉡에 흐르는 전류는 0.5 A이다.
- 같은 전압이 걸릴 때 전류가 세게 흐르는 도선 ㉡이 ㉠보다 저항이 작다.

선택지 분석

① ㉠의 저항은 8 Ω이다.
✘ 저항은 ㉡이 ㉠보다 크다. → 작다
✘ 도선의 길이는 ㉡이 ㉠보다 길다. → 짧다
✘ ㉡은 전류의 세기와 전압이 반비례한다. → 비례한다
⑤ 전압이 같을 때 전류는 ㉡이 ㉠보다 더 세게 흐른다.

---

① 저항은 ㉠이 $\dfrac{4\ \text{V}}{0.5\ \text{A}}=8\ \Omega$이고, ㉡은 $\dfrac{2\ \text{V}}{0.5\ \text{A}}=4\ \Omega$이다.

⑤ 전류는 저항이 작은 ㉡이 저항이 큰 ㉠보다 세게 흐른다.

👁 바로 알기 ② 저항은 전류와 반비례하므로 ㉡의 저항은 ㉠보다 작다.

③ 저항의 크기는 도선의 길이에 비례하므로 ㉠이 ㉡보다 길다.

④ 옴의 법칙에 의하면 전류의 세기는 전압에 비례한다.

암기 Tip 옴의 법칙

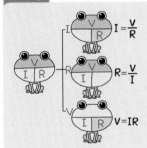

구분	기호	단위
전류	I(Intensity)	A(암페어)
전압	V(Voltage)	V(볼트)
저항	R(Resistance)	Ω(옴)

❽-1 저항의 연결

자료 분석 + 저항의 연결 방법

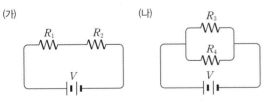

- 저항의 직렬연결 회로 (가)에서 R_1, R_2에 흐르는 전류의 세기는 같다.
- 저항의 병렬연결 회로 (나)에서 R_3, R_4에 걸리는 전압의 크기는 같다.

선택지 분석

✘ R_1과 R_3에 흐르는 전류의 세기는 같다. → R_1과 R_2
ㄴ R_1과 R_3에 걸리는 전압의 비는 1:2이다.
ㄷ (가)에서 각 저항에 흐르는 전류의 세기는 같다.
ㄹ (나)에서 각 저항에 걸리는 전압의 크기가 같다.

ㄴ. (가)의 각 저항에는 전체 전압이 $\dfrac{V}{2}$씩 나뉘어 걸리고, (나)의 각 저항에 걸리는 전압은 전체 전압 V와 같으므로 저항 R_1과 R_3에 걸리는 전압의 비 $V_1 : V_3 = 1 : 2$이다.

👁 바로 알기 ㄱ. (가)에서 각 저항에 걸리는 전압은 $\dfrac{V}{2}$이고 (나)에서 각 저항에 걸리는 전압은 V이므로 저항 R_1에 흐르는 전류의 세기는 저항 R_3에 흐르는 전류의 세기보다 작다.

2일 필수 체크 전략 ➋ 최다 오답 문제 44~45쪽

1 ③, ④	2 ⑤	3 ⑤	4 ③
5 ㄹ	6 ㄱ, ㄴ	7 ㄱ, ㄷ, ㅁ	8 ②

1 마찰 전기

③ 털가죽과 고무풍선 사이에 전자가 이동하여 마찰 전기가 발생하고, 두 물체는 서로 다른 전하로 대전되므로 인력이 작용한다.

④ 치마와 스타킹이 마찰될 때 두 물체 사이에 전자가 이동하여 마찰 전기가 발생하기 때문이다.

👁 바로 알기 ① 손이 대전되었고 손이 띠는 전하에 의해 금속 손잡이 부분이 정전기가 유도되기 때문이다.

② 자석에 못을 문질러 못이 자석의 성질을 띠게 되는 것은 자기력에 의한 자화 현상이다.

⑤ 알루미늄 깡통이 끌려오는 것은 대전체의 전하에 의한 정전기 유도 현상에 의해서이다.

2 전류와 전자 이동

자료 분석 + 마찰 전기로 전구에 불 켜기

- 털가죽으로 스타이로폼 접시를 마찰하면 털가죽에서 스타이로폼 접시로 전자가 이동하므로 스타이로폼 접시는 (−)대전체가 된다.

- (−)전하로 대전된 스타이로폼 접시에 알루미늄 접시를 접촉하면 전자가 알루미늄 접시로 쉽게 이동한다.
- 네온전구의 한쪽 다리를 대전된 알루미늄 접시에 대면 전자가 손 쪽으로 이동하면서 전구에 불을 켠다.

선택지 분석

① 과정 (가)에서 마찰 전기가 발생한다.
② 스타이로폼 접시의 (−)전하가 알루미늄 접시로 이동하여 알루미늄 접시는 (−)전하를 띠게 된다.
③ 과정 (가)를 반복하면 전기가 더 많이 발생한다.
④ 전자들이 네온전구를 통해 손 쪽으로 이동하면서 네온전구의 불을 켠다.
✗ 네온전구에 불을 계속 켜려면 다른 손으로는 알루미늄 접시를 반드시 잡아야 한다.

털가죽으로 스타이로폼 접시를 문지를 때 발생하는 마찰 전기로 전구에 불을 켜는 실험으로, 전구에 불을 켜는 실체는 전자의 이동임을 알아보는 실험이다.

바로 알기 ⑤ 다른 손으로 알루미늄 접시를 잡으면 손을 따라 전자가 이동하여 접시가 전기적으로 중성을 띠게 되므로 네온전구에 불을 켜지 못한다.

3 전기력

자료 분석 + 대전체 사이에 작용하는 전기력

빨대 A, B는 (−)전하로 대전됨. 같은 전하 사이에는 척력이 작용: A가 B로부터 멀리 밀려남. | 다른 전하 사이에는 인력이 작용: A가 털가죽에 끌려옴.

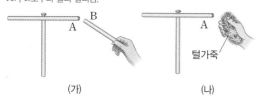

(가)　　　　(나)

- 털가죽으로 빨대 A, B를 각각 마찰하면 털가죽에서 빨대 A, B로 전자가 이동하여 빨대는 전자를 얻으므로 (−)전하, 털가죽은 전자를 잃었으므로 (+)전하로 대전된다.

선택지 분석

✗ (가)에서 빨대 A는 B에 끌려온다. → 밀려난다.
✗ (나)에서 빨대 A는 털가죽에서 멀리 밀려난다. → 가까이 끌려온다.
✗ 빨대 A와 B는 서로 다른 전하를 띤다. → 같은
✗ 빨대 A와 털가죽은 서로 같은 전하를 띤다. → 다른
⑤ 빨대 B와 털가죽은 서로 다른 전하를 띤다.

(가)에서 빨대 A, B는 같은 전하로 대전되었으므로 척력이 작용하여 빨대 A가 B에서 멀어지는 쪽으로 밀려난다.

4 검전기에서의 정전기 유도

자료 분석 + 검전기로 알 수 있는 것

대전되지 않은 검전기에 대전체 A를 가까이하면 정전기 유도에 의해 금속판과 금속박이 서로 다른 전하로 대전된다. | 금속박이 더 많이 벌어지는 것은 두 가닥의 금속박 사이에 작용하는 척력이 더 커졌음을 의미한다. 즉, 같은 전하의 양이 더 많아졌기 때문이다.

　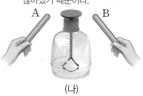

(가)　　　　　(나)

선택지 분석

✗ A는 (−)전하로 대전되었다. ┐ 전하의 종류는 알 수 없다.
✗ B는 (+)전하로 대전되었다. ┘
③ A와 B는 같은 전하로 대전되었다.
✗ A와 B를 서로 가까이하면 당기는 힘이 작용한다. → 밀어내는 힘
✗ 금속판과 금속박에는 같은 전하가 유도된다. → 다른

③ 대전체 B를 가까이할 때 금속박이 더 많이 벌어지므로 B는 A와 같은 전하로 대전되어 있음을 알 수 있다.

바로 알기 ① A는 어떤 전하로 대전되었는지 알 수 없다.
② B가 어떤 전하로 대전되었는지 알 수 없으며 A와 같은 전하로 대전되었다.
④ A와 B가 같은 전하로 대전되었으므로 두 대전체 사이에는 밀어내는 힘이 작용한다.
⑤ 대전체의 전하에 의해 검전기 내에서 전자가 이동하여 금속판과 금속박이 서로 다른 전하가 유도된다.

5 전선에서의 전류 모형

자료 분석 + 전선 속 전류 모형

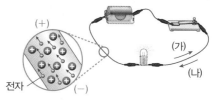

- 전자들은 전지의 (+)극 쪽으로 이동하므로 (나) 방향으로 이동한다.
- 전류는 전지의 (+)극에서 (−)극으로 이동하므로 (가)방향으로 흐른다.

- 전자의 이동 방향과 전류의 방향은 반대이다.
- 전류의 방향을 정하고 난 후 전류의 실체가 전하의 흐름, 즉 전자의 이동이라는 것이 밝혀지면서 전자의 이동 방향과 전류의 방향이 서로 반대가 되었다.

선택지 분석

✗ 전선에서 전류가 흐르는 방향은 (나)이다. → (가)
✗ 스위치를 열면 전자들은 전혀 움직이지 않는다. → 전자들은 불규칙하게 움직인다.
✗ 전지의 극을 반대로 연결하면 원자핵이 이동한다. → 전자가 반대 방향으로 이동한다.
② 전지 수를 더 늘리면 전자들이 더 빨리 이동한다.

ㄹ. 전지의 수를 늘리면 전압이 커지므로 전류의 세기가 커지고 단위 시간당 전선의 한 단면을 통과하는 전하의 양이 많아지므로 전자들은 더 빨리 이동한다.

🔍 **바로 알기** ㄱ. 전선에서 전류가 흐르는 방향은 전자의 이동 방향과 반대이므로 (가) 방향이다

ㄴ. 스위치를 열면 전선에 전류가 흐르지 않지만 전선으로 사용된 도체 내의 전자들은 불규칙하게 끊임없이 움직인다.

ㄷ. 전지의 극을 반대로 연결하면 전자의 이동 방향은 (가), 전류가 흐르는 방향은 (나)가 된다. 전지의 극을 바꾸어도 원자핵은 이동하지 않는다.

6 전류와 전압의 관계

자료 분석 + 옴의 법칙과 저항의 직렬연결

- 저항 R와 20 Ω이 직렬연결됨. 전류의 세기가 같음.

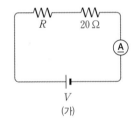

- 전압-전류 그래프에서 직선의 기울기
$= \dfrac{1}{\text{저항}} = \dfrac{1}{50\ \Omega}$이므로 전체 저항은 50 Ω

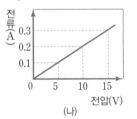

선택지 분석

㉠ R의 크기는 30 Ω이다.
㉡ R의 크기가 커지면 그래프의 기울기는 작아진다.
✗ 전압이 15 V일 때 R에 흐르는 전류는 0.2 A이다. → 0.3 A
✗ 전류계에 흐르는 전류가 0.3 A일 때 R에 걸리는 전압은 10 V이다.
$\quad V = IR = 0.3\ \text{A} \times 30\ \Omega = 9\ \text{V}$

ㄱ. 저항 R와 20 Ω이 직렬연결이므로 전체 저항$= R + 20\ \Omega = 50\ \Omega$이므로 저항 R는 30 Ω이다.

ㄴ. 저항의 직렬연결 회로에서 저항 R값이 커지면 전체 저항이 커지므로 전류의 세기는 작아진다. 따라서 그래프의 기울기 $= \dfrac{\text{전류}}{\text{전압}} = \dfrac{1}{\text{저항}}$은 작아진다.

🔍 **바로 알기** ㄷ. 저항의 직렬연결 회로에 흐르는 전류의 세기는 같으므로 전압이 15 V일 때 저항 R에 흐르는 전류는 0.3 A이다.

ㄹ. 저항 R는 30 Ω이므로 0.3 A의 전류가 흐를 때 걸리는 전압은 9 V이다.

7 저항의 연결

자료 분석 + 저항의 병렬연결

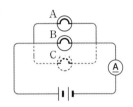

병렬연결하는 저항의 수를 줄이면 각 저항에 걸리는 전압은 일정하므로 회로에 흐르는 전체 전류의 세기가 작아진다. 즉, 전류는 저항에 반비례하므로 전체 저항의 크기는 커진다.

선택지 분석

㉠ 전체 저항이 커진다.
✗ 전구 A, B의 밝기가 더욱 밝아진다. → 변함없다.
㉢ 전류계에 흐르는 전류의 세기가 작아진다.
✗ 전구 B의 밝기는 전구 A보다 어둡다. → 밝기는 같다.
㉢ 전구 A, B에 걸리는 전압은 변함없다.

ㄱ. 병렬연결하는 저항의 수가 작아지면 저항의 굵기가 가늘어지는 효과가 있으므로 전체 저항은 커진다.

ㄷ. 전류계에는 전구 A, B에 흐르는 전류만 합해지므로 전류의 세기가 작아진다.

ㅁ. 저항의 병렬연결 회로에 걸리는 전압은 모두 같다. 즉, 전구 A, B에 걸리는 전압은 전체 전압 V로 변함없다.

🔍 **바로 알기** ㄴ. 전구 A, B의 저항이 같고 걸리는 전압도 일정하므로 전구 C를 제거해도 전류의 세기가 변하지 않는다. 따라서 전구 A, B의 밝기도 변함없다.

ㄹ. 걸리는 전압이 그대로이므로 전류의 세기가 변하지 않으므로 전구 B의 밝기와 전구 A의 밝기는 같다.

8 가정의 전기 배선

자료 분석 + 전기 기구의 사용

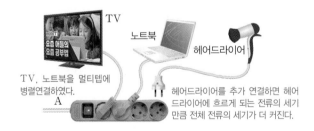

TV, 노트북을 멀티탭에 병렬연결하였다.
A

헤어드라이어를 추가 연결하면 헤어드라이어에 흐르게 되는 전류의 세기만큼 전체 전류의 세기가 더 커진다.

선택지 분석

✗ TV에 걸리는 전압이 가장 작다. → 전압도 모두 같다.
② A에 흐르는 전류의 세기가 커진다.
✗ 노트북에 흐르는 전류의 세기가 가장 크다. → 저항에 따라 다르다.
✗ 헤어드라이어에 걸리는 전압의 크기가 가장 크다. → 전압은 같다.
✗ TV와 노트북, 헤어드라이어에는 모두 같은 세기의 전류가 흐른다.
$\quad$ → 저항의 크기에 따라 다르다.

병렬연결하는 저항(전기 기구)의 수가 증가하면 전체 저항이 감소하고 걸리는 전압은 일정하므로 멀티탭에서 합해지는 A에 흐르는 전류의 세기가 커진다.

👁️ **바로 알기** ① 멀티탭는 가정의 전기 배선에 병렬로 연결되어 있으며 전기 기구는 멀티탭에 병렬연결하므로 TV에 걸리는 전압도 모든 전기 기구와 같다.

③ 각 전기 기구에 걸리는 전압은 일정하므로 전체 저항이 작을수록 전류가 세게 흐른다. 각 전기 기구의 저항에 대한 정보가 없으므로 흐르는 전류의 세기는 알 수 없다.

④ 헤어드라이어에 걸리는 전압은 다른 전기 기구에 걸리는 전압과 같다.

⑤ 각 전기 기구의 저항에 따라 흐르는 전류의 세기는 다르다. 저항의 크기가 작을수록 흐르는 전류의 세기는 크다. 여기서는 저항의 크기를 언급하지 않았으므로 전류의 세기는 알 수 없다.

3일 필수 체크 전략 1 | 기출 선택지 All | 46~49쪽

1-1 ⑤   **2**-1 ③, ④   **3**-1 ④, ⑤
4-1 ①   **5**-1 ⑤   **6**-1 ①
7-1 ④   **8**-1 ②

1-1 자기장

자기장의 방향은 자석의 N극에서 나와 S극을 향하므로 나침반 자침의 N극은 자기장의 방향을 가리킨다.

자료 분석 + 자석 주위의 자기장의 방향

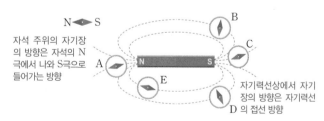

자석 주위의 자기장의 방향은 자석의 N극에서 나와 S극으로 들어가는 방향

자기력선상에서 자기장의 방향은 자기력선 D의 접선 방향

• 나침반의 자침도 작은 자석이므로 막대자석의 극과 서로 다른 극 사이에 인력이 작용한다.

⑤ 막대자석의 N극에서 나온 자기력선이 E 자침의 S극으로 들어가고 N극에서 나와 막대자석의 S극으로 들어가므로 옳다.

👁️ **바로 알기** ① A 나침반 자침의 N극이 현재와 반대로 된다.
② B 나침반 자침이 자기력선상의 접선과 일치되게 놓이고 자석의 N극에서 나온 자기력선이 자침의 S극으로 들어간다.

③ 자석의 S극을 향하는 자침은 N극이어야 한다.
④ D 나침반 자침이 자기력선상의 접선 방향으로 놓이고 자침의 N극에서 나와 자석의 S극으로 들어가는 방향이어야 한다.

암기 Tip 자기장의 방향 외우기

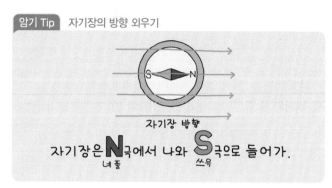

자기장 방향

자기장은 **N**극에서 나와 **S**극으로 들어가.
네풀   쓰윽

2-1 직선 도선 주위의 자기장

자료 분석 + 직선 도선 주위의 자기장

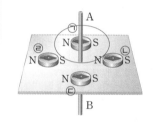

• 도선을 중심으로 동심원 모양의 자기장이 형성된다.
• 자침 N, S극은 원의 접선에 나란한 방향으로 놓이게 된다.
• 자기장의 방향은 자침의 N극에서 나와 S극으로 들어가는 방향이다.

선택지 분석

✖ A → B, ㉠   ✖ A → B, ㉡
③ A → B, ㉢   ④ B → A, ㉠
✖ B → A, ㉢

전류의 방향으로 오른손의 엄지손가락을 향하게 펴고 네 손가락으로 도선을 감아줄 때 손가락이 감기는 방향이 도선 주위의 자기장 방향이다.

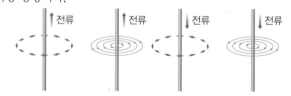

↑전류   ↑전류   ↓전류   ↓전류

👁️ **바로 알기** ①, ② 전류가 A → B로 흐를 경우 오른손의 엄지손가락을 아래로 향하게 하고 네 손가락으로 도선을 감아줄 때 네 손가락이 돌아가는 방향이 자기장의 방향이므로 ㉢이 옳다.

⑤ 전류가 B → A로 흐를 경우 자기장의 방향은 전류가 A → B로 흐를 때와 정반대이다.

❸-1 원형 도선 주위의 자기장

전류가 아래에서 위로 올라가는 방향이면 시계 반대 방향으로 자기장이 형성되고, 전류가 위에서 아래로 내려가는 방향이면 시계 방향으로 자기장이 형성된다.

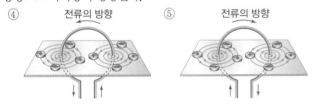

❹-1 코일 주위의 자기장

자료 분석 + 코일 내부에서의 자기장의 방향

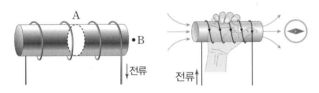

• 오른손의 네 손가락을 전류의 방향으로 코일을 감아쥐고 엄지손가락을 이와 직각으로 펼 때, 엄지손가락이 가리키는 방향이 코일 안쪽에서 자기장의 방향이다.
• 자기장의 방향은 자침의 N극이 가리키는 방향으로 N극에서 나와 S극으로 들어가는 방향이다.

선택지 분석

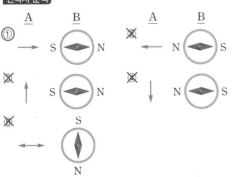

코일에 전류가 위에서 아래로 흐르므로 오른손으로 코일을 감아 쥐고 엄지손가락을 펴면 엄지손가락은 오른쪽을 가리킨다. 따라서 코일 안쪽 A에서 자기장의 방향은 →이고, B 지점에 놓은 나침반의 N극도 오른쪽을 가리킨다.

❺-1 전자석

전자석에서 자기장의 방향은 전류의 방향으로 오른손의 네 손가락을 감아쥐고 엄지손가락을 폈을 때 엄지손가락이 가리키는 방향이다.

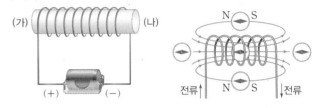

참고 자료 + 전자석

• 전자석은 전류가 흐르는 코일 속에 철심을 넣은 것으로, 전류에 의한 자기장의 세기가 강해져서 센 자석의 역할을 한다.
• 코일에 흐르는 전류의 방향에 따라 전자석의 극, 즉 자기장의 방향이 바뀐다.

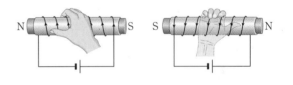

❻-1 자기장에서 전류가 받는 힘

오른손의 엄지손가락을 전류의 방향으로 펴고 네 손가락은 자기장의 방향(N극 → S극)을 향하게 할 때 손바닥이 향하는 방향은 도선이 받는 힘의 방향이다. 힘이 작용하는 원리는 그림과 같이 자석에 의한 자기장과 전류에 의한 자기장이 합쳐질 때 자기장의 방향이 서로 같은 쪽은 자기장의 세기가 크고, 자기장의 방향이 서로 반대인 쪽은 자기장의 세기가 약해지므로 자기장의 세기가 큰 쪽에서 약한 쪽으로 힘을 작용하게 된다.

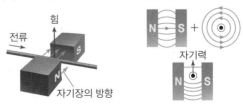

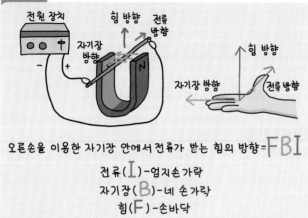

암기 Tip 자기장에서 전류가 받는 힘의 방향

오른손을 이용한 자기장 안에서 전류가 받는 힘의 방향 = FBI

전류(I) - 엄지손가락
자기장(B) - 네 손가락
힘(F) - 손바닥

❼-1 자기장에서 전류가 받는 힘

④ 힘의 방향을 반대로 바꾸기 위해서는 전류의 방향을 바꾸거나 자기장의 방향을 바꾸면 된다. 단, 두 가지를 동시에 바꾸면 힘의 방향은 바뀌지 않는다

바로 알기 ① 전압을 높이면 전류의 세기가 커지므로 받는 힘의 크기가 커진다.

② 전류의 세기가 커지면 받는 힘의 세기가 커진다.

③ 자석을 세기가 큰 것으로 바꾸면 힘의 세기가 커진다.

⑤ 전류의 방향과 자석의 극을 동시에 바꾸면 힘의 방향은 바뀌지 않는다.

❽-1 전동기

자료 분석 + 간이 전동기 만들기

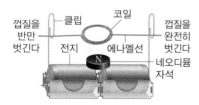

• 에나멜을 한쪽의 반만 벗겼을 때: 원형 코일이 반 바퀴 회전할 때마다 전류의 방향이 바뀌어 반 바퀴 돌고 나면 전류가 흐르지 않게 되지만 돌아가려는 관성에 의해 코일은 계속 같은 방향으로 회전해 완전하게 한 바퀴를 돌고 다시 에나멜이 벗겨진 부분이 클립에 닿으면서 전류가 흘러 반 바퀴를 돌게 되는 형태를 반복하면서 원형 코일은 계속 돌게 된다.

• 에나멜을 모두 벗겼을 때: 원형 코일이 반 바퀴 돌 때마다 전류의 방향이 바뀌면서 힘의 방향도 반대가 되기 때문에 원형 코일은 반 바퀴를 회전 후 다시 반대 방향으로 회전하여 한 방향으로 계속 회전하지 못한다.

코일이 반 바퀴를 회전할 때마다 전류를 차단하여 코일이 회전하려는 관성으로 계속 같은 방향으로 회전하게 하기 위해서, 즉, 코

일이 받는 힘의 방향이 바뀌지 않도록 하여 한 방향으로만 회전시키기 위해 한쪽 껍질을 반만 벗겨낸다.

1 ㄱ, ㄷ   **2** ③   **3** ㄴ   **4** ④
5 ⑤   **6** ④   **7** ㄴ, ㄷ   **8** ②, ⑤

1 직선 도선 주위의 자기장

자료 분석 + 두 직선 전류에 의한 자기장

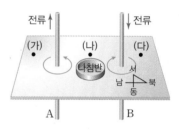

• 직선 도선을 중심으로 동심원 모양의 자기장이 생긴다.
• 오른손의 엄지손가락을 전류의 방향으로 펴고 네 손가락으로 도선을 감아쥘 때 네 손가락이 감기는 방향이 자기장의 방향, 즉 N극이 향하는 방향이다.

선택지 분석
ㄱ 나침반의 N극은 서쪽을 향한다.
✗ 도선 A의 전류를 끊으면 나침반의 N극은 북쪽을 향한다.
ㄷ (나)에서 자기장의 세기는 (가), (다)보다 크다.

ㄱ. 두 도선 사이에 놓은 나침반의 N극은 서쪽을 향하게 된다.
ㄷ. 전류의 방향이 서로 반대인 도선 사이에서의 자기장의 방향은 서로 같으므로 자기장의 세기가 커진다.

바로 알기 ㄴ. A에 전류가 흐르지 않아도 B에 흐르는 전류에 의한 자기장의 방향은 변하지 않으므로 나침반의 N극은 서쪽을 향한다.

2 원형 도선 주위의 자기장

㉠ 전류의 방향이 아래쪽이므로 도선 왼쪽에 놓인 나침반의 N극은 북쪽을 향한다.

ⓒ 자기장의 방향이 앞쪽을 향하므로 나침반의 N극은 남쪽을 향한다.

ⓒ 전류의 방향이 위쪽이므로 도선 오른쪽에 놓인 나침반의 N극은 북쪽을 향한다.

3 코일 주위의 자기장

코일 주위의 자기장 방향

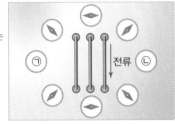

코일 내부에 생기는 자기장의 방향은 ㉠ → ㉡이다.

코일에 흐르는 전류의 방향이 바뀌면 코일 내부 자기장의 방향도 ㉡ → ㉠으로 바뀐다.

• 전류가 흐르는 코일 주위에는 막대자석 주위에 생기는 자기장과 비슷한 모습의 자기장이 생기며, 전류의 방향이 바뀌면 막대자석의 극이 바뀌는 것과 같이 자기장의 방향이 바뀐다

선택지 분석
▨ ㉠과 ㉡에서 자기장의 방향은 서로 반대이다. → 같다.
ⓛ 전류가 흐르는 코일 주위에는 자기장이 생긴다.
▨ 전류의 방향을 반대로 바꾸어도 자기장의 방향은 변하지 않는다. → 방향도 바뀐다.

오른손의 네 손가락을 전류의 방향으로 감아쥐고 엄지손가락을 펼 때, 엄지손가락이 가리키는 방향이 자기장의 방향이다.

바로 알기 ㄱ. ㉠과 ㉡에서 N극이 가리키는 방향, 즉 자기장의 방향은 오른쪽으로 같다.
ㄷ. 전류의 방향을 반대로 바꾸면 자기장도 반대로 바뀐다.

4 코일 안쪽의 자기장

(나)처럼 코일의 뒤쪽에서 앞쪽으로 전류가 흐르는 코일을 오른손으로 감아쥐고 엄지손가락을 펴면 엄지손가락이 가리키는 방향이 N극 방향이다. 즉, 코일 안쪽에서 자기장의 방향은 오른쪽이다. 또 (다)처럼 코일의 앞쪽에서 뒤쪽으로 전류가 흐르는 코일을 오른손으로 감아쥐고 엄지손가락을 폈을 때 엄지손가락이 가리키는 방향은 N극 방향이다. 즉, 코일 안쪽에서 자기장의 방향은 왼쪽이다.

코일 안쪽의 자기장

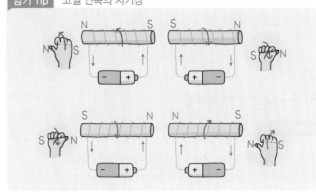

5 자기장에서 도선이 받는 힘

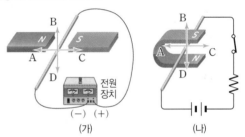

(가) (−) (+)   (나)

도선이 받는 힘의 방향은 (가)에서 B 쪽, (나)에서 C 쪽이다. 즉, 전류의 방향과 자기장의 방향에 따라 도선이 받는 힘의 방향이 달라진다.

6 자기장에서 도선이 받는 힘의 크기

자기장에서 도선이 받는 힘의 크기

각각의 저항과 구리 막대 A, B, C가 직렬로 연결되어 있으므로 각 저항에 흐르는 전류와 구리 막대에 흐르는 전류의 세기는 같다.

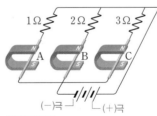

(−)극   (+)극

• 옴의 법칙에 의하면 전압이 일정할 때 전류의 세기는 저항에 반비례하므로 저항이 작을수록 큰 전류가 흐른다.

• 자석 사이의 도선이 받는 힘의 크기는 전류의 세기가 클수록 크다.

선택지 분석
▨ A=B=C, 왼쪽   ▨ A=B=C, 오른쪽
▨ A>B>C, 왼쪽   ④ A>B>C, 오른쪽
▨ A<B<C, 오른쪽

구리 막대 A, B, C에 흐르는 전류의 방향이 같고 자기장의 방향도 같으므로 모두 오른쪽으로 힘을 받는다. 세 저항이 병렬로 연결되어 있으므로 걸리는 전압은 모두 같고, 전류는 저항에 반비례하므로 1 Ω에 가장 큰 전류가 흐르고 3 Ω에 가장 작은 전류

가 흐른다. 전류의 세기가 클수록 작용하는 도선이 받는 힘이 커지므로 힘의 크기는 A>B>C 순이다.

7 자기장에서 도선이 받는 힘

자료 분석 + 자기장에서 도선이 받는 힘의 방향

- 자기장의 방향은 자석의 N극에서 나와 S극으로 향하는 방향이다.
- 전류의 방향은 전지의 (+)극에서 (−)극 쪽으로 흐른다.

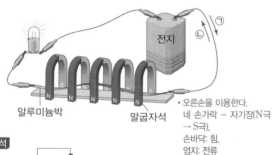

알루미늄박   말굽자석

- 오른손을 이용한다.
  네 손가락 – 자기장(N극 → S극),
  손바닥: 힘,
  엄지: 전류

선택지 분석

✕ 전류의 방향은 ㉠이다.
ⓛ 알루미늄박의 위쪽과 아래쪽 자기장의 세기는 서로 다르다.
ⓒ 자석은 그대로 두고 전류의 방향을 반대로 하면 알루미늄박은 아래로 움직인다.

ㄴ. 알루미늄박이 위쪽으로 힘을 받았으므로 아래쪽 자기장이 위쪽보다 더 세다.

ㄷ. 전류의 방향만 반대가 되면 힘의 방향이 반대가 되므로 알루미늄박은 아래쪽으로 움직인다.

바로 알기 ㄱ. 자기장의 방향은 N극 → S극이고 힘의 방향이 위쪽이므로 전류의 방향은 ⓛ이다.

8 전동기

자료 분석 + 전동기의 회전 원리

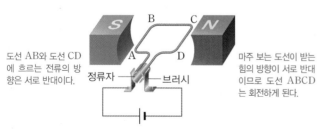

도선 AB와 도선 CD에 흐르는 전류의 방향은 서로 반대이다.

정류자   브러시

마주 보는 도선이 받는 힘의 방향이 서로 반대이므로 도선 ABCD는 회전하게 된다.

- 자기장 속에서 도선이 받는 힘의 방향은 오른손의 엄지손가락을 전류의 방향으로, 네 손가락을 자기장의 방향으로 펼쳤을 때 손바닥이 향하는 방향이다.

선택지 분석

✕ 도선 AB와 CD에 흐르는 전류의 방향은 서로 같다. → 반대이다.
② 도선 AB와 CD가 받는 힘의 방향은 서로 반대이다.
✕ 도선 BC가 받는 힘이 최대이다. → 힘을 받지 않는다.
✕ 도선은 시계 반대 방향으로 회전한다. → 시계 방향
⑤ 전류의 방향을 바꾸면 도선의 회전 방향도 바뀐다.

도선 AB는 위로, CD는 아래로 힘을 받아 시계 방향으로 회전한다. 전류의 방향이 바뀌면 힘의 방향이 바뀌므로 도선의 회전 방향이 반대로 바뀐다.

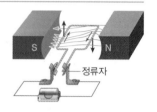

정류자

2주차	누구나 합격 전략		52~53쪽
01 ①	02 ①	03 ⑤	04 ㉠ 작아지므
로, ㉡ 커진다	05 ③	06 (1) 서쪽 (2) 서쪽	
07 ①	08 ③	09 ⑤	10 ①

01 마찰 전기

ㄱ. 서로 다른 두 물체를 마찰하면 마찰 전기가 발생한다. 따라서 털가죽과 빨대를 마찰하면 털가죽과 빨대는 서로 다른 전하를 띤다.

ㄴ. 털가죽으로 마찰한 2개의 빨대는 같은 전하를 띠므로 가까이 하면 서로 밀어낸다.

바로 알기 ㄷ. 같은 전하를 띤 두 빨대 사이에는 전기력이 작용하여 서로 밀어낸다.

ㄹ. 빨대와 마찰한 털가죽은 빨대와는 다른 전하를 띠므로 빨대에 털가죽을 가까이하면 빨대가 털가죽 쪽으로 끌려온다.

02 금속에서 정전기 유도

ㄱ. 대전되지 않은 알루미늄 깡통에 (−)대전체를 가까이하면 깡통에는 정전기가 유도된다. 이때 대전체 가까이에는 대전체와 다른 전하가 유도되므로 알루미늄 깡통은 대전체에 끌려온다.

바로 알기 ㄴ. 대전체에 의해 깡통에는 정전기가 유도된다. 이때 깡통 내에서 전자는 A에서 B 쪽으로 이동하므로 A 부분은 (+)전하, B 부분은 (−)전하를 띤다.

ㄷ. (+)대전체를 가까이하면 알루미늄 깡통의 대전체와 가까운 부분은 대전체와 다른 전하를 띠므로 깡통은 대전체에 끌려온다.

03 전압과 전류의 관계

전압-전류 그래프

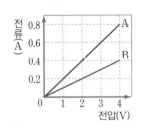

- 저항$=\dfrac{전압}{전류}$
- A의 저항$=\dfrac{1\ \text{V}}{0.2\ \text{A}}=5\ \Omega$
- B의 저항$=\dfrac{2\ \text{V}}{0.2\ \text{A}}=10\ \Omega$

- 니크롬선의 길이가 같을 때 저항의 크기는 굵기에 반비례한다.
- 니크롬선의 굵기가 같을 때 저항의 크기는 길이에 비례한다.

⑤ 같은 전압일 때 A에 흐르는 전류가 B의 2배이므로 저항은 A가 B의 $\dfrac{1}{2}$배이다. 저항은 니크롬선의 길이에 비례하고 굵기에는 반비례하므로 두 니크롬선의 굵기가 같다면 A의 길이는 B의 $\dfrac{1}{2}$배이므로 A가 B보다 짧다.

바로 알기 ① 저항$=\dfrac{전압}{전류}$이므로 A의 저항$=\dfrac{1\ \text{V}}{0.2\ \text{A}}=5\ \Omega$이다.
② 저항이 클수록 같은 전압일 때 흐르는 전류의 세기는 작다. 따라서 저항은 A가 B보다 작다.
③ A의 저항은 $5\ \Omega$이고, B의 저항은 $10\ \Omega$이므로 A와 B의 저항의 비는 1 : 2이다.
④ 니크롬선에 흐르는 전류는 전압에 비례한다.

04 저항과 전류의 관계

오디오 볼륨 조절기는 저항을 조절하여 전류의 세기를 다르게 하여 소리를 조절하는 장치이다. 오디오 볼륨 조절기를 돌려 소리를 크게 하면 저항이 작아지고, 저항이 작을수록 전류의 세기가 커진다. 소리의 크기는 전류가 클수록 커진다.

05 저항의 병렬연결

멀티탭에서의 전기 기구의 연결과 전체 전류

- 멀티탭에 연결되는 전기 기구는 모두 병렬로 연결된다.
- 연결하는 전기 기구 수가 많아질수록 전체 전류의 세기는 증가한다.
- A에는 전체 전류가 흐른다.

	㉠	㉡
✗	커진다.	커진다.
✗	커진다.	작아진다.
③	작아진다.	커진다.
✗	작아진다.	작아진다.
✗	작아진다.	변화없다.

병렬로 연결하는 저항의 수가 많아질수록 전체 저항의 크기는 작아진다. 전압이 일정할 때 전체 저항의 크기가 작아지면 회로에 흐르는 전체 전류의 세기는 커진다. 따라서 멀티탭에 병렬로 연결하는 전기 기구가 많을수록 전체 저항은 작아지므로 A에 흐르는 전체 전류의 세기는 커진다.

06 직선 도선 주위의 자기장

직선 도선 아래와 위에서 생기는 자기장의 비교

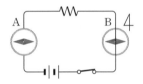

- 직선 도선에 전류가 흐르면 도선을 중심으로 동심원 모양의 자기장이 생긴다.
- A에서 전류는 위에서 아래쪽으로 흐르고, B에서는 전류가 아래에서 위쪽으로 전류가 흐른다.

직선 도선의 전류에 의한 자기장의 방향은 오른손의 엄지손가락을 전류의 방향으로 펴고 네 손가락으로 도선을 감아쥘 때 네 손가락이 감기는 방향이다. 따라서 도선 위에 놓은 나침반 A에서 자침의 N극은 서쪽을 가리키고 도선 아래에 놓은 나침반 B에서 자침의 N극도 서쪽을 가리킨다.

07 코일 주위의 자기장

전류가 흐르는 코일 주위의 자기장

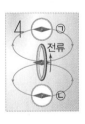

- 전류가 코일의 앞에서 뒤쪽으로 흐를 때 코일 주위에는 그림과 같은 모양의 자기장이 생긴다.
- 코일 내부의 자기장의 방향은 ㉠과 ㉡에서 자기장의 방향과 반대이다.
- ㉠과 ㉡에서 자기장의 방향은 같다.

㉠에서는 종이면을 뚫고 들어가는 방향의 전류에 의한 자기장이 생성되므로 자기장의 방향은 동쪽이고, ㉡에서 전류의 방향은 종이면을 뚫고 나오는 방향이므로 자기장의 방향은 동쪽이다. 따라서 ㉠과 ㉡에서 나침반 자침의 N극은 모두 동쪽을 가리킨다.

08 자기장에서 전류가 흐르는 도선이 받는 힘

자료 분석 + 자기장에서 도선이 받는 힘의 방향

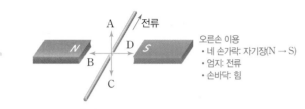

오른손 이용
• 네 손가락: 자기장(N → S)
• 엄지: 전류
• 손바닥: 힘

• 전류의 방향이 바뀌면 힘의 방향도 바뀐다.
• 자기장의 방향이 바뀌면 힘의 방향도 바뀐다.
• 전류와 자기장의 방향이 동시에 바뀌면 힘의 방향은 바뀌지 않는다.

선택지 분석

✗ A 방향　　　　✗ B 방향　　　③ C 방향
✗ D 방향　　　　✗ 움직이지 않는다.

자기장 내에서 도선이 받는 힘의 방향은 자기장의 방향이나 전류의 방향이 바뀌면 반대로 바뀐다. 하지만 자기장과 전류의 방향을 동시에 바꾸면 도선이 받는 힘의 방향은 변하지 않는다. 따라서 자석의 극과 전류의 방향을 모두 반대로 바꾸면 도선이 받는 힘의 방향은 그대로 C 방향이다.

09 자기장 속에서 코일이 받는 힘

자료 분석 + 말굽자석 사이의 코일이 받는 힘의 방향

(가)　　　　(나)

• (가)와 (나)에서 코일에 흐르는 전류의 방향이 서로 반대이다.
• (가)와 (나)에서 코일이 움직이는 방향도 서로 반대가 된다.

오른손의 네 손가락과 엄지손가락을 수직으로 펴고 네 손가락을 자기장의 방향(자석의 N극에서 S극 방향)으로 하고 엄지손가락을 전류의 방향으로 하면 손바닥이 향하는 방향이 코일이 받는 힘의 방향이다. (가)에서는 코일은 자석의 안쪽으로, (나)에서는 코일은 자석의 바깥쪽으로 움직인다. 전류의 방향이 바뀌면 코일이 받는 힘의 방향도 바뀐다.

10 전동기

자료 분석 + 전동기의 회전자가 받는 힘의 방향

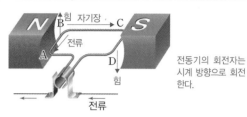

전동기의 회전자는 시계 방향으로 회전한다.

• 도선 AB와 도선 CD에 흐르는 전류의 방향이 반대이므로 힘의 방향도 반대이다.
• 도선 BC에 흐르는 전류의 방향은 자기장의 방향과 나란하므로 힘을 받지 않는다.
• 도선이 받는 힘의 크기는 전류와 자기장의 방향이 서로 수직일 때 가장 크다.

선택지 분석

ㄱ 도선 BC는 힘을 받지 않는다.
✗ 도선 CD는 <u>위쪽으로</u> 힘을 받는다. → 아래쪽
✗ 코일은 <u>시계 반대 방향</u>으로 회전한다. → 시계 방향

ㄱ. 도선 BC는 자기장과 전류의 방향이 나란하므로 힘을 받지 않는다.

바로 알기 ㄴ. 오른손의 네 손가락과 엄지손가락을 수직으로 펴고 네 손가락을 자기장의 방향(자석의 N극에서 S극 방향)으로 두고 엄지손가락을 전류의 방향으로 폈을 때 손바닥이 향하는 방향이 도선이 받는 힘의 방향이다. 따라서 도선 AB는 위쪽으로 힘을 받고, CD는 아래쪽으로 힘을 받는다.

ㄷ. 코일은 시계 방향으로 계속 회전한다.

2주차	창의 · 융합 · 코딩 전략		54~57쪽
1 ⑤	2 ①, ④	3 ⑤	4 ①, ②
5 해설 참조	6 ③	7 (1) 동, 서, 서, 동 (2) ③	
8 보미	9 (1) 해설 참조 (2) 해설 참조		

1 정전기 유도

⑤ (다)에서 털가죽이 띠는 (+)전하와 금속 깡통의 전자가 서로 인력이 작용하여 전자는 털가죽과 가까운 쪽으로 끌려온다.

바로 알기 ① (가)에서 털가죽에서 플라스틱 막대로 전자, 즉 (−)전하가 이동한다.

② (나)에서 플라스틱 막대가 (−)전하를 띠므로 깡통의 전자는 척력을 받아 막대에서 먼 쪽으로 이동한다.

③ (나)에서 플라스틱 막대는 (−)전하를 띠고 막대와 가까운 쪽
금속 깡통 면은 (+)전하를 띠게 되므로 두 물체 사이에는 인력
이 작용한다.
④ (다)에서 털가죽에 가까운 쪽 금속 깡통의 면은 털가죽이 띠는
(+)전하와 다른 (−)전하를 띤다.

2 검전기의 이용
① 검전기의 금속판에 대전체를 가까이할 때 대전체가 띠는 전하
가 (−)전하이면 검전기의 금속판에서 금속박 쪽으로 전자가 이
동하므로 금속박은 (−)전하를 띠고 벌어진다.
④ 대전체가 띠는 전하가 (+)전하이면 검전기의 금속박에서의
금속판 쪽으로 전자가 이동하여 금속박이 (+)전하를 띠어 벌어
진다.

3 전류와 전압의 관계 그래프

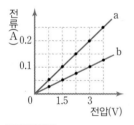

`자료 분석 +` 전류와 전압의 관계 그래프

- 니크롬선 a, b 모두 걸리는 전압이 커짐에 따라
  전류의 세기가 커진다. – 옴의 법칙에 따름
- 니크롬선 a가 b보다 같은 전압에서 흐르는 전
  류가 크기 때문에 a가 b보다 저항이 작다. – 전
  류는 저항에 반비례한다.

`선택지 분석`

ㄱ 니크롬선에 걸리는 전압이 커짐에 따라 전류의 세기는 커진다.
✕ 니크롬선의 저항은 a > b이다. b > a
ㄷ 전압이 일정할 때 저항이 크면 흐르는 전류의 세기는 작다.

`바로 알기` ㄴ. 니크롬선에 걸리는 전압이 일정할 때 니크롬선
에 흐르는 전류의 세기는 저항값에 반비례한다. 따라서 니크롬선
의 저항값은 a가 b보다 작다.

4 가정용 전기 기구의 연결

`자료 분석 +` 가정용 전기 기구의 연결에서의 특징

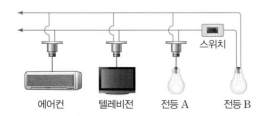

- 모든 전기 기구는 병렬로 연결되어 있다.
- 모든 전기 기구에 걸리는 전압은 같다.
- 각 전기 기구에 흐르는 전류는 저항에 반비례한다.
- 각각의 전기 기구를 따로 켜거나 끌 수 있다.
- 전체 전류는 각 전기 기구에 흐르는 전류의 합과 같다.

①, ② 모든 전기 기구는 병렬로 연결되어 있다. 따라서 에어컨과
전등 A에 걸리는 전압은 같고, 전등 A와 전등 B는 병렬로 연결
되어 있다.

`바로 알기` ③ 전등 A와 전등 B의 저항은 다르므로 두 전구에
흐르는 전류의 세기는 다르다.
④ 모든 전기 기구는 병렬로 연결되어 있으므로 스위치를 끄면
스위치에 연결된 전기 기구만 꺼진다. 즉, 전등 B만 꺼진다.
⑤ 텔레비전과 전등 B에 걸리는 전압은 같고 저항은 다르므로
두 전기 기구에 흐르는 전류의 세기는 다르다.

5 간이 전동기
전류가 흐르는 코일이 힘을 받아 회전하려면 자기장 속에 있어야
한다. 따라서 (라)에서 전지 위에 올려놓은 물체 A는 자석이다.
전류가 자기장에서 받는 힘의 크기는 전류의 세기가 클수록, 자
석의 세기가 강할수록 크기 때문에 코일을 더 빠르게 회전시키기
위해서는 자석의 세기가 더 강한 자석으로 바꾸거나 전압이 더
큰 전지를 사용하여 전류의 세기를 크게 한다.

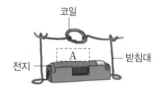

코일에 전류를 세게 흐르게 하는 방법에는 코일의 감은 수를 많
게 하는 방법도 있다.

`모범 답안` 자석, 자석의 세기가 강한 자석을 사용한다. 전류의 세
기를 크게 한다.

채점 기준	배점(%)
A에 해당하는 물체를 옳게 쓰고 코일을 빠르게 회전시키는 방법 2가지를 옳게 쓴 경우	100
A에 해당하는 물체만 옳게 쓰고 코일을 빠르게 회전시키는 방법을 한 가지만 옳게 쓴 경우	50

6 직선 도선 주위의 자기장

자료 분석 + 직선 도선 주위의 자기장

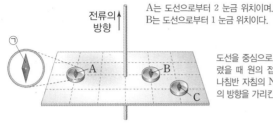

A는 도선으로부터 2 눈금 위치이며,
B는 도선으로부터 1 눈금 위치이다.

도선을 중심으로 동심원을 그
렸을 때 원의 접선상에 놓인
나침반 자침의 N극은 자기장
의 방향을 가리킨다.

선택지 분석

ㄱ ⊙은 S극이다.
ㄴ 전류에 의한 자기장의 세기는 B에서가 A에서보다 크다.
✗ 전류가 아래쪽으로 흘러도 C에 놓인 나침반 자침의 N극이 가리키는 방향
은 변하지 않는다.

ㄱ. 오른손의 엄지손가락이 전류의 방향을 향하도록 할 때, 도선
을 감아쥐는 나머지 네 손가락이 감기는 방향이 자기장의 방향이
므로 나침반 자침의 ⊙은 S극이다.

ㄴ. 직선 도선 주위에 생기는 자기장의 세기는 도선으로부터 거
리가 멀어질수록 작아지므로 전류에 의한 자기장의 세기는 도선
에서 떨어진 거리가 더 작은 B에서가 A에서보다 크다.

바로 알기 ㄷ. 직선 도선에 흐르는 전류의 방향이 바뀌면 도선
주위에 형성되는 자기장의 방향이 바뀐다. 따라서 전류의 방향이
바뀌면 C에 놓인 나침반 자침의 N극이 가리키는 방향도 변한다.

7 원형 도선 주위의 자기장

자료 분석 + 원형 도선 주위에 생기는 자기장의 방향 알아보기

• 자침의 N극이 가리키는 방향이
자기장의 방향이다.
• ⊙과 ©에서 자기장의 방향은
같고 ©에서는 이와 반대이다.

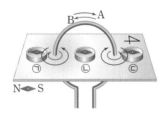

선택지 분석

ㄱ 도선에 흐르는 전류의 방향이 달라지면 자기장의 방향도 달라진다.
✗ ©에서 자침의 N극이 서쪽을 가리키면 도선에는 ~~A 방향~~으로 전류가 흐른
다.   B 방향
ㄷ ⊙과 ©에서 자침의 N극이 가리키는 방향은 전류의 방향에 관계없이 항상
반대이다.

---

(1) 원형 도선에 전류가 흐르면 도선 주위에는 자기장이 생긴다.
도선에 전류가 A 방향으로 흐르면 자침의 N극은 ⊙에서 동쪽,

©에서 서쪽을 가리키며, 전류가 B 방향으로 흐르면 자침의 N
극은 ⊙에서 서쪽, ©에서 동쪽을 가리킨다.

(2) 원형 도선 주위의 자기장 방향은 원형 도선 각 위치에서 오른
손의 엄지손가락을 전류의 방향으로 향하고 네 손가락으로 도선
을 감아쥘 때 네 손가락이 감기는 방향이다. 이때 원형 도선 안쪽
과 바깥쪽의 자기장의 방향은 도선에 흐르는 전류의 방향에 관
계없이 항상 반대이다.

8 코일에 의한 자기장의 방향

자료 분석 + 코일에 의한 자기장의 방향

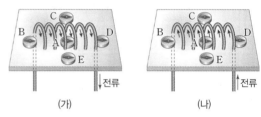

(가)   (나)

• (가)는 코일에 전류가 뒤쪽에서 앞쪽으로 흐를 때이고, (나)는 코일에 전류가
앞쪽에서 뒤쪽으로 흐를 때이다.

• 철수: (가), (나)를 비교해 보면 자침의 방향이 반대임을 알 수
있으므로 전류의 방향이 바뀌면 자기장의 방향도 바뀐다.

• 은지: 코일 안쪽 A에서의 자기장 방향과 코일 바깥쪽 C, D에
서의 자기장 방향은 서로 반대이다.

• 정은: 자기장의 방향은 자침의 N극이 가리키는 방향이므로 오
른손을 이용하면 코일에 흐르는 전류의 방향을 알 수 있다.

• 재민: 코일 안쪽에서의 자기장의 세기는 막대자석의 자기장 세
기와 비슷하고 코일 바깥쪽은 막대자석 근처 자기장의 세기와
비슷하다. 또한 코일 안쪽은 여러 개의 원형 전류에 의한 자기
장이 합쳐지므로 자기장의 세기가 그 주변보다 훨씬 세다.

바로 알기 보미: 자기장의 방향은 자침의 N극이 가리키는 방
향이므로 코일 안쪽에서 자기장 방향은 (가)는 오른쪽이고 (나)
는 왼쪽이다.

9 자기장에서 전류가 흐르는 도선이 받는 힘

(1) 전류가 흐르는 도선은 자기장 내에서 힘을 받는다. 이때 힘의
방향은 오른손의 네 손가락을 자기장의 방향, 엄지손가락을 전
류의 방향으로 할 때 손바닥이 향하는 방향이다.

(2) 전류가 흐르는 알루미늄박 주위에는 자기장이 생긴다. 따라서
전류가 흐르는 알루미늄박은 말굽자석이 만드는 자기장 속에서

힘을 받는다. 이때 힘의 방향은 알루미늄박에 흐르는 전류의 방향에 따라 달라지며, 힘의 크기는 자석 수를 늘려 자기장의 세기를 크게 하거나 알루미늄박에 흐르는 전류의 세기를 크게 하면 커진다.

모범 답안 (1) 미영, 힘의 방향은 오른손의 네 손가락을 자기장의 방향, 엄지손가락을 전류의 방향으로 할 때 손바닥이 향하는 방향이야.

채점 기준	배점(%)
잘못 말하고 있는 학생을 찾고, 옳게 고쳐 쓴 경우	100
잘못 말하고 있는 학생만 찾은 경우	50

(2) 힘의 방향은 자기장의 방향이나 전류의 방향을 바꾸면 되고, 힘의 크기는 자석의 수를 늘리거나 센 자석을 사용하면 된다.

채점 기준	배점(%)
주어진 자료를 이용하여 힘의 방향과 힘의 크기 모두 옳게 서술한 경우	100
주어진 자료를 이용하여 힘의 방향이나 힘의 크기 둘 중 하나를 옳게 서술한 경우	50

중간고사 마무리 신유형·신경향·서술형 전략 60~63쪽

1 ③ 2 ③ 3 ③ 4 ⑤

5 (1) 수소와 산소 (2) 해설 참조 6 (1) (가)와 (다)

(2) (가): $Ag^+ + Cl^- \rightarrow AgCl$ (다): $Ca^{2+} + CO_3^{2-} \rightarrow CaCO_3$

7 (1) 전류계의 바늘이 오른쪽 끝까지 돌아간다. (2) 전압계의 (+)단자와 (-)단자를 바꾸어 연결하였다. (3) 해설 참조

8 (1) B 방향 (2) 해설 참조 (3) 해설 참조

1 원자의 구조

원자는 원자핵과 전자로 이루어져 있다. 원자핵은 (+)전하를 띠며 원자 중심에 위치하고 원자 질량의 대부분을 차지한다.

선택지 분석

㉠ 학생 A: 원자의 중심에 원자핵이 있어요.

✗ 학생 B: 전자는 원자핵 주변에서 정지해 있어요. → 움직인다.

㉢ 학생 C: 원자핵은 (+)전하를 띠고 전자는 (-)전하를 띠어요.

바로 알기 학생 B. 전자는 (-)전하를 띠며 원자핵 주위에서 끊임없이 운동하고 있다.

2 간이 전동기 만들기

자료 분석 + 코일의 양 끝 부분을 다르게 벗기는 까닭

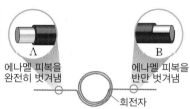

구리선에 절연체인 에나멜을 얇게 입힌 것으로, 표면을 벗기지 않으면 전류가 흐르지 않는다.

에나멜 피복을 완전히 벗겨냄 A

에나멜 피복을 반만 벗겨냄 B

회전자

- 코일의 양 끝 부분을 모두 벗기면 코일이 반 바퀴를 회전했을 때 힘의 방향이 반대가 되어 더 이상 회전하지 못하고 왔다 갔다 진동만 하게 된다.
- 코일 한쪽의 에나멜을 반만 벗기면 코일이 반 바퀴 회전하고 난 다음 코일에 전류가 흐르지 않는다. 그러나 관성에 의해 반 바퀴 회전한 코일은 계속 같은 방향으로 완전히 한 바퀴를 회전하고, 다시 에나멜을 벗긴 부분이 클립에 닿으면 코일에 전류가 처음과 같은 방향으로 흘러 코일이 계속 회전하게 된다.

선택지 분석 → 전압이 큰 전지로 바꾸거나 강한 자석을 사용해야 해.

- ✗ 나래: 코일의 회전을 빠르게 하려면 전지의 극을 바꾸어야 해.
- ✗ 석진: 코일의 회전 방향을 바꾸려면 강한 자석을 사용해야 해.
- ✗ 정희: A와 같이 에나멜 피복을 완전히 벗겨 내면 전류가 더 세게 흘러.
- ㉠ 수지: B와 같이 에나멜 피복을 반만 벗겨 내는 까닭은 코일을 한 방향으로 돌리기 위해서야.
- ㉡ 민지: 코일의 회전 방향을 바꾸려면 전지의 극을 반대로 바꾸면 돼.

바로 알기 • 나래: 코일의 회전을 빠르게 하려면 전압이 큰 전지를 사용하거나 자기장의 세기가 커져야 하므로 강한 자석을 사용해야 한다.

- 석진: 전지의 극을 바꾸거나 자석의 극을 바꾸면 코일의 회전 방향이 바뀐다.
- 정희: 코일의 에나멜 피복을 완전히 벗겨 내면 전류가 잘 흐르게 되지만 전류의 세기가 커지는 것은 아니다.

3 선 스펙트럼과 원소의 확인

원소의 스펙트럼에는 몇 개의 밝은 선이 나타나는데, 이를 선 스펙트럼이라고 한다.

ㄱ. 선 스펙트럼은 원소에 따라 선이 나타나는 위치, 색깔, 굵기, 수 등이 다르다. 이를 이용하면 원소를 구별할 수 있다.

ㄴ. 물질 (가)의 선 스펙트럼에는 원소 A의 선 스펙트럼과 원소 C의 선 스펙트럼이 모두 나타나므로, 물질 (가)는 원소 A와 원소 C를 포함한다.

선택지 분석

㉠ 금속 원소의 종류에 따라 선 스펙트럼에서 선의 개수와 위치가 다르다.

㉡ 물질 (가)에는 원소 A와 원소 C가 포함되어 있다.

✗ 두 원소가 섞여 있으면 새로운 선 스펙트럼이 생성된다.

바로 알기 ㄷ. 두 금속 원소가 섞여 있어도 각각의 원소의 선 스펙트럼의 선의 위치와 개수가 모두 나타나며 서로 영향을 주지 않는다.

4 코일에 생기는 자기장 이용

자료 분석 + 전자석의 극 알아보기

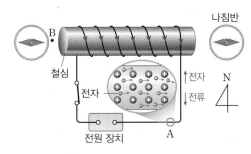

• 코일에 전류가 흐르면 철심은 전자석이 된다.

ㄷ. 철심에서 전류는 코일 뒤쪽에서 앞으로 흐른다. 이때 오른손의 네 손가락을 전류의 방향으로 감아쥐고 엄지손가락을 펴면 엄지손가락의 방향이 자기장의 방향이다. 따라서 코일이 감긴 철심은 오른쪽이 N극인 전자석이 된다.

ㄹ. B 지점에 나침반을 놓으면 자침의 N극은 동쪽을 가리킨다.

바로 알기 ㄱ. 철심은 오른쪽이 N극인 전자석이 되므로 나침반 자침의 N극은 동쪽을 가리킨다.

ㄴ. 도선의 A 지점에서 전자가 오른쪽으로 이동하므로 전류는 왼쪽으로 흐른다.

5 물 분해 실험

(1) 라부아지에의 물 분해 실험에서 물(수증기)은 뜨거운 주철관 안으로 들어가 수소와 산소로 분해된다. 이때 산소는 주철관 내부의 철과 결합하여 철이 녹슬고, 수소 기체는 집기병에 모인다.

(2) 라부아지에는 이 실험을 통해 당시 기본 원소 중 하나라고 여겨 왔던 물이 더 작은 물질로 분해된다는 사실을 입증한 것으로 아리스토텔레스의 4원소설에 오류가 있음을 증명하였다.

모범 답안 물은 수소와 산소라는 원소로 분해되므로 원소가 아니다.

채점 기준	배점(%)
물이 수소와 산소로 분해된다는 점까지 정확하게 서술한 경우	100
물이 원소가 아닌 점만을 서술한 경우	70

6 앙금 생성 반응

(가)에서는 염화 이온(Cl^-)과 은 이온(Ag^+)이 반응하여 흰색의 염화 은($AgCl$) 앙금이 생성되는데, 이는 $Ag^+ + Cl^- \rightarrow AgCl$로 나타낼 수 있다. (다)에서는 칼슘 이온(Ca^{2+})과 탄산 이온(CO_3^{2-})이 반응하여 탄산 칼슘($CaCO_3$) 앙금이 생성되는데, 이는 $Ca^{2+} + CO_3^{2-} \rightarrow CaCO_3$로 나타낼 수 있다.

채점 기준	배점(%)
(1)과 (2)의 답을 모두 정확히 서술한 경우	100
(2)의 알짜 이온 반응식을 잘못 서술한 경우	50

7 전압계, 전류계의 연결 방법과 저항의 크기 구하기

자료 분석 + 전류계와 전압계의 연결

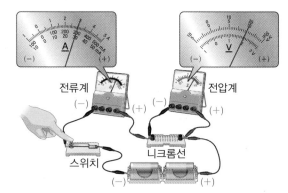

• 전류계, 전압계의 경우 연결한 단자에 해당하는 눈금을 읽는다.
• (−)단자를 측정값보다 작은 단자에 연결하면 눈금판의 바늘은 오른쪽 끝까지 돌아간다.
• (+)단자와 (−)단자를 반대로 연결하면 바늘은 0 이하를 가리킨다.

(1) 회로에 흐르는 전류는 3 A이므로 전류계의 (−)단자를 500 mA 단자에 연결하면 실제 값이 측정 범위를 넘어가므로 전류계 바늘은 오른쪽 끝까지 돌아가게 된다.

(2) 전압계의 바늘이 0 이하를 가리켰다면 전압계의 (+)단자와 (−)단자를 바꾸어 연결한 것이다.

(3) 니크롬선에 걸리는 전압은 15 V 눈금에 해당하는 값을 읽으면 9 V이고, 전류는 5 A 눈금에 해당하는 값을 읽으면 3 A이다.

모범 답안 니크롬선에 걸리는 전압은 9 V이고 흐르는 전류는 3 A이므로 니크롬선의 저항 $= \dfrac{9\ V}{3\ A} = 3\ \Omega$이다.

채점 기준	배점(%)
전압과 전류의 관계식으로부터 저항을 옳게 구한 경우	100
전압과 전류만 구한 경우	40

8 자기장에서 전류가 흐르는 도선이 받는 힘

자료 분석 +　고무 자석에서의 자기장과 도선이 받는 힘

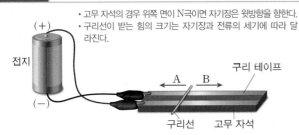

- 고무 자석의 경우 위쪽 면이 N극이면 자기장은 윗방향을 향한다.
- 구리선이 받는 힘의 크기는 자기장과 전류의 세기에 따라 달라진다.

(1) 오른손의 네 손가락을 자기장의 방향(위 방향)으로 하고 엄지 손가락을 전류의 방향으로 하면 손바닥은 B 방향을 향한다.

(2) 자기장의 세기가 클수록, 전류의 세기가 클수록 구리선에 작용하는 힘도 커진다. 따라서 구리선이 더 큰 힘을 받아 더 크게 움직이도록 하려면 더 강한 자석을 사용하거나 전압이 더 높은 전지를 사용한다.

모범 답안　세기가 강한 자석을 사용한다. 전압이 더 높은 전지를 사용한다.

채점 기준	배점(%)
구리선의 움직임을 더 크게 하는 방법 2가지를 모두 옳게 서술한 경우	100
구리선의 움직임을 더 크게 하는 방법을 1가지만 옳게 서술한 경우	50

(3) 고무 자석의 위쪽 면이 S극이 되도록 하면 자기장의 방향이 바뀐다. 자기장의 방향이 바뀌면 힘의 방향이 반대가 되므로 구리선은 A 방향으로 움직인다. 전류의 방향을 바꾸어도 힘의 방향이 반대가 되어 구리선은 A 방향으로 움직인다.

모범 답안　구리선이 A 방향으로 움직인다. 전지의 극을 바꾸어 연결한다.

채점 기준	배점(%)
나타나는 변화 및 같은 변화가 일어나도록 하는 방법 2가지를 모두 옳게 서술한 경우	100
나타나는 변화나 같은 변화가 일어나도록 하는 방법 중 하나만 옳게 서술한 경우	50

중간고사 마무리　고난도 해결 전략 · 1회　　64~67쪽

01 ④	02 ⑤	03 ③	04 ①
05 ①, ⑤	06 ②	07 ⑤	08 ④
09 ⑤	10 ③	11 ④	12 ④
13 (1) $CuCl_2$　(2) $Pb^{2+} + 2I^- \rightarrow PbI_2$		14 ④, ⑤	
15 ④	16 ③		

01 물의 전기 분해

자료 분석 +　물의 전기 분해

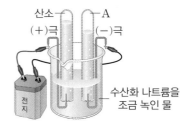

- (+)극에 연결한 시험관에는 산소 기체가 모이고, (-)극에 연결한 시험관에는 수소 기체가 모인다.
- (-)극에 연결한 시험관에 모인 기체의 양은 (+)극에 모인 기체의 양의 2배이다.
- (+)극에 연결한 시험관에 모인 기체에 향불을 가져다 대면 불꽃이 다시 타오른다. → (+)극에 연결한 시험관에 모인 기체가 산소임을 알 수 있다.
- (-)극에 연결한 시험관에 모인 기체에 성냥불을 가까이 가져가면 폭발하면서 '퍽' 소리를 내면서 탄다. → (-)극에 연결한 시험관에 모인 기체가 수소임을 알 수 있다.
- 실험을 통해 물이 분해되어 수소와 산소가 발생하였으므로 물은 물질을 이루는 기본 성분이라고 할 수 없다.

선택지 분석

ㄱ. 시험관 속에 생성된 기체의 부피는 A 기체가 산소보다 더 크다.
✕ A 기체는 가장 무거운 원소이며 불에 잘 탄다. → 가벼운
ㄷ. 이 실험을 통해서 물이 원소가 아님을 알 수 있다.

물을 전기 분해하면 산소 기체와 수소 기체로 분해되므로 물은 원소가 아님을 알 수 있다.

바로 알기　ㄴ. A 기체는 수소로 가장 가벼운 기체이며 불에 대면 폭발하면서 '퍽' 소리를 내면서 탄다.

02 불꽃 반응

불꽃색이 청록색인 구리를 포함하고 있는 물질은 염화 구리(Ⅱ)와 질산 구리(Ⅱ)이다.

바로 알기　ㄱ. 염화 칼슘은 칼슘 원소를 포함하고 있으므로 불꽃색이 주황색이다.

ㄴ. 질산 칼륨은 칼륨 원소를 포함하고 있으므로 불꽃색이 보라

색이다.

ㄹ. 질산 리튬은 리튬 원소를 포함하고 있으므로 불꽃색이 빨간 색이다.

ㅁ. 염화 나트륨은 나트륨 원소를 포함하고 있으므로 불꽃색이 노란색이다.

03 선 스펙트럼으로 물질에 포함된 원소 찾기

같은 원소의 선 스펙트럼은 선의 위치나 개수가 같으므로 원소를 구별할 수 있다. 원소가 섞여 있어도 한 원소의 스펙트럼이 다른 원소의 스펙트럼에 영향을 주지 않고 각각의 원소의 스펙트럼이 독립적으로 나타낸다.

04 원자의 구조

리튬 원자핵의 전하량은 $+3$이고 전자 1개의 전하량은 -1이므로 리튬 원자는 3개의 전자를 가지고 있다. 원자핵의 $(+)$전하량과 전자들의 $(-)$전하량의 합이 같으므로 원자는 전기적으로 중성이다.

바로 알기 ㄴ. 리튬 원자의 원자핵의 전하량은 $+3$이고, 전자 1개의 전하량은 -1이다. 따라서, 리튬, 원자의 원자핵의 전하량은 전자 3개의 전하량과 같다.

ㄷ. 리튬 원자가 이온이 되어도 원자핵의 전하량은 변하지 않는다.

05 원자의 종류에 따른 원자핵의 전하량과 전자의 개수

자료 분석 + 입자의 전하량

원자	H	O	Na	Mg
원자핵의 전하량	$+1$	(가)	$+11$	$+12$
전자의 개수(개)	1	8	(나)	

- 원자는 원자핵의 $(+)$전하량과 전자들의 총 $(-)$전하량이 같아서 전기적으로 중성이다. 전자 1개의 전하량은 -1이다.
- 수소 원자의 전자의 개수는 1개이므로 전자의 총 $(-)$전하량은 -1이다. 따라서, 수소 원자의 원자핵의 전하량은 $+1$이다.
- 산소 원자의 전자의 개수는 8개이므로 전자들의 총 $(-)$전하량은 -8이다. 따라서 산소 원자의 원자핵의 전하량은 $+8$이다.
- 나트륨 원자의 원자핵의 $(+)$전하량은 $+11$이므로 전자들의 총 $(-)$전하량은 -11이다. 따라서 나트륨 원자의 전자의 개수는 11개이다.
- 마그네슘 원자의 원자핵의 $(+)$전하량은 $+12$이므로 전자들의 총 $(-)$전하량은 -12이다. 따라서 마그네슘 원자의 전자의 개수는 12개이다.

선택지 분석

① 모든 원자는 전기적으로 중성이다.

❌ (가)에 들어갈 원자핵의 전하량은 $+6$이다. → $+8$

❌ (나)에 들어갈 전자의 개수는 10개이다. → 11개

❌ 원자의 종류에 따라 전자 1개의 전하량이 다르다. → 같다.

⑤ 산소 원자 3개의 전자의 총 개수는 마그네슘 원자 2개의 전자의 총 개수와 같다.

모든 원자는 전기적으로 중성이다. 산소 원자 3개의 전자의 총 개수는 $3 \times 8 = 24$개이고, 마그네슘 원자 2개의 전자의 총 개수는 $2 \times 12 = 24$이다.

바로 알기 ② (가)에 들어갈 원자핵의 전하량은 $+8$이다.

③ (나)에 들어갈 전자의 개수는 11개이다.

④ 원자의 종류가 달라도 전자 1개의 전하량은 -1로 같다.

06 원소의 특징과 이용

가볍고 안전하여 비행선의 충전 기체로 이용하는 기체는 헬륨(He)이며, 불꽃색이 노란색인 소금의 성분 원소는 나트륨(Na)이며, 노란색 광택이 아름다운 귀금속은 금(Au)이다.

07 여러 가지 물질에서 나타나는 불꽃색

$NaCl$은 염화 나트륨으로, 나트륨 원소를 포함하고 있어 불꽃색이 노란색이다. KNO_3은 질산 칼륨으로, 칼륨 원소를 포함하고 있어 불꽃색이 보라색이다. $CuCl_2$은 염화 구리(Ⅱ)로, 구리 원소를 포함하고 있어 불꽃색이 청록색이다. $LiNO_3$은 질산 리튬으로, 리튬 원소를 포함하고 있어 불꽃색이 빨간색이다.

바로 알기 ⑤ 염화 칼슘과 같이 칼슘 원소를 포함하고 있는 물질을 불꽃 반응시킬 때 나타나는 불꽃색이 주황색이다. 보기에는 칼슘 원소를 포함하고 있는 물질이 없다.

08 같은 종류의 원자로 이루어진 분자

일산화 탄소(CO)와 이산화 탄소(CO_2)는 모두 산소와 탄소 원소가 결합하여 생성된 분자이므로 같은 종류의 원자로 이루어져 있지만 원자의 수가 다르므로 서로 다른 분자이고 서로 다른 성질을 가지고 있다.

09 분자 모형을 보고 분자식으로 나타내기

물은 산소 원자 1개와 수소 원자 2개로 이루어져 있으므로 분자식은 H_2O이고 암모니아는 질소 원자 1개와 수소 원자 3개로 이루어져 있으므로 분자식은 NH_3이다.

10 여러 가지 원자의 원자핵의 전하량과 전자의 개수

자료 분석 + 원자핵의 전하량과 전자의 개수

입자	A	B	C	D
원자핵의 전하량	8	8	9	11
전자의 개수(개)	8	10	10	10

- 원자의 종류에 따라 원자핵의 전하량은 다르고, 원자의 종류가 같으면 원자핵의 전하량은 같다.
- 입자의 원자핵의 (+)전하량과 전자들의 총 (−)전하량을 더하면, 입자가 원자인지, 이온인지를 알 수 있다. 이 값이 0이면 입자는 중성 원자이고, 양의 값을 가지면 양이온이며, 음의 값을 가지면 음이온이다.
- A는 원자핵의 (+)전하량과 전자들의 총 (−)전하량이 같으므로 원자이다.
- B는 원자핵의 (+)전하량이 +8이고, 전자들의 총 (−)전하량이 −10이므로 전하량이 −2인 음이온이다.
- C는 원자핵의 (+)전하량이 +9이고, 전자들의 총 (−)전하량이 −10이므로 전하량이 −1인 음이온이다.
- D는 원자핵의 (+)전하량이 +11이고, 전자들의 총 (−)전하량이 −10이므로 전하량이 +1인 양이온이다.

선택지 분석

ㄱ A와 B는 원자의 종류가 같다.
ㄴ C와 D는 이온의 전하량이 같다. → C전하량: −1 / D전하량: +1
ㄷ A는 원자이고, B, C, D는 이온이다.

바로 알기 ㄴ. C는 전하량이 −1인 음이온이고, D는 전하량이 +1인 양이온이다.

11 이온의 검출

질산 은 수용액과 반응하여 흰색 앙금을 생성하는 이온은 염화 이온(Cl^-), 탄산 이온(CO_3^{2-}), 황산 이온(SO_4^{2-}) 등이 있고, 불꽃 반응을 하였을 때 불꽃색이 노란색인 금속 이온은 나트륨 이온(Na^+)이므로 지하수에 들어 있는 물질은 NaCl이다.

12 원자가 이온이 되는 과정

(가)는 중성인 원자가 전자 1개를 잃어 +1의 양이온이 되는 모형이고, (나)는 중성인 원자가 전자 1개를 얻어 −1의 음이온이 되는 모형이다.

13 불꽃 반응과 앙금 생성 반응

(1) 불꽃색이 청록색인 금속 원소는 구리이므로 A는 염화 구리(II)이다.

(2) 아이오딘화 이온(I^-)과 납 이온(Pb^{2+})이 반응하면 노란색인 아이오딘화 납(PbI_2) 앙금이 생성된다.

채점 기준	배점(%)
A에 해당하는 물질의 화학식을 정확하게 쓰고, B에서 생긴 앙금 생성 반응의 알짜 반응식을 정확하게 서술한 경우	100
(1)에 대한 물질의 화학식만 정확하게 쓴 경우	50

14 이온의 이동

과망가니즈산 구리(II) 수용액에는 구리 이온(Cu^{2+})과 과망가니즈산 이온(MnO_4^-)이 들어 있다. 파란색을 띠는 구리 이온(Cu^{2+})은 (−)극으로, 보라색을 띠는 과망가니즈산 이온(MnO_4^-)은 (+)극으로 이동한다.

바로 알기 ① 구리 이온은 양이온이므로 (−)극 쪽으로 이동한다.

② 보라색 성분은 (−)전하를 띠는 음이온이다.

③ 과망가니즈산 이온은 음이온이므로 (+)극 쪽으로 이동한다.

15 이온의 이동

음이온인 아이오딘화 이온(I^-)은 (+)극으로 이동하고, 양이온인 납 이온(Pb^{2+})은 (−)극으로 이동하여 서로 만나면 노란색인 아이오딘화 납(PbI_2) 앙금이 생성된다.

16 이온의 검출

수용액 속 바륨 이온(Ba^{2+})은 황산 나트륨(Na_2SO_4) 수용액 속 황산 이온(SO_4^{2-})과 앙금을 생성하므로, 황산 이온으로 검출할 수 있다.

바로 알기 ㄴ. 혼합 용액에 있는 앙금($BaSO_4$)의 색깔은 흰색이다. 아이오딘화 납 앙금의 색깔은 노란색이므로 두 앙금의 색깔은 같지 않다.

중간고사 마무리	고난도 해결 전략 · 2회		68~71쪽
01 ②	02 ③	03 ③	04 (1) 물의 흐름
(2) 물	05 (1) 나머지 전구에는 불이 켜지지 않는다. (2) 해		
설 참조	06 ④	07 ⑤	08 ④
09 ④	10 ③	11 ④	12 B와 D
13 산호	14 (나)>(라)>(가)>(다)		15 (1) ㄴ (2) 해설
참조 (3) 해설 참조	16 ⑤		

01 정전기 유도

자료 분석 + 정전기 유도와 전기력

- 금속 막대에는 정전기 유도에 의해 전자가 B에서 A로 이동한다.
- A는 (−)전하, B는 (+)전하를 띤다.
- B 부분과 고무풍선이 띠는 전하가 같으므로 고무풍선은 밀려난다.

선택지 분석

①A 부분은 (−)전하를 띤다.
✗ 전자는 A에서 B로 이동한다. B → A
③고무풍선은 금속 막대에서 밀려난다.
④B 부분은 유리 막대와 같은 전하를 띤다.
⑤금속 막대와 고무풍선 사이에 전기력이 작용한다.

바로 알기 ② 금속 막대 내에서는 전자의 이동이 자유롭다. 따라서 (+)대전체를 금속 막대의 A 부분에 가까이하면 전자는 B에서 A 쪽으로 이동한다.

02 검전기에서의 정전기 유도

자료 분석 + 검전기에서 전자의 이동

금속판에 손을 대면 금속박의 전자가 손을 따라 이동하므로 금속박이 오므라든다.

전자는 금속판에서 금속박 쪽으로 이동하여 금속박은 (−)전하를 띠고 벌어진다.

대전체와 손가락을 동시에 멀리하면 검전기 전체가 (+)전하를 띠고 금속박이 벌어진다.

(가)　　(나)　　(다)

선택지 분석

㉠ (가)에서 금속박은 (−)전하를 띤다.
✗ (나)에서 손가락에서 금속박으로 전자가 이동한다.
　　　금속박　　　손가락
㉢ (다)에서 금속박은 (+)전하를 띤다.

- (가) 전자가 금속판에서 금속박으로 이동하므로 (−)전하를 띤 두 금속박은 벌어진다.
- (나) 금속박에 있던 전자가 손가락으로 이동하여 금속박은 전하를 띠지 않아 오므라든다.
- 검전기 전체가 (+)전하를 띠므로 금속박은 (+)전하를 띠게 되어 다시 벌어진다.

바로 알기 ㄴ. (나) 금속판에 손가락을 접촉하면 금속박의 전자가 손가락으로 이동하여 금속박은 전기를 띠지 않으므로 오므라든다.

03 전하량 보존

자료 분석 + 저항과 전류의 관계 및 전하량 보존

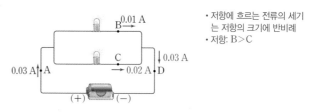

- 저항에 흐르는 전류의 세기는 저항의 크기에 반비례
- 저항: B>C

- 전하량이 보존되므로 A에 흐르는 전류＝B에 흐르는 전류＋C에 흐르는 전류＝D에 흐르는 전류

선택지 분석

㉠ C에 연결된 전구에는 0.02 A의 전류가 흐른다.
㉡ A와 D 지점에 흐르는 전류의 세기는 서로 같다.
✗ C에 연결된 전구의 저항은 B에 연결된 전구의 저항의 2배이다.

ㄱ, ㄴ. 전하량은 보존되므로 C에는 0.03 A − 0.01 A＝0.02 A의 전류가 흐른다. 따라서 D에 흐르는 전류의 세기도 A에 흐르는 전류의 세기와 같은 0.03 A이다.

바로 알기 ㄷ. B와 C에 같은 전압이 걸리므로 B보다 2배의 전류가 흐르는 C에 연결된 전구의 저항은 B에 연결된 전구 저항의 $\frac{1}{2}$배이다.

04 전기 회로와 물의 흐름 비유

전기 회로를 수도관에서의 물의 흐름에 비유할 때 전선을 따라 이동하는 전자는 수도관에 흐르는 물에 비유할 수 있다. 즉, 전자는 물에 비유되며, 전류는 물의 흐름에 비유된다.

바로 알기 전구는 물레방아, 스위치는 밸브, 전지는 펌프에 비유할 수 있다. 또한 전압은 물의 높이 차에 비유된다.

05 직렬연결과 병렬연결의 특징

(1) 한 전구의 필라멘트가 끊어지면 전선이 끊어진 것과 같으므로 다른 전구에도 전류가 흐르지 않아 불이 켜지지 않는다.

(2) 각각의 전구에 같은 크기의 전압이 걸리므로 한 전구의 필라멘트가 끊어져도 나머지 다른 전구에 걸리는 전압은 변하지 않으므로 흐르는 전류의 세기에도 변화가 없다.

모범 답안 나머지 전구의 밝기는 변하지 않고 불이 계속 켜져 있다. 두 전구를 병렬로 연결하면 각각의 전구에 걸리는 전압과 흐르는 전류가 변하지 않기 때문이다.

채점 기준	배점(%)
전구의 밝기 변화와 그 까닭을 모두 옳게 서술한 경우	100
전구의 밝기 변화만 옳게 서술한 경우	50

06 전류와 전압의 관계

자료 분석 + 전압-전류 그래프로부터 저항 구하기

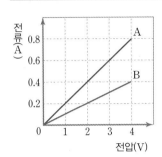

- A의 저항: $\dfrac{1\ V}{0.2\ A}=5\ \Omega$
- B의 저항: $\dfrac{2\ V}{0.2\ A}=10\ \Omega$
- 두 저항을 직렬연결하면 흐르는 전류의 세기는 같다.

- 전류의 세기는 저항에 반비례하고 저항의 크기가 B가 A의 2배이므로 두 저항을 병렬연결하면 A에 흐르는 전류는 B에 흐르는 전류의 2배이다.

ㄴ, ㄷ. 두 니크롬선을 직렬로 연결하면 전류가 흐르는 도선이 한 줄로 이어지므로 A와 B에 흐르는 전류는 같다. 두 니크롬선을 병렬로 연결하면 두 니크롬선에는 같은 전압이 걸리므로 A에 흐르는 전류는 B에 흐르는 전류의 2배이다.

바로 알기 ㄱ. 니크롬선 A의 저항=$\dfrac{2\ V}{0.4\ A}=5\ \Omega$이며, 니크롬선 B의 저항=$\dfrac{2\ V}{0.2\ A}=10\ \Omega$이다. 따라서 니크롬선 A의 저항은 니크롬선 B의 $\dfrac{1}{2}$배이다. 저항의 크기는 B가 A의 2배이다.

07 옴의 법칙

자료 분석 + 전류와 전압의 관계

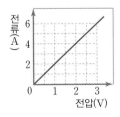

- 저항은 도선의 길이에 비례하고 단면적(굵기)에 반비례
- 전압이 커짐에 따라 전류가 증가한다.-옴의 법칙 적용
- 기울기=$\dfrac{전류}{전압}=\dfrac{1}{저항}$

도선을 잡아당겨 길이를 2배로 할 때 도선의 부피(부피=단면적×길이)에는 변화가 없으므로 단면적은 $\dfrac{1}{2}$배가 된다. 따라서 도선의 저항은 처음

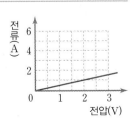

의 4배가 된다. 옴의 법칙에 의해 저항이 4배가 되면 같은 전압을 걸었을 때 전류의 세기는 $\dfrac{1}{4}$배가 되므로, 2 V의 전압을 걸었을 때 전류의 세기는 1 A가 된다.

08 저항의 병렬연결

자료 분석 + 저항의 병렬연결에서 전류의 세기

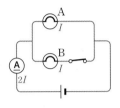

- 전구 A, B가 동일하고 각 전구에 같은 전압이 걸리므로 각 전구에 흐르는 전류는 I로 같다.
- 전류계에는 $2I$의 전류가 흐른다.
- 3초 후 스위치를 열면 전구 A에만 전류가 흐르므로 전류계에는 I의 전류가 흐른다.

같은 전구 A, B를 병렬연결하였으므로 3초 후에 스위치를 열면 전체 저항은 2배로 커져서 전체 전류의 세기는 $\dfrac{1}{2}$배로 작아진다.

09 직선 도선 주위의 자기장

자료 분석 + 직선 도선 주위에 생기는 자기장

자기장의 방향은 오른손의 엄지손가락을 전류의 방향으로 펴고 네 손가락으로 도선을 감아쥘 때 네 손가락이 감기는 방향이다.

나침반

N ◆ S

- 직선 도선에 전류가 흐르면 도선을 중심으로 동심원 모양의 자기장이 생긴다.
- 도선에서 거리가 멀어질수록 자기장의 세기가 작아진다.
- 전류의 방향이 바뀌면 자기장의 방향도 바뀐다.

선택지 분석

① 전류는 A 방향으로 흐른다.
② 자침의 방향으로 자기장의 방향을 알 수 있다.
③ 도선을 중심으로 동심원 모양의 자기장이 생긴다. → 도선으로부터 멀수록 자기장의 세기가 작아진다.
④ 도선으로부터 떨어진 거리에 관계없이 자기장의 세기는 일정하다.
⑤ 전류의 방향이 바뀌면 나침반 자침의 방향이 반대로 바뀐다.

바로 알기 ④ 직선 도선 주위의 자기장은 도선으로부터 멀어질수록 자기장의 세기는 작아진다.

10 평행한 두 직선 사이의 자기장의 전류

자료 분석 + 두 직선 도선에 의한 자기장

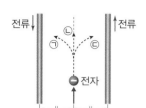

- 두 직선 도선 사이의 영역에는 종이면을 뚫고 나오는 방향의 자기장이 형성되어 있다.
- 전자의 이동 방향과 전류의 방향은 반대이다.
- 전류의 방향으로 오른손의 엄지손가락을 향하게 펴고 네 손가락을 자기장의 방향으로 폈을 때 손바닥이 향하는 방향으로 전자는 힘을 받는다.

선택지 분석

㉠ 두 직선 도선 사이의 영역에서 자기장의 방향은 종이면에서 나오는 방향이다.

✕ 전자는 이동 방향과 반대 방향으로 힘을 받는다.

㉢ 전자는 힘을 받아 ㉠ 방향으로 움직인다.

ㄱ. 왼쪽 도선에 의한 자기장과 오른쪽 도선 의한 자기장의 방향이 모두 종이면에서 나오는 방향이다.

ㄴ, ㄷ. 전류의 방향은 전자의 이동 방향과 반대이므로 전자의 이동 방향과 반대 방향으로 오른손의 엄지손가락을 향하고, 종이면에서 나오는 방향으로 네 손가락을 향하면 손바닥은 왼쪽을 향한다. 따라서 전자는 왼쪽으로 힘을 받아 ㉠ 방향으로 운동한다.

11 움직이는 대전체에 의한 자기장

자료 분석 + 대전체의 운동에 의한 자기장

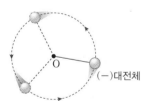

- (−)대전체는 (−)전하를 띤 물체이므로 (−)전하의 운동은 전류의 흐름을 나타낸다.
- (−)대전체의 운동 방향과 전류의 방향은 반대이다.

선택지 분석

㉠ 전류가 시계 방향으로 흐르는 것과 같다.

✕ 원의 중심인 O점에서는 종이면에 들어가는 방향의 자기장이 생긴다.

㉢ 이 상태에서 (−)대전체가 이동하는 속력이 더 빨라지면, O점에서 자기장의 세기는 증가한다.

ㄱ. 전류의 방향은 전자, 즉 (−)전하의 이동 방향과 반대이다. 따라서 전류의 방향은 시계 방향이다.

ㄷ. (−)대전체가 이동하는 속력이 더 빨라지면 전류의 세기가 커지는 것과 같으므로 자기장의 세기도 증가한다.

👁 바로 알기 ㄴ. 원형 도선에 시계 방향으로 전류가 흐르는 것과 같으므로 원의 중심 O점에서는 종이면을 뚫고 나오는 방향의 자기장이 생긴다.

12 코일 주위의 자기장

자료 분석 + 코일 주위의 자기장

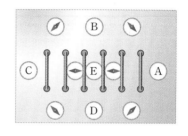

- 코일 내부에는 균일한 자기장이 한쪽 방향으로 형성된다. 따라서 A, C, E에서 자기장의 방향은 같다.
- 코일 외부인 B, D에 형성된 자기장의 방향은 같고, 코일 내부인 E와는 반대이다.

코일 내부에는 균일한 직선 모양의 자기장이 생긴다. 코일 내부인 A, C, E에서 자기장의 방향은 같고, 코일 외부인 B, D에서 자기장의 방향은 코일 내부와 반대 방향이다.

13 자기장에서 전류가 받는 힘

전압은 일정하므로 전기 회로에 연결된 전기 저항을 더 크게 하면 회로에 흐르는 전류의 세기는 작아진다. 따라서 구리 막대가 받는 힘의 크기도 작아진다. 이때 구리 막대가 움직이는 방향은 C 방향이지만 구리 막대가 받는 힘의 크기가 작아지므로 움직임도 느려진다.

14 자기장에서 도선이 받는 힘의 크기

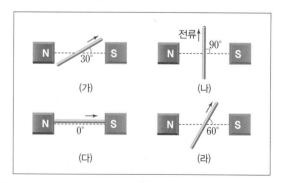

자기장 속에서 전류의 방향과 자기장의 방향이 나란할 때 도선은 힘을 받지 않으며 직각일 때 가장 큰 힘을 받는다. 즉, 전류의 방향과 자기장의 방향이 수직에 가까울수록 더 큰 힘을 받는다. 따라서 도선에 흐르는 전류의 세기가 같을 때 도선이 받는 힘의 크기는 (나)>(라)>(가)>(다) 순이다.

15 간이 전동기

자료 분석 + 간이 전동기의 회전 방향

- 전동기의 코일에서 위쪽과 아래쪽이 받는 힘이 서로 반대 방향이므로 회전한다.
- 전동기의 회전 방향은 전지의 극과 자석의 극에 따라 달라진다.

(1) 간이 전동기에서 코일이 받는 힘의 방향은 오른손 네 손가락을 위쪽으로 향하게 하고 전류의 방향으로 엄지손가락을 향하게 할 때 손바닥이 향하는 방향이다. 따라서 코일의 아래 부분은 앞쪽으로, 코일의 위 부분은 뒤쪽으로 힘을 받으므로 코일은 ⓒ 방향으로 회전한다.

(2) 간이 전동기에서 자석의 극을 바꾸거나 전지의 극을 바꾸면 힘의 방향이 바뀌므로 코일의 회전 방향도 바뀐다.

모범 답안 자석의 극을 바꾼다. 전지의 극을 바꾼다.

채점 기준	배점(%)
코일이 회전하는 방향을 바꾸는 방법을 2가지 모두 옳게 서술한 경우	100
코일의 회전하는 방향을 바꾸는 방법을 1가지만 옳게 서술한 경우	50

(3) 전지를 직렬로 더 연결하여 전류의 세기를 크게 하거나 자기력이 더 강한 자석으로 바꾸거나, 코일의 감은 수를 많게 하면 코일이 받는 힘의 크기는 커진다.

모범 답안 전지를 직렬로 더 연결한다. 강한 자석으로 바꾼다. 코일의 감은 수를 늘린다.

채점 기준	배점(%)
코일을 더 빠르게 회전하게 하는 방법을 2가지 모두 옳게 서술한 경우	100
코일을 더 빠르게 회전하게 하는 방법을 1가지만 옳게 서술한 경우	50

16 전동기의 활용

ㄱ, ㄴ, ㄷ. 전동기는 전류가 흐르는 도선이 자기장 속에서 받는 회전력으로 힘을 이용한다. 따라서 전동기에 흐르는 전류를 크게 하거나 더 강한 자석을 사용하는 경우, 코일의 감은 수를 늘리는 경우 전동기의 회전 수는 커진다.

1주 Ⅲ 태양계

1일 개념 돌파 전략 1 확인Q 8~9쪽

5강_지구와 달의 운동

1 엇각　2 달까지의 거리　3 자전　4 동　5 서쪽, 동쪽, 서쪽, 동쪽
6 상현달, 하현달　7 그림자　8 삭, 왼쪽

1 에라토스테네스는 하짓날 알렉산드리아에 세운 막대와 막대의 그림자 끝이 이루는 각도와 두 지역 사이의 중심각이 엇각으로 같음을 이용하여 지구의 크기를 최초로 측정하였다.

2 관측자와 동전이 이루는 삼각형과 관측자와 달이 이루는 삼각형의 닮음비를 이용하여 달의 크기를 구한다.

3 지구가 자전축을 중심으로 회전하는 운동은 자전, 지구가 태양을 중심으로 회전하는 운동은 공전이다.

4 북반구 중위도에서 일주 운동하는 별들은 북극성을 중심으로 시계 반대 방향으로 회전하므로 우리나라의 동쪽 하늘을 관측할 때 천체가 오른쪽 위로 비스듬히 떠오른다.

5 지구의 공전 방향과 태양의 연주 운동 방향은 서쪽 → 동쪽으로 같다.

6 달의 위상은 약 한 달을 주기로 삭, 상현달, 보름달, 하현달의 순으로 변한다.

7 달의 그림자는 지구보다 크기가 작고, 특히 개기 일식은 달의 본그림자에 있는 관측자에게만 보인다.

8 일식이 일어날 때 달의 위상은 삭이다. 월식 때 달은 왼쪽부터 가려지기 시작한다.

1일 개념 돌파 전략 1 확인Q 10~11쪽

6강_태양계 행성과 태양 활동

1 ⑤　2 내행성, 외행성　3 작고, 크다　4 보조 망원경(파인더)
5 ㄱ, ㄷ, ㄹ　6 광구, 흑점　7 ④　8 태양풍

1 수성, 지구, 천왕성, 토성은 행성이고, 달은 위성이다.

2 지구의 공전 궤도를 기준으로 태양에 더 가까이 안쪽 궤도에서 공전하는 행성은 내행성, 더 멀리 바깥쪽 궤도에서 공전하는 행성은 외행성이다.

3 지구형 행성은 단단한 암석으로 이루어져 있으므로, 기체로 이루어진 목성형 행성보다 크기와 질량은 작지만 평균 밀도는 크다.

4 관측 대상의 위치를 대략적으로 찾을 때는 주 망원경보다 배율이 작아 시야가 넓은 보조 망원경(파인더)을 사용한다.

5 접안렌즈는 대물렌즈가 만든 상을 확대하는 부분이다.

6 우리가 보는 태양의 겉부분을 광구라고 하며, 광구 위에 흑점과 쌀알 무늬가 나타난다.

7 흑점은 태양의 표면인 광구에서 나타나는 특징이다.

8 태양풍은 태양의 상부 대기층에서 방출된 전하를 띤 입자의 흐름이며, 태양의 활동이 활발하여 태양풍이 강해지면 지구에 여러 가지 영향을 미친다.

1일 개념 돌파 전략 2 12~13쪽

1 ②, ④　　2 ④　　3 B　　4 ㄱ, ㄷ
5 ②, ④　　6 코로나, 플레어

1 지구의 크기 측정

에라토스테네스가 지구의 크기를 측정하는 과정에서 오차가 발생한 원인은 지구는 완전한 구형이 아니라 적도 쪽이 부풀어 있는 타원체 모양이고, 알렉산드리아와 시에네는 동일 경도상에 있지 않으며, 알렉산드리아와 시에네 사이의 거리 측정값이 정확하지 않았기 때문이다.

바로 알기 ② 태양이 지구로부터 매우 멀리 떨어져 있으므로 지구로 들어오는 햇빛은 평행하다고 할 수 있다.
④ 원에서 부채꼴의 중심각 크기는 호의 길이에 비례한다는 원리를 이용하여 지구 크기를 측정하였다.

2 천체의 일주 운동

일주 운동의 주기는 하루이며, 따라서 천체는 한 시간에 약 15°씩 회전한다. 천체의 일주 운동은 지구 자전에 의한 겉보기 운동이므로 지구의 자전과 반대 방향으로 움직인다.

바로 알기 ④ 천체의 일주 운동 방향은 지구 자전과 반대 방향이므로 동쪽에서 서쪽으로 움직인다.

3 달의 위상

자료 분석 + 달의 위상 변화

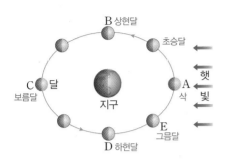

달이 A에 있을 때는 삭, B는 상현달, C는 보름달, D는 하현달, 그리고 E에 있을 때는 그믐달로 보인다.

암기 Tip 달의 모양과 위상의 명칭

달이 삭~숨어서 안 보임 / 오른쪽은 상현달! / 보름달은 망! / 왼쪽은 하현달!

4 태양계 행성의 특징

자료 분석 + 토성의 특징

- 태양계 행성 중 두 번째로 크고, 물보다 밀도가 작다.
- 암석과 얼음으로 된 뚜렷한 고리와 많은 위성이 있다.
- 표면에 옅은 가로줄 무늬가 있다.

선택지 분석

ㄱ 물보다 밀도가 작다. → 두 번째로 큼
✗ 태양계 행성 중 가장 크다.
ㄷ 표면에 옅은 가로줄 무늬가 있다.
✗ 자전축이 공전 궤도면과 거의 나란하다. → 천왕성

토성은 물보다 밀도가 작으며, 빠른 자전으로 인해 표면에 옅은 가로줄 무늬가 있다.

바로 알기 ㄴ. 태양계 행성 중 가장 큰 것은 목성이다.
ㄹ. 자전축이 공전 궤도면과 거의 나란한 행성은 천왕성이다.

5 천체 망원경의 구조와 기능

주 망원경의 경통은 대물렌즈와 접안렌즈를 연결하는 통이다. 대물렌즈의 지름이 크면 더 많은 빛을 모을 수 있다.

바로 알기 ① 빛을 모으는 역할을 하는 것은 대물렌즈이며 접안렌즈는 대물렌즈가 만든 상을 확대한다.
③ 가대는 경통과 삼각대를 연결하는 부분으로, 경통을 움직이게 해 주는 역할을 한다.
⑤ 망원경으로 천체를 관측할 때에는 먼저 시야가 넓은 보조 망원경으로 관측할 대상을 찾은 후 주 망원경으로 관측한다.

6 태양의 대기와 대기 현상

자료 분석 + 태양 대기의 현상

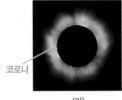 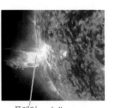

코로나 (가) / 플레어 (나)

- 코로나는 채층 위로 멀리까지 뻗어 있는 청백색의 대기층이다.
- 플레어는 흑점 부근의 강한 폭발로 대기층이 밝아지며 엄청난 양의 물질과 에너지를 방출하는 현상이다.

태양의 광구가 매우 밝으므로 평소에는 대기를 관측하기 어렵기 때문에 관측 장비를 이용하여 관측을 하거나 개기 일식 때 관측이 가능하다.

2일 필수 체크 전략 1 기출 선택지 All 14~17쪽

❶-1 ㄱ, ㄴ   ❷-1 ④   ❸-1 ㄱ, ㄴ, ㄷ
❹-1 ㄱ, ㄷ   ❺-1 ㄱ, ㄷ   ❻-1 ㄱ, ㄷ
❼-1 ㄱ, ㄴ   ❽-1 ㄱ, ㄷ

❶-1 지구의 크기 측정

지구 모형의 크기를 구하기 위해서는 ∠BB'C의 크기인 θ'과 두 막대 사이의 거리인 호 AB의 길이 l을 직접 측정해야 한다.

바로 알기 ㄷ, ㄹ. 그림자 BC의 길이와 막대 AA'의 길이는 지구 모형의 크기를 측정하기 위해 측정해야 하는 값이 아니다.

❷-1 달의 크기 측정

자료 분석 + 달 모형의 크기 측정

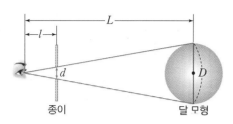

종이   달 모형

- 종이에 뚫은 구멍의 크기와 달 모형이 같은 크기로 보이도록 종이의 위치를 조절한 후, 종이 구멍의 지름(d)과 종이까지의 거리(l)를 직접 측정하여 달 모형의 지름을 D를 계산한다.
- 이때 눈에서 달 모형까지의 거리(L)은 알아야 하는 값이다.

달 모형의 크기는 종이 구멍과 눈이 만드는 삼각형과 달 모형과 눈이 만드는 삼각형이 닮은꼴이므로 삼각형의 닮음비를 이용하여 구할 수 있다.

따라서 비례식은 $L : D = l : d$이다.

암기 Tip 삼각형의 닮음비를 이용한 비례식

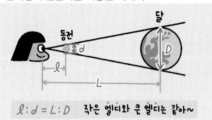

$l : d = L : D$ 작은 엘디와 큰 엘디는 같아~

❸-1 지구의 자전과 공전

지구의 공전은 지구가 태양을 중심으로 1년에 한 바퀴씩 서에서 동으로 회전하는 운동이다.

❹-1 천체의 일주 운동

ㄱ. 그림은 북쪽 하늘에서 별의 일주 운동 경로를 관측한 것으로 중심별 A는 북극성이다.

ㄷ. 일주 운동을 한 각도가 15°이므로 1시간 동안 이동하였을 것이다.

바로 알기 ㄴ. 북쪽 하늘의 모습이다.

❺-1 태양의 연주 운동

ㄱ. 해가 진 직후 천칭자리는 서쪽으로 움직여갔다.

ㄷ. 지구는 365일에 태양 주위를 360° 공전하므로 보이는 별자리는 하루에 약 1°씩 움직여 간다.

바로 알기 ㄴ. 천칭자리가 움직여 간 것은 지구가 공전함에 따른 겉보기 운동이다.

❻-1 달의 공전과 위상 변화

달이 A에 위치할 때 위상은 삭이며, C에 위치할 때는 망으로 음력 15일경에 해당한다.

바로 알기 ㄴ. 달이 B에 위치할 때 위상은 상현달, D에 위치할 때 위상은 하현달이다.

❼-1 일식

ㄱ. 일식은 달에 의해 태양이 가려져 보이는 현상으로 일식이 일어날 때 달은 태양과 지구 사이에 있으므로 위상이 삭이다.

ㄴ. 개기 일식이 일어나면 태양의 광구가 완전히 가려지므로 태양의 대기인 코로나를 볼 수 있다.

바로 알기 ㄷ. 개기 일식은 달의 본그림자가 생기는 지역에서 관측이 가능하다.

❽-1 월식

ㄱ. 월식은 지구의 그림자 속으로 달이 들어가 일부 또는 전체가 가려지는 현상으로, 이때 달은 지구 그림자가 생기는 위치인 태양의 반대편에 있어야 하므로 위상이 망이다.

ㄷ. B에서 개기 월식이 일어나며 이때 달은 붉은색으로 보인다.

바로 알기 ㄴ. 달이 지구의 반그림자 속으로 들어갔을 때는 밝기만 조금 감소할 뿐 월식은 일어나지 않는다.

2일 필수 체크 전략 **2** 최다 오답 문제   18~19쪽

| 1 ④ | 2 ② | 3 ⑤ | 4 ④ |
| 5 ④ | 6 ② | | |

1 지구의 크기 측정

- 에라토스테네스는 원에서 부채꼴의 중심각의 크기는 호의 길이에 비례한다는 원리를 이용하여 지구의 크기를 최초로 측정하였다.
- 가정 : ① 지구로 들어오는 햇빛은 평행하다.
  ② 지구는 완전한 구형이다.

원에서 부채꼴의 중심각의 크기는 호의 길이에 비례하므로 $7.2° : 925 \, \text{km} = 360° : 2\pi R$과 같은 비례식을 세워 계산할 수 있다.

2 별의 일주 운동

자료 분석 + 북쪽 하늘에서 별이 이동한 경로

→ 별의 일주 운동은 북극성을 기준으로 시계 반대 방향

선택지 분석

① 중심각 θ는 30°이다.
✗ 별이 이동한 방향은 A이다. → B
③ 북쪽 하늘을 관측한 모습이다.
④ 지구 자전에 의한 겉보기 운동이다.
⑤ 별 P는 천구의 북극 방향에 위치한다.

① 2시간 동안 별이 이동하였으므로 중심각 θ는 30°이다.

③ 우리나라가 위치한 북반구 중위도 지역에서 관측한 북쪽 하늘의 일주 운동 모습이다.

④ 별의 일주 운동은 지구 자전에 의한 겉보기 운동이다.

⑤ 별 P는 천구의 북극 방향에 위치하는 북극성이다.

👁 바로 알기 ② 별의 일주 운동 방향은 북극성을 중심으로 시계 반대 방향이므로 B이다.

3 달의 크기 측정

자료 분석 + 달 모형의 크기 측정

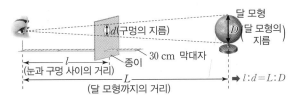

- 종이에 뚫은 구멍과 눈이 만드는 삼각형이 달 모형과 눈이 만드는 삼각형과 닮은꼴임을 이용하여 달 모형의 크기를 계산할 수 있다.

선택지 분석

① 구멍의 지름(d)은 측정해야 하는 값이다.
② 달 모형까지의 거리(L)는 알고 있어야 하는 값이다.
③ 구멍에 달 모형이 꽉 차게 보이도록 종이의 위치를 조절한다.
④ 삼각형의 닮음비를 이용하면 달 모형의 크기를 구할 수 있다.
✗ 구멍의 지름(d)을 더 크게 하면 눈과 구멍 사이의 거리(l)는 가깝게 해야 한다. → 멀게

① 구멍의 지름(d)과 눈과 구멍 사이의 거리(l)는 측정해야 하는 값이다.

② 달 모형까지의 거리(L)는 미리 알고 있어야 하는 값이다.

③ 구멍의 크기와 달 모형의 크기가 같아 보이도록 종이의 위치를 조절한다.

④ 삼각형의 닮음비를 이용하여 달 모형의 크기를 구하기 위한 비례식은

$$l : d = L : D$$

로 세울 수 있다.

👁 바로 알기 ⑤ 구멍의 지름(d)을 더 크게 하면 눈과 구멍 사이의 거리(l)는 멀어져야 한다.

4 태양의 연주 운동

자료 분석 + 별자리의 위치 변화

| (가) 16일 | (나) 1일 | (다) 31일 |

- 해가 진 직후 15일 간격으로 서쪽 하늘을 관측하면 태양과 별자리의 위치가 변하는 것을 볼 수 있다.
- 태양은 별자리를 기준으로 서쪽에서 동쪽으로 이동한다.
- 별자리는 태양을 기준으로 동쪽에서 서쪽으로 이동한다.

선택지 분석

ㄱ 하늘에서 별자리는 하루에 약 1°씩 이동하였다.
ㄴ 시간에 따라 (나) → (가) → (다)의 순서로 관측되었다. → 서쪽에서 동쪽으로
✗ 태양은 별자리를 기준으로 동쪽에서 서쪽으로 움직여간다.
ㄹ 지구가 태양을 중심으로 공전하기 때문에 나타나는 현상이다.

ㄱ, ㄹ. 별자리의 위치가 변하는 것은 지구가 공전하기 때문에 나타나는 겉보기 운동으로, 지구가 태양 주위를 하루에 약 1°씩 움직이므로 별자리도 하루에 약 1°씩 움직인다.

ㄴ. 별자리는 태양을 기준으로 동쪽에서 서쪽으로 이동하므로 관측 순서는 (나) → (가) → (다)이다.

바로 알기 ㄷ. 태양은 별자리를 기준으로 서쪽에서 동쪽으로 움직여 간다.

5 일식

자료 분석 + 개기 일식이 일어나는 순서

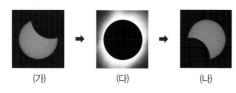

(가) → (다) → (나)

- 달은 태양의 오른쪽에서 왼쪽으로 이동하므로 태양은 오른쪽부터 가려지기 시작한다(가).
- 태양 전체가 가려지고(다), 다시 태양의 오른쪽부터 서서히 보이기 시작하여 본래의 모습으로 되돌아온다(나).

선택지 분석

✗ 이날 달의 위상은 망이다. → 삭
ㄴ 일식이 진행된 순서는 (가) → (다) → (나)이다.
ㄷ (다)는 달의 본그림자가 생기는 지역에서 관측할 수 있다.

ㄴ. 일식이 일어날 때 태양은 오른쪽부터 가려지고, 오른쪽부터 다시 보인다.

ㄷ. (다)는 개기 일식이 일어났을 때의 모습으로, 지구에서 달의 본그림자가 생기는 지역에서 관측이 가능하다.

바로 알기 ㄱ. 일식은 달이 태양을 가리는 현상으로 태양과 지구 사이에 달이 위치해야 하므로 이날 달의 위상은 삭이다.

6 월식

자료 분석 + 월식이 일어나는 순서

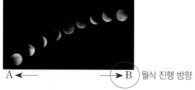

A ← → B 월식 진행 방향

- 월식이 일어날 때 달의 왼쪽부터 지구 그림자 속으로 들어가므로 달의 왼쪽부터 어둡게 보이기 시작한다.
- 달 전체가 가려졌다가 다시 달의 왼쪽부터 서서히 보이기 시작하여 본래의 모습으로 되돌아온다.

선택지 분석

① 이날 달의 위상은 망이다.
✗ 월식의 진행 방향은 A이다. → B
③ 개기 월식 때 달은 붉은색으로 보인다.
④ 달이 지구 그림자에 가려져 나타나는 현상이다.
⑤ 일식의 지속 시간보다 월식의 지속 시간이 더 길다.

①, ④ 월식은 달이 지구 그림자 속으로 들어가며 나타나는 현상으로, 달은 지구를 기준으로 태양의 반대쪽에 위치한다. 그러므로 이날 달의 위상은 망이다.

③ 개기 월식이 일어나면 달은 붉은색으로 보인다.

⑤ 일식 때 지구 위에 생긴 달의 그림자보다 월식 때 달을 덮는 지구 그림자의 크기가 더 크므로 일식의 지속 시간보다 월식의 지속 시간이 더 길다.

바로 알기 ② 월식이 일어날 때 달은 왼쪽부터 가려지고 왼쪽부터 다시 보이므로 진행 방향은 B이다.

3일 필수 체크 전략 1 기출 선택지 All   20~23쪽

❶-1 ㄱ, ㄴ, ㄷ   ❷-1 ③   ❸-1 ㄱ, ㄴ
❹-1 ㄱ, ㄴ   ❺-1 ㄴ, ㄷ   ❻-1 ㄱ, ㄴ
❼-1 ㄱ, ㄴ, ㄷ   ❽-1 ㄱ, ㄷ

❶-1 태양계의 구성

화성은 토양에 산화 철이 포함되어 있어 붉게 보인다. 거대한 화산과 대협곡이 있으며, 극지방에는 이산화 탄소와 물이 얼어붙은 극관이 있다.

❷-1 내행성과 외행성

자료 분석 + 공전 궤도를 기준으로 한 행성 분류

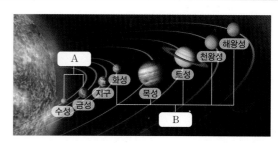

- 공전 궤도가 지구의 공전 궤도보다 안쪽에 있는 수성과 금성은 내행성이고, 지구의 공전 궤도보다 바깥쪽에 있는 화성, 목성, 토성, 천왕성, 해왕성은 외행성이다.

선택지 분석

① A는 내행성이다.
② A의 행성들에는 위성이 없다.
✗ B는 목성형 행성이다. → 외행성
④ B의 행성들은 지구보다 바깥쪽에서 공전한다.
⑤ A의 행성들은 B의 행성들보다 공전 궤도 반지름이 작다.

①, ② A는 내행성으로 지구보다 안쪽 궤도에서 공전하고 있는 수성과 금성이 포함되며, 수성과 금성에는 위성이 없다.
④ B의 행성들은 외행성으로 화성과 목성형 행성이 포함된다.
⑤ 내행성은 외행성보다 공전 궤도 반지름이 작다.
바로 알기 ③ B는 외행성으로 화성이 포함되어 있고, 화성은 지구형 행성이다.

❸-1 지구형 행성과 목성형 행성

자료 분석 + 물리적 특성을 기준으로 행성 분류하기

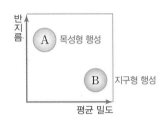

선택지 분석
ㄱ A에 속한 행성들에는 고리가 있다.
ㄴ B의 행성들은 표면이 암석으로 되어 있다.
✗ 집단 A는 B보다 평균 밀도와 질량이 작다. → 질량이 크다.

ㄱ. 목성형 행성에는 고리가 있다.
ㄴ. 지구형 행성은 표면이 암석으로 되어 있다.
바로 알기 ㄷ. 목성형 행성은 지구형 행성보다 평균 밀도는 작지만 질량은 크다.

❹-1 망원경의 구조와 기능

자료 분석 + 망원경의 구조

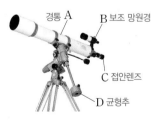

선택지 분석
ㄱ A와 D의 무게 균형이 맞도록 설치해야 망원경이 원활히 작동할 수 있다.
ㄴ B는 관측할 천체를 찾을 때 사용한다.
✗ C는 망원경에서 빛을 모으는 역할을 한다. → 상을 확대하는 역할

ㄱ. 경통과 무게추의 균형이 잘 맞도록 설치해야 관측을 할 때 망원경을 원활히 움직일 수 있다.

ㄴ. 보조 망원경은 주 망원경보다 시야가 넓으므로 관측할 대상 천체를 찾는 데 사용한다.
바로 알기 ㄷ. 망원경에서 빛을 모으는 역할을 하는 것은 대물렌즈이고, 접안렌즈는 대물렌즈가 만든 상을 확대하는 역할을 한다.

❺-1 망원경 설치 순서

ㄴ. 보조 망원경은 주 망원경보다 배율이 낮아서 시야가 더 넓다.
ㄷ. 천체을 관측하기 전에 주 망원경과 보조 망원경의 시야 중앙에 같은 물체가 보이도록 조절(파인더 정렬)해야 한다.
바로 알기 ㄱ. 보조 망원경은 주 망원경보다 시야가 넓어 관측할 대상 천체를 찾는 역할을 한다.

❻-1 태양의 표면

자료 분석 + 태양 표면 관측

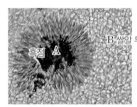

선택지 분석
ㄱ A는 흑점이다.
ㄴ 지구에서 보았을 때 A의 위치는 매일 조금씩 동에서 서로 이동한다.
✗ B는 광구 아래보다 온도가 높아 생긴다. → 광구 아래의 대류

ㄱ, ㄴ. A는 흑점이며, 태양이 서에서 동으로 자전함에 따라 지구에서 보았을 때 흑점의 위치가 매일 조금씩 동에서 서로 이동한다.
바로 알기 ㄷ. B는 쌀알 무늬로 광구 아래에서의 대류에 의해 생긴다.

❼-1 태양의 대기와 대기 현상

ㄱ. (가)는 코로나로 채층 위로 멀리까지 뻗어 있는 청백색의 대기층이다.
ㄴ. (나)는 홍염으로 흑점 부근에서 채층의 물질이 코로나까지 솟아올랐다가 다시 내려가는 불꽃 덩어리이다.
ㄷ. 태양 활동이 활발해지면 코로나의 크기가 커지며, 홍염과 플레어도 자주 발생한다.

8-1 태양의 활동과 영향

자료 분석 + 태양 활동의 영향

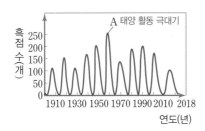

• 태양의 활동이 활발해지면 태양풍의 세기가 강해지고 흑점 수가 늘어나며 코로나의 크기가 커지고 홍염과 플레어가 자주 발생한다.

선택지 분석

ㄱ 홍염과 플레어 현상이 자주 일어난다.
✗ 지구에서 오로라가 발생하는 지역의 범위가 줄어든다. → 늘어난다
ㄷ 태양에서 우주 공간으로 방출되는 전기를 띤 입자의 흐름이 강해진다.

ㄱ. 태양 활동이 활발해지면 홍염과 플레어 현상이 자주 일어난다.
ㄷ. 태양 활동이 활발해지면 태양풍이 강해진다.

바로 알기 ㄴ. 태양의 활동이 활발해지면 지구에서 오로라가 더 넓은 지역에 발생한다.

3일 필수 체크 전략 2 최다 오답 문제 **24~25쪽**

| 1 ② | 2 ① | 3 ② | 4 ⑤ |
| 5 ④ | 6 ② | | |

1 태양계 행성의 특징

목성은 태양계 행성 중 가장 크며 주성분은 수소와 헬륨이다. 가로줄 무늬와 대적점이 있으며 희미한 고리와 많은 수의 위성을 가지고 있다.

2 물리량에 따른 태양계 행성의 분류

자료 분석 + 지구형 행성과 목성형 행성

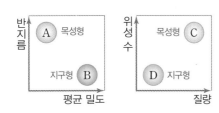

선택지 분석

ㄱ A는 목성형 행성이다.
ㄴ B의 표면은 단단한 암석으로 되어 있다.
✗ C는 D보다 평균 밀도가 크다. → 작다
✗ D의 행성들에는 고리가 있다. → 없다

ㄱ, ㄴ. A, C는 목성형 행성, B, D는 지구형 행성이다. 지구형 행성인 B의 표면은 단단한 암석으로 되어 있다.

바로 알기 ㄷ. 목성형 행성은 지구형 행성보다 평균 밀도가 작다.

ㄹ. 지구형 행성에는 고리가 없다.

3 망원경의 구조와 기능

자료 분석 + 망원경의 구조와 기능

선택지 분석

① A – 천체로부터 오는 빛을 모아 상이 맺게 한다.
✗ B – 시야가 좁은 고배율 망원경으로, 관측 대상을 찾는 역할을 한다. → 시야가 넓은 저배율
③ C – 대물렌즈가 만든 상을 확대해서 본다.
④ D – 경통부와 무게 균형을 맞춰 망원경이 원활하게 움직이게 한다.
⑤ E – 망원경을 세우고 고정하는 역할을 한다.

① A는 대물렌즈로 빛을 모으는 역할을 한다.
③ C의 접안렌즈를 통해 대물렌즈가 만든 상을 확대해서 본다.
④ D는 균형추이며 경통부와의 무게 균형을 맞추어 망원경의 움직임을 원활하게 한다.
⑤ E는 삼각대로 망원경을 세우고 고정한다.

바로 알기 ② 보조 망원경은 시야가 넓은 저배율 망원경이다.

4 태양의 표면

① 흑점은 지구에서 볼 때 동에서 서로 이동한다.
②, ③, ④ 태양의 표면은 고체 상태가 아니고, 서에서 동으로 자전하며, 흑점이 이동하는 속도는 저위도에서 더 빠르다.

바로 알기 ⑤ 태양의 흑점이 이동하는 것으로부터 태양이 자전하고 있음을 알 수 있다.

5 태양의 활동과 영향

① 태양풍이 더 강했다.
② 흑점의 수가 많았다.
③ 태양의 활동이 활발하였다.
④ 태양 자전 속도가 더 빨랐다. → 태양 사진과 상관 없음
⑤ 홍염이나 플레어 현상이 자주 발생했다.

2002년이 2009년에 비해 코로나의 크기가 크므로, 2002년에 태양 활동이 더 활발했음을 알 수 있다.
①, ②, ③, ⑤ 태양의 활동이 활발해지면 코로나의 크기가 커지므로 (가)는 (나)보다 태양의 활동이 활발한 시기이다. 태양의 활동이 활발해지면 태양풍이 더 강해지고, 흑점 수가 많아지며, 홍염이나 플레어 현상이 자주 발생한다.

바로 알기 ④ 태양의 활동은 태양 자전 속도에 영향을 주지 않는다.

6 태양의 대기

자료 분석 + 태양의 대기에서 볼 수 있는 특징

(가) 코로나

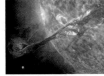
(나) 홍염

(다) 채층

ㄱ (가)는 개기 일식이 일어날 때 관측할 수 있다.
ㄴ (나)는 흑점 부근의 강한 폭발로 엄청난 양의 물질과 에너지를 방출하는 현상이다. → 플레어
ㄷ (다)는 코로나의 모습을 나타낸 것이다. → 채층
ㄹ (가)~(다)는 모두 태양의 대기에서 볼 수 있는 특징이다.

ㄱ. 광구가 매우 밝으므로 태양의 대기는 평소에 관측이 어렵고, 개기 일식 때 관측이 가능하다.
ㄹ. 태양의 대기에서는 채층과 코로나, 홍염, 플레어 같은 대기 현상을 관측할 수 있다.

바로 알기 ㄴ. 홍염은 흑점 부근에서 채층의 물질이 코로나까지 솟아올라 생긴 불꽃 덩어리로, 강한 폭발로 물질과 에너지를 방출하는 현상은 플레어이다.
ㄷ. (다)는 채층으로 광구 바로 위의 얇고 붉은 대기층이다.

| 01 ③ | 02 ⑤ | 03 ② | 04 A: 삭, B: 상현달, C: 망(보름달), D: 하현달 |
| 05 ④ | 06 ① | 07 ③ | 08 ③ | 09 ③ | 10 델린저 현상 |

01 지구의 크기 측정

ㄱ. 지구로 들어오는 햇빛은 평행하므로 ∠BB'C(θ')와 ∠AOB(θ)는 엇각으로 같다.
ㄴ. 부채꼴의 중심각 θ에 대응하는 호의 길이 l은 직접 측정해야 하는 값이다.

바로 알기 ㄷ. 지구 모형의 크기를 구하기 위하여 막대 AA'과 BB'의 길이가 같아야 할 필요는 없다.

02 지구의 자전

자료 분석 + 별의 일주 운동

북반구에서 별은 북극성을 기준으로 시계 반대 방향으로 회전한다.

별은 1시간에 15°씩 일주 운동을 한다.
→ 2시간 관측

ㄱ, ㄴ, ㄷ. 우리나라가 위치한 북반구 중위도에서 북쪽 하늘의 별들은 일주 운동에 의해 북극성을 중심으로 시계 반대 방향으로 회전한다. 일주 운동의 속도는 1시간에 15°이므로, 중심각이 30°이면 2시간 동안 관측한 모습이다.

03 지구의 공전과 태양의 연주 운동

ㄷ. 지구가 공전하면서 태양이 보이는 위치가 달라져 계절에 따라 밤하늘에 보이는 별자리가 달라진다.

바로 알기 ㄱ. 5월에 태양은 양자리 부근에 있다.
ㄴ. 8월에는 태양이 게자리 부근에 있으므로 8월 한밤중 남쪽 하늘에서는 염소자리를 볼 수 있다.

04 달의 공전과 위상 변화

약 한 달 동안 달은 삭 → 상현달 → 망(보름달) → 하현달 → 삭의 순서로 모양이 변한다.

BOOK 2

05 일식과 월식

선택지 분석

✗ 일식이 일어날 때 달의 위상은 망이다. → 삭
ⓛ 월식은 밤이 되는 모든 지역에서 관측할 수 있다.
ⓒ 일식과 월식 현상 모두 태양과 지구, 달이 일직선상에 위치할 때 일어난다.

ㄴ. 월식은 지구 그림자 속으로 달이 들어가 달의 전체 또는 일부가 가려지는 현상으로 지구의 밤이 되는 모든 지역에서 관측이 가능하다.

ㄷ. 일식 때 달의 위상은 삭이고, 월식 때는 망이므로 두 현상 모두 태양, 지구, 달이 일직선상에 위치할 때 일어난다.

👁 바로 알기 ㄱ. 일식이 일어날 때 태양—달—지구의 순으로 일직선상에 위치하므로, 달의 위상은 삭이다.

암기 Tip 일식과 월식이 일어나는 때

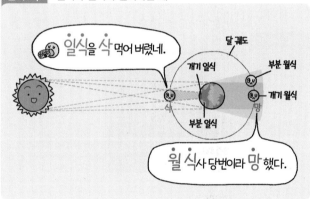

06 태양계 행성의 특징

자료 분석 + 물리적 특성에 따른 행성의 분류

- 지구형 행성은 목성형 행성에 비해 평균 밀도가 크다.
- 지구형 행성은 위성 수가 없거나 적으며, 목성형 행성은 위성 수가 많다.

지구형 행성은 목성형 행성보다 질량과 반지름이 작고, 평균 밀도는 크다. 지구형 행성에는 위성이 없거나 적지만 목성형 행성에는 위성이 많다.

07 망원경의 구조와 기능

자료 분석 + 망원경의 구조와 기능

선택지 분석

㉠ A와 C는 경통으로 연결되어 있다.
✗ B는 주 망원경보다 배율이 커서 관측할 천체를 찾을 때 사용한다. → 작아서
㉢ D와 E는 천체 망원경의 균형을 맞추고 고정하는 역할을 한다.

ㄱ. 경통은 대물렌즈와 접안렌즈를 연결하는 통이다.
ㄷ. 균형추는 가대를 기준으로 경통의 반대쪽에 매달아 망원경의 균형을 잡아주고, 삼각대는 망원경을 세우고 고정해 준다.

👁 바로 알기 ㄴ. 보조 망원경(파인더)은 배율이 작아서 주 망원경보다 시야가 넓다.

08 태양의 표면

ㄱ. 태양의 광구는 육안으로 관측할 때 보이는 밝고 둥근 면이다.
ㄴ. 광구 아래에서 일어나는 대류로 인해 쌀알 무늬가 생긴다.

👁 바로 알기 ㄷ. 광구에서 보이는 검은 얼룩인 흑점은 주변보다 온도가 약 2000℃ 정도 낮아 상대적으로 어둡게 보인다.

09 태양의 대기

ㄱ. 코로나는 태양 대기의 윗부분으로, 채층 위로 수백만 km 높이까지 뻗어 있는 청백색의 층이다.
ㄴ. 홍염은 흑점 부근에서 채층의 물질이 코로나까지 솟아올랐다가 다시 내려가는 불꽃 덩어리이다. 또한 플레어는 흑점 부근에서 강한 폭발이 일어나 대기층이 밝아지며 엄청난 양의 물질과 에너지가 방출되는 현상이다.

👁 바로 알기 ㄷ. 태양의 대기층은 광구의 빛이 매우 강해 평소에 관측하기 어렵다. 따라서 특별한 관측 장비를 이용하거나 개기일식이 일어날 때 대기를 관측할 수 있다.

10 태양의 활동과 영향

태양 활동이 활발해지면 태양풍이 강해지고, 이로 인해 지구에서는 자기 폭풍이나 델린저 현상이 발생한다.

1 지구의 크기 계산

자료 분석 + 지구 크기 계산

A와 B 중학교는 동일 경도상에 위치한다.

위치	경도	위도	직선 거리
A 중학교	127.7°E	38.1°N	약 340 km
B 중학교	127.7°E	35.1°N	

• 동일 경도상에 위치한 두 지점의 위도 차이는 중심각, 직선 거리는 호의 길이에 대응한다.

④ 경도가 같은 두 지역 사이의 위도 차이는 중심각의 크기와 같으며, 원에서 부채꼴의 중심각의 크기는 호의 길이에 비례한다.

2 별의 일주 운동

① 수지: 관측자가 북쪽을 바라보았을 때 오른쪽은 동쪽을, 왼쪽은 서쪽을 가리킨다.

② 준희: 우리나라와 같은 북반구 중위도에서 북쪽 하늘의 일주 운동 모습을 관측하면 중심에 북극성이 있고 별들이 그 주위를 동심원 모양으로 회전한다.

④ 태형: 별의 일주 운동은 지구 자전에 의한 겉보기 운동이다.

⑤ 승은: 북극성은 지구의 북극과 같은 방향에 위치한다.

🔎 바로 알기 ③ 윤서: 이 사진은 별의 일주 운동을 2시간 동안 촬영한 것으로, 별들이 그리는 호의 중심각은 30°이다.

3 부분 월식

(1) 음력 12월 15일에 촬영한 사진이므로 달의 위상은 망이다. 사진에서 달이 절반 정도 가려진 것을 보아 월식이 진행되는 중임을 알 수 있다.

자료 분석 + 달의 위상

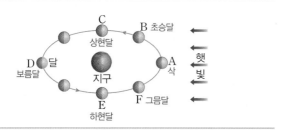

(2) 이날 달의 위상은 망이므로 달의 위치는 D이다.

4 일식과 월식

자료 분석 + 일식과 월식이 일어나는 조건

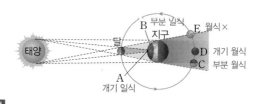

선택지 분석

㉮: A에서 개기 일식을 관측할 수 있어.
㉯: B는 태양이 달에 가려지면서 생긴 반그림자 속에 있는 거야.
㉰: C에서 달은 왼쪽부터 가려지기 시작했어.
㉱: D에서 달은 붉은색으로 보이지.
㉲: E는 부분 월식이 일어날 때 달의 위치야. → 월식×

(가) A는 달의 본그림자가 생기는 지역으로 개기 일식을 관측할 수 있다.

(나) B는 달의 반그림자가 생긴 지역으로, 부분 일식을 관측할 수 있다.

(다) C는 지구의 본그림자 속으로 달의 일부가 들어간 것으로 부분 월식을 관측할 수 있다.

(라) D는 개기 월식이 관측되며, 이때 달은 붉은색으로 보인다.

🔎 바로 알기 (마) E에서 달은 지구의 반그림자 속에 있으며, 이때 달의 밝기만 조금 감소할 뿐 월식은 일어나지 않는다.

5 태양계 행성의 분류

자료 분석 + 태양계 행성의 분류

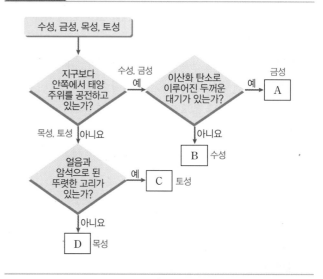

BOOK 2

(3) 지구형 행성은 목성형 행성보다 질량과 반지름이 작으며, 평균 밀도가 크고 위성 수는 적거나 없다. 또한 고리가 없으며, 지구형 행성의 표면이 흙이나 암석으로 구성되어 있는 반면, 목성형 행성은 기체로 구성되어 있다.

모범 답안 – 질량과 반지름이 상대적으로 큰 행성인가? – 평균 밀도가 상대적으로 작은 행성인가? – 위성 수가 많은가? – 고리가 있는가? – 표면 성분이 기체로 이루어져 있는가?

채점 기준	배점(%)
지구형 행성과 목성형 행성의 분류 기준을 정확히 알고 알맞은 질문을 제시한 경우	100
분류가 가능한 질문을 제시하였으나, 지구형 행성과 목성형 행성을 분류할 수 있는 특징에는 부합하지 않는 경우	0

6 태양의 활동과 영향

A 시기는 흑점 수가 많은 태양 활동의 극대기로, 태양 활동이 활발해지면 코로나의 크기가 커지고 홍염과 플레어도 자주 발생한다. 또한 태양풍이 더 강해지면서 지구에서는 자기 폭풍이나 델린저 현상, GPS나 인공위성의 고장 등이 발생한다.

7 태양계의 구성과 태양의 특징

(1) ① 수성에는 물과 대기가 거의 없어 풍화 작용이 일어나지 않으므로 운석 구덩이가 보존된다.
② 화성의 극지방에는 물과 이산화 탄소로 이루어진 극관이 있고, 거대한 화산과 대협곡이 있으며 과거에 물이 흐른 흔적이 있다.
③ 목성은 빠르게 자전하므로 표면에 가로줄 무늬가 나타나며, 거대한 대기의 소용돌이인 대적점이 있다.
⑤ 목성형 행성은 지구형 행성보다 크기와 질량이 크고 위성이 많으며 고리가 있으나, 가벼운 물질로 구성되어 있어 평균 밀도는 지구형 행성보다 작다.
바로 알기 ④ 해왕성은 희미한 고리가 있으며, 대기의 소용돌이로 생긴 커다란 검은 점인 대흑점이 있다.
(2) ① 흑점은 주변보다 온도가 낮아 어둡게 보인다.
② 광구에 보이는 쌀알을 뿌려 놓은 듯한 무늬를 쌀알 무늬라고 하며, 태양 표면 아래에서 일어나는 대류에 의해 생긴다.
④ 태양의 대기는 채층과 코로나가 있다.
⑤ 홍염은 흑점 부근에서 채층의 물질이 높이 솟았다가 내려가는 불꽃 덩어리이다.
바로 알기 ③ 태양의 표면에서는 흑점과 쌀알 무늬가 나타나고, 태양의 대기에서는 홍염과 플레어가 나타난다.

2주 IV 식물과 에너지

1일 개념 돌파 전략 1 확인Q 34~35쪽

7강_광합성
1 엽록체 2 ㄱ, ㄹ 3 노란색 4 온도 5 증산 작용 6 A: 기공, B: 공변세포 7 ㉠ 낮, ㉡ 열릴 8 ㉠ 강하고, ㉡ 높고, ㉢ 낮고

1 주어진 반응은 식물의 광합성 과정으로, 광합성은 식물 세포의 엽록체에서 일어난다.
2 광합성은 식물이 빛에너지를 이용하여 물과 이산화 탄소를 원료로 포도당과 산소를 만드는 과정이다.
3 파란색 BTB 용액에 숨을 불어 넣으면 날숨 속 이산화 탄소가 녹아 들어가 BTB 용액이 산성이 되어 노란색으로 변한다.
4 그래프의 곡선이 일정 온도 이상에서 급격히 감소하는 것으로 보아 빈칸에 들어갈 환경 요인은 온도이다.
5 비닐봉지에 물방울이 맺히는 까닭은 줄기에서 잎으로 이동한 물이 증산 작용에 의해 수증기 상태로 빠져나간 후 비닐봉지에 닿아 액화되었기 때문이다.
6 기공은 2개의 공변세포로 둘러싸여 있다.
7 대부분의 식물에서 주로 낮에 기공이 열리며, 식물체 내 수분량이 많을수록 기공이 많이 열려 증산 작용이 활발하게 일어난다.
8 증산 작용은 햇빛이 강하고, 온도가 높고, 습도가 낮고, 바람이 잘 불 때 활발하게 일어난다.

1일 개념 돌파 전략 1 확인Q 36~37쪽

8강_식물의 호흡과 광합성 산물의 이용
1 ㉠ 에너지, ㉡ 세포 2 ㉠ 산소, ㉡ 이산화 탄소 3 노란색 4 A: 산소, B: 이산화 탄소 5 아침과 저녁 6 ㉠ 녹말, ㉡ 엽록체 7 (1) 단백질 (2) 포도당 (3) 녹말 8 (1) 물관 (2) 체관

1 식물의 호흡은 산소를 이용하여 양분을 분해하고 생명 활동에 필요한 에너지를 얻는 과정이다. 호흡은 식물체를 구성하는 살아 있는 모든 세포(미토콘드리아)에서 일어난다.

2 식물은 호흡할 때 산소를 흡수하고, 이산화 탄소를 방출한다.

3 초록색 BTB 용액에 시금치를 넣은 페트병의 기체를 통과시키면 시금치의 호흡으로 발생한 이산화 탄소가 녹으면서 BTB 용액이 산성이 되어 노란색으로 변하게 된다.

4 광합성으로 포도당과 산소(A)가 생성되고, 호흡으로 물과 이산화 탄소(B)가 생성된다.

5 아침과 저녁에는 빛이 약해 광합성량과 호흡량이 같아 겉으로 볼 때 기체 교환이 일어나지 않는 것처럼 보인다.

6 엽록체에서 광합성으로 만들어진 포도당은 호흡에 사용되거나 물에 녹지 않는 녹말로 바뀌어 엽록체에 일시적으로 저장된다.

7 광합성으로 생성한 양분을 콩은 씨에 주로 단백질의 형태로, 포도는 열매에 주로 포도당의 형태로, 고구마는 뿌리에 주로 녹말의 형태로 저장한다.

8 식물체 내에서 물은 물관으로, 설탕은 체관으로 이동한다.

1일 개념 돌파 전략 ❷   38~39쪽

| 1 ④ | 2 ③ | 3 ㄱ, ㄷ, ㄹ | 4 ② | 5 ① | 6 ⑤ |

1 광합성

ㄱ, ㄴ, ㄹ. 광합성은 빛이 있을 때 식물이 빛에너지를 이용하여 이산화 탄소와 물을 원료로 포도당과 산소를 만드는 과정이다.

👁 **바로 알기** ㄷ. 광합성 결과 포도당과 산소가 생성된다.

암기 Tip 광합성 과정

물 + 이산화 탄소 →(빛에너지) 포도당 + 산소

2 광합성에 영향을 미치는 환경 요인

광합성에 영향을 미치는 환경 요인에는 빛의 세기, 이산화 탄소의 농도, 온도가 있다.

ㄷ. 빛의 세기와 광합성량의 관계, 이산화 탄소의 농도와 광합성량의 관계를 나타내는 그래프는 비슷한 형태로 나타난다.

👁 **바로 알기** ㄱ. 빛의 세기가 일정 세기 이상이 되면 광합성량은 더 이상 증가하지 않고 일정하게 유지된다.

ㄴ. 광합성량이 증가하면 방출되는 산소의 양이 증가한다. 따라서 빛의 세기가 세질수록 잎에서 방출되는 산소의 양이 증가하지만, 일정 세기 이상에서는 더 이상 증가하지 않는다. 이산화 탄소는 식물의 호흡 시 발생한다.

암기 Tip 광합성에 영향을 미치는 환경 요인

3 증산 작용

ㄱ. 증산 작용은 기공이 열릴 때(가) 일어나며, 주로 빛이 있는 낮에 열리고 밤에 닫힌다.

ㄷ. (가)는 기공이 열린 상태, (나)는 기공이 닫힌 상태이다.

ㄹ. 공변세포는 표피 세포가 변해서 된 것으로, 엽록체가 있어 광합성이 일어난다.

👁 **바로 알기** ㄴ. 증산 작용은 기공이 열릴 때(가) 일어난다.

암기 Tip 기공의 개폐와 증산 작용의 관계

4 식물의 호흡

①, ③, ④ 호흡은 포도당을 산소를 이용해서 분해하여 생명 활동에 필요한 에너지를 얻는 과정으로, 식물을 구성하는 모든 살아 있는 세포에서 항상 일어난다.

⑤ 광합성과 호흡은 기체 출입이 반대로 일어난다.

물 + 이산화 탄소 ⇌ [광합성(빛에너지 흡수) / 호흡(에너지 발생)] 포도당 + 산소

👁 **바로 알기** ② 호흡은 살아 있는 모든 세포에서 일어난다.

5 낮 동안에 일어나는 식물의 기체 교환

ㄱ, ㄷ. 낮에는 광합성과 호흡이 모두 일어나며, 광합성으로 발생한 산소의 일부는 호흡의 원료로 이용된다.

바로 알기 ㄴ. 빛이 강할 때는 광합성량이 호흡량보다 많다.

ㄹ. 호흡은 밤낮없이 항상 일어난다. 낮에는 광합성과 호흡이 모두 일어나지만 광합성량이 호흡량보다 많아 광합성만 일어나는 것처럼 보인다.

암기 Tip 낮과 밤에 식물에서 방출되는 기체

6 광합성 산물의 이동과 저장

엽록체에서 광합성으로 만들어진 포도당(㉠)은 물에 잘 녹지 않는 녹말(㉡)로 바뀌어 엽록체에 일시적으로 저장된다. 녹말은 물에 잘 녹는 설탕(㉢)으로 전환되어 주로 밤에 체관을 통해 식물의 각 기관으로 운반된다.

암기 Tip 광합성 산물의 이동

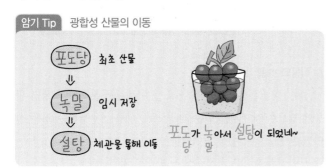

2일 필수 체크 전략 1 기출 선택지 All 40~43쪽

❶-1 ㄱ, ㄴ
❷-1 (1) (가) (2) 엽록체
❸-1 ④
❹-1 ㄱ, ㄴ, ㄷ
❺-1 ㄴ
❻-1 ⑤
❼-1 ④
❽-1 (1) (나)와 (라) (2) (나)와 (다) (3) (다)

❶-1 광합성 과정

ㄱ. 광합성에 필요한 물질은 물과 이산화 탄소이다. 따라서 (가)는 물이다. 물은 뿌리에서 흡수되어 물관을 통해 잎으로 이동한다.

ㄴ. 광합성은 엽록체에서 일어난다. 엽록체 속에는 엽록소가 있어 빛에너지를 흡수한다.

바로 알기 ㄷ. (다)는 광합성에 의해 최초로 만들어지는 물질인 포도당이다. 포도당은 식물체에서 사용되거나 일부가 녹말로 바뀌어 엽록체에 일시적으로 저장된다.

❷-1 광합성 산물 확인

(1) 알루미늄박으로 가리지 않은 A 부분에서는 광합성으로 녹말이 생성되기 때문에 아이오딘 반응 결과 청람색으로 변한다. 따라서 (나)가 A 부분이다. 알루미늄박으로 가린 B 부분에서는 광합성이 일어나지 않아 아이오딘 반응 결과 아무 변화가 없으므로 (가)가 B 부분이다.

(2) ㉠ 부분에서 녹말이 검출되었으므로 ㉠은 엽록체이다.

❸-1 광합성에 필요한 요소

시험관 B와 C의 결과로부터 검정말은 빛이 있을 때 이산화 탄소를 이용하여 광합성을 한다는 것을 알 수 있다.

❹-1 빛의 세기와 광합성

이 실험은 빛의 세기에 따른 광합성량의 변화를 알아보고자 하는 것이다. 광합성 결과 발생하는 기체는 산소이므로 산소 발생량은 광합성량과 비례한다. 따라서 A에는 기포 수, 산소 발생량, 광합성량 등이 올 수 있다.

❺-1 광합성에 영향을 미치는 환경 요인

자료 분석 + 이산화 탄소의 농도와 광합성량

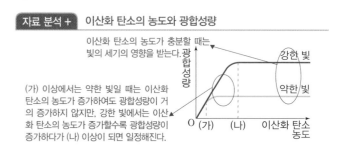

이산화 탄소의 농도가 충분할 때는 빛의 세기의 영향을 받는다.

(가) 이상에서는 약한 빛일 때는 이산화 탄소의 농도가 증가하여도 광합성량이 거의 증가하지 않지만, 강한 빛에서는 이산화 탄소의 농도가 증가할수록 광합성량이 증가하다가 (나) 이상이 되면 일정해진다.

광합성에 영향을 주는 환경 요인에는 빛의 세기, 이산화 탄소의 농도, 온도 등이 있다. 이 가운데 어느 한 환경 요인이 부족하면 부족한 요인에 의해 광합성량이 영향을 받게 된다. 따라서 3가지 환경 요인이 모두 적절할 때 광합성은 가장 활발하게 일어난다.

ㄴ. 이산화 탄소의 농도가 (가) 이상일 때는 약한 빛보다 강한 빛에서 광합성이 더 활발하게 일어난다.

바로 알기 ㄱ. 이산화 탄소의 농도가 증가할수록 광합성량이 증가하지만, 어느 농도 이상이 되면 광합성량이 더 이상 증가하지 않고 일정하게 유지된다.

ㄷ. (나)에서는 이산화 탄소의 농도가 같아도 빛의 세기가 강할 때 광합성량이 더 많으므로 이산화 탄소의 농도가 아닌 빛의 세기의 영향을 더 많이 받고 있음을 알 수 있다.

❻-1 공변세포와 증산 작용

① A는 공변세포로, 엽록체가 있어 광합성을 한다.

②, ③ (가)는 기공이 닫혔을 때, (나)는 기공이 열렸을 때의 모습이다. 증산 작용은 기공이 열렸을 때 일어난다.

④ 기공은 주로 낮에 열리고 밤에 닫힌다. 따라서 (가)는 밤에, (나)는 낮에 주로 관찰된다.

바로 알기 ⑤ 낮에는 광합성과 호흡이 일어난다. 기공은 주로 낮에 열리고(나) 밤에 닫히므로(가) 식물의 증산 작용은 주로 낮에 일어난다.

❼-1 증산 작용

ㄱ. 증산 작용으로 물이 증발하면서 주변의 열을 흡수하므로, 증산 작용은 식물체의 온도가 높아지는 것을 막는 역할을 한다.

ㄴ. 증산 작용은 뿌리에서 흡수한 물과 무기 양분을 물관을 통해 잎까지 상승시키는 원동력이 된다.

ㄹ. 식물은 증산 작용으로 식물 내부의 물을 밖으로 내보내 식물체 내의 수분량을 조절한다.

바로 알기 ㄷ. 증산 작용은 식물체 내의 수분을 증발시켜 무기 양분을 농축한다.

❽-1 증산 작용

(1),·(2) 환경 요인이 증산 작용에 미치는 영향을 비교하기 위해서는 비교할 환경 요인 외에는 모두 같은 조건을 유지시켜 주어야 한다. 따라서 증산 작용에 미치는 빛의 영향을 알아보기 위해서는 (나)와 (라), 바람의 영향을 알아보기 위해서는 (나)와 (다) 눈금실린더를 비교해야 한다.

(3) (다)는 빛이 있고 바람이 불며 잎이 달려 있어 (가)~(라) 중 증산 작용이 가장 활발하게 일어난다.

1 광합성 과정

자료 분석+ 광합성 과정

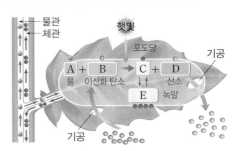

• 물관을 통해 이동하는 A는 물, 잎의 기공을 통해 흡수되는 기체인 B는 이산화 탄소, 광합성으로 만들어지는 C는 포도당, 광합성으로 발생하는 기체인 D는 산소, 포도당이 바뀌어 저장된 E는 녹말이다.

⑤ 녹말(E)은 아이오딘-아이오딘화 칼륨 용액과 반응하여 청람색을 나타낸다.

바로 알기 ④ 석회수를 뿌옇게 흐리게 하는 물질은 이산화 탄소(B)이다. 광합성으로 발생하는 기체는 산소(D)이다.

2 광합성 과정

ㄱ. 엽록소는 엽록체에 들어 있는 초록색 색소로, 빛을 흡수한다. 엽록소 때문에 엽록체와 식물의 잎이 초록색을 띤다.

바로 알기 ㄴ. 광합성 결과 생성된 산소의 일부는 호흡에 이용되고 나머지는 기공을 통해 방출된다.

ㄷ. 광합성으로 처음 생성되는 양분은 포도당이다. 포도당은 물에 잘 녹으므로 낮 동안 물에 잘 녹지 않는 녹말로 바뀌어 엽록체에 일시적으로 저장된다.

3 광합성에 필요한 요소

자료 분석 + 광합성에 필요한 요소

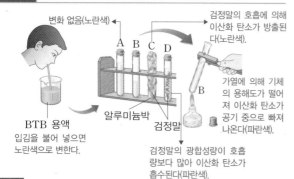

변화 없음(노란색) ←

검정말의 호흡에 의해 이산화 탄소가 방출된다(노란색).

가열에 의해 기체의 용해도가 떨어져 이산화 탄소가 공기 중으로 빠져나온다(파란색).

검정말의 광합성량이 호흡량보다 많아 이산화 탄소가 흡수된다(파란색).

BTB 용액
입김을 불어 넣으면
노란색으로 변한다.

알루미늄박 검정말

선택지 분석

✗ 초록색 BTB 용액에 입김을 불어 넣으면 날숨의 이산화 탄소가 녹아 들어가 <u>파란색</u>으로 변한다. → 노란색
② 시간이 지난 후 B와 D는 파란색으로 변한다.
✗ C는 초록색으로 변한다. → 노란색에서 변화가 없다.
✗ C에서는 검정말이 <u>이산화 탄소</u>를 흡수한다. → 산소
✗ C와 D를 비교하여 광합성에 <u>산소</u>가 필요하다는 것을 알 수 있다. → 이산화 탄소

② 시험관 B를 알코올램프로 가열하면 기체의 용해도가 떨어져 용액 속의 이산화 탄소가 공기 중으로 빠져나와 초록색으로 변하고 더 가열하면 파란색으로 변한다. D에서는 검정말의 광합성으로 BTB 용액 속에 녹아 있던 이산화 탄소가 소모되어 BTB 용액이 초록색을 거쳐 파란색으로 변한다.

바로 알기 ① 초록색 BTB 용액에 입김을 불어 넣으면 날숨 속의 이산화 탄소가 녹아 BTB 용액이 산성을 띠고, 그 결과 BTB 용액이 노란색으로 변한다. BTB 용액은 산성일 때 노란색, 중성일 때 초록색, 염기성일 때 파란색을 나타낸다.

③, ④ C는 알루미늄박으로 빛이 차단되어 검정말이 광합성을 하지 않고 호흡만 한다. 따라서 산소를 흡수하고 이산화 탄소를 방출하기 때문에 BTB 용액은 그대로 노란색이다.

⑤ C와 D를 비교하면 검정말의 광합성에 이산화 탄소와 빛이 필요함을 알 수 있다.

4 광합성에 영향을 미치는 환경 요인

ㄱ. 시금치 잎 조각이 빛을 받으면 광합성을 하여 산소가 발생하게 되고 그 결과 잎 조각이 떠오른다.

ㄴ. 전등이 켜진 개수가 늘어나면 빛의 세기가 세지므로 광합성량이 증가하여 산소 발생량이 증가하고, 산소 발생량이 증가하면 잎 조각이 모두 떠오르는 데 걸리는 시간이 짧아진다.

ㄷ. 탄산수소 나트륨 수용액을 사용하는 까닭은 광합성에 필요한 이산화 탄소를 충분히 공급하기 위해서이다.

5 증산 작용

잎이 있는 식물체를 비닐봉지로 씌워 놓으면 얼마 지나지 않아 비닐봉지 안쪽에 물방울이 맺힌다. 이는 잎의 기공을 통해 수증기가 밖으로 방출되는 증산 작용이 일어났기 때문이다. 시간이 흐를수록 비닐봉지 안의 습도가 높아지면 증산 작용이 일어나는 속도가 줄어들면서 물방울의 양도 더 이상 늘어나지 않게 된다.

6 증산 작용

자료 분석 + 증산 작용

잎이 없어 증산 작용이 일어나지 않는다. → 눈금실린더 내의 물의 양이 거의 줄지 않는다.

시간이 어느 정도 흐른 뒤에는 비닐봉지 안의 습도가 높아져 증산 작용이 감소한다.

선풍기

기름
물

(가)   (나)   (다)   (라)

잎이 달렸고, 바람도 불고 있으므로 증산 작용이 가장 활발하게 일어난다. → 눈금실린더 내의 물의 양이 가장 많이 줄어든다.

• (가)와 (나) 비교: 증산 작용이 잎에서 일어남을 알 수 있다.
• (나)와 (다) 비교: 증산 작용에 미치는 습도의 영향을 알 수 있다.
• (나)와 (라) 비교: 증산 작용에 미치는 바람의 영향을 알 수 있다.

① (가)와 (나)는 잎의 유무만 다르므로 증산 작용이 주로 일어나는 장소가 잎이라는 것을 확인할 수 있다.

바로 알기 ② 잎의 수의 영향은 (가)와 (나)를 비교해야 한다. (가)와 (다)는 습도와 잎의 수가 다르다.

③ 이 실험에서는 온도 변화에 대한 조건은 없다.

④ 습도의 영향은 (나)와 (다)를 비교해야 한다.

⑤ 바람의 영향은 (나)와 (라)를 비교해야 한다.

❶-1 ④   **❷**-1 ㉠ A, ㉡ 이산화 탄소   **❸**-1 (가) 이산화 탄소,
(나) 산소, (다) 이산화 탄소, (라) 산소, A: 광합성, B: 호흡, C: 호흡

❹-1 ⑤   **❺**-1 A   **❻**-1 ㄴ, ㄷ

❼-1 ㉠ 포도당, ㉡ 녹말, ㉢ 설탕   **❽**-1 ⑤

❶-1 식물의 호흡

식물은 살아가는 데 필요한 에너지를 호흡을 통해 얻는다.

❷-1 호흡의 산물 확인 실험

빛이 없을 때 페트병 A에 들어 있는 시금치는 호흡만 하여 산소를 흡수하고 이산화 탄소를 방출한다. 시금치의 호흡으로 방출된 이산화 탄소를 석회수에 통과시키면 석회수가 뿌옇게 흐려진다.

❸-1 하루 동안 식물의 기체 교환

자료 분석 +   낮과 밤 동안 식물의 기체 교환

낮에는 호흡으로 발생하는 이산화 탄소의 양이 광합성에 필요한 양보다 적어서 이산화 탄소가 흡수되고 산소가 방출되며, 밤에는 호흡만 일어나므로 산소를 흡수하고 이산화 탄소를 방출한다.

❹-1 광합성과 호흡의 비교

광합성은 에너지를 저장하는 과정이고, 호흡은 에너지를 생성하는 과정이다.

❺-1 광합성과 호흡

자료 분석 +   광합성과 호흡

광합성량이 호흡량보다 많아 이산화 탄소를 흡수한다. → BTB 용액이 파란색으로 변한다.

호흡만 일어나 이산화 탄소를 방출한다. → BTB 용액은 그대로 노란색이다.

변화가 없다. → BTB 용액은 그대로 노란색이다.

검정말   알루미늄박

시험관 A에서는 검정말의 광합성량이 호흡량보다 많아 이산화 탄소를 흡수하므로 BTB 용액이 노란색에서 파란색으로 변한다.

❻-1 광합성과 호흡

자료 분석 +   광합성과 호흡

빛이 없어 식물이 호흡만 하여 산소를 소모하므로 유리종 속의 산소가 빨리 줄어들어 쥐가 죽게 된다.

식물이 광합성을 하여 산소를 방출하므로 쥐가 오랫동안 살아남을 수 있다.

👁 바로 알기   ㄱ. 식물의 광합성에는 반드시 빛이 필요하며, 호흡은 빛과 상관없이 항상 일어난다.

❼-1 광합성 산물의 생성과 이동

자료 분석 +   광합성 산물의 생성과 이동

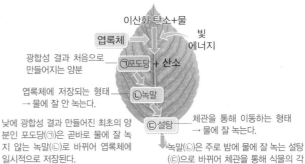

이산화 탄소+물

엽록체

빛 에너지

광합성 결과 처음으로 만들어지는 양분   ㉠포도당 + 산소

엽록체에 저장되는 형태 → 물에 잘 안 녹는다.   ㉡녹말

낮에 광합성 결과 만들어진 최초의 양분인 포도당(㉠)은 곧바로 물에 잘 녹지 않는 녹말(㉡)로 바뀌어 엽록체에 일시적으로 저장된다.

㉢ 설탕   체관을 통해 이동하는 형태 → 물에 잘 녹는다.

녹말(㉡)은 주로 밤에 물에 잘 녹는 설탕(㉢)으로 바뀌어 체관을 통해 식물의 각 기관으로 운반된다.

광합성 결과 만들어진 최초의 양분인 포도당(㉠)은 곧바로 물에 잘 녹지 않는 녹말(㉡)로 바뀌어 엽록체에 일시적으로 저장되었다가 물에 잘 녹는 설탕(㉢)으로 바뀌어 주로 밤에 체관을 통해 식물의 각 기관으로 운반된다.

❽-1 광합성 산물의 이용과 저장

선택지 분석

✕ 콩 – 씨 – 녹말 → 단백질

✕ 포도 – 줄기 – 포도당 → 열매

✕ 감자 – 뿌리 – 단백질
       └ 줄기 └ 녹말

✕ 깨 – 씨 – 단백질 → 지방

⑤ 고구마 – 뿌리 – 녹말

BOOK 2

암기 Tip 광합성 산물의 저장

식물	고구마	감자	콩	포도	깨
저장 형태	녹말	녹말	단백질	포도당	지방
저장 장소	뿌리	줄기	씨	열매	씨

우린 영양분을 녹말로 저장해!

난 포도당!

난 지방

고구마 (뿌리) 감자 (줄기) 난 단백질! 콩 (씨) 포도 (열매) 깨 (씨)

3일 필수 체크 전략 **2** 최다 오답 문제 | 50~51쪽

1 ①	**2** ㄱ, ㄴ	**3** ㄴ, ㄷ	**4** ①
5 ④	**6** ①, ⑤		

1 식물의 호흡

자료 분석 + 식물의 호흡 과정

$$포도당 + \underset{산소}{A} \rightarrow 물 + \underset{이산화\ 탄소}{B} + 에너지$$

선택지 분석

① A는 식물의 광합성 결과 생성된다.
✗ A를 석회수에 통과시키면 석회수가 뿌옇게 흐려진다. → B
✗ B는 산소로, 동물의 호흡에 이용된다. → A
✗ 빛이 없는 밤에만 일어나는 현상이다. → 항상
✗ 빛에너지를 흡수하여 양분을 합성하는 과정이다.
  → 양분을 분해하여 에너지를 얻는

① A는 산소로, 광합성으로 만들어지는 물질이다.
바로 알기 ② 석회수에 통과시켰을 때 석회수를 뿌옇게 흐려지게 하는 것은 이산화 탄소(B)이다.
③ B는 이산화 탄소로, 식물의 광합성에 이용된다.
④ 호흡은 밤낮 구분없이 항상 일어난다.
⑤ 빛에너지를 흡수하여 양분을 합성하는 과정은 광합성이다.

2 광합성과 호흡

자료 분석 + 광합성과 호흡

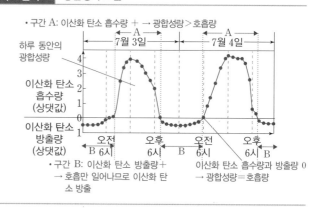

• 구간 A: 이산화 탄소 흡수량 + → 광합성량 > 호흡량

ㄱ. 7월 3일과 4일 정오에 이산화 탄소 흡수량이 가장 많은 것으로 보아 이때 광합성이 가장 활발하게 일어났음을 알 수 있다.
ㄴ. 7월 4일 오전 6시에는 광합성량과 호흡량이 같아 외관상 기체 출입이 없는 것처럼 보인다.
바로 알기 ㄷ. 호흡은 항상 일어나고 광합성은 빛이 있을 때 일어난다. 7월 4일 오전 6시 이후부터 오후 6시까지는 광합성량이 호흡량보다 많아서 식물 전체로는 광합성만 일어나는 것처럼 보인다.

3 광합성과 호흡의 관계

자료 분석 + 광합성과 호흡의 관계

(가) 유리종 속의 산소를 모두 소모하면 촛불이 꺼진다.
(나) 식물의 광합성으로 산소가 방출되므로 촛불이 더 오래 탄다.
(다) 빛이 없어 식물이 호흡만 하므로 오히려 산소를 소모하여 (가)보다 더 빨리 촛불이 꺼진다.

ㄴ. (나)는 빛이 있으므로 광합성과 호흡이 모두 일어나지만, 식물의 광합성량이 호흡량보다 많아 공기 중의 이산화 탄소를 흡수하고 산소를 방출하기 때문에 촛불이 더 오래 탄다.
ㄷ. (다)는 빛이 없어 식물이 호흡만 하므로 산소를 흡수하고 이산화 탄소를 방출하기 때문에 촛불이 (가)보다 더 빨리 꺼진다.

바로 알기 ㄱ. (가)에서 촛불이 꺼지는 것은 공기 중 산소가 부족하기 때문이다.

4 광합성 산물의 이동

자료 분석 + 하루 중 광합성 산물의 이동

구분	오전 5시	오후 2시	오후 8시
잎(녹말)	−	++	+
줄기(설탕)	−	+	++

(− : 없음, + : 적음, ++ : 많음)

광합성이 일어나고 있지 않다.

밤 사이 설탕이 다른 곳으로 모두 이동하였다.

녹말 > 설탕 → 광합성이 활발하게 일어나고 있다.

• 오후 늦은 시간으로 갈수록 잎 속 녹말의 양은 적어지고 줄기 속 설탕의 양은 많아지고 있다. 따라서 녹말이 설탕으로 전환되어 이동함을 알 수 있다.

바로 알기 ① 포도당은 광합성으로 만들어지는 최초의 산물이다. 오후 2시경에 잎에 잠시 저장되는 녹말이 많은 것으로 보아 광합성이 활발하게 일어나고 있음을 알 수 있다. 따라서 잎에는 포도당이 존재하며, 포도당은 곧바로 녹말로 바뀌어 엽록체에 일시적으로 저장된다.

5 광합성 산물의 전환과 이동

낮에 광합성 결과 만들어진 최초의 양분인 포도당(A)은 곧바로 물에 잘 녹지 않는 녹말(B)로 전환되어 엽록체에 일시적으로 저장된다.

바로 알기 ④ B는 녹말로, 주로 밤에 물에 잘 녹는 설탕(C)으로 바뀌어 각 기관으로 이동한다.

6 광합성 산물의 이동

선택지 분석

①A는 크게 자라지만 B는 잘 자라지 못한다.
✖벗겨 낸 나무줄기의 <u>아랫부분</u>이 뭉툭하게 부풀어 오른다. → 윗부분
✖나무줄기의 바깥쪽 껍질을 벗겨 낼 때 <u>물관</u>이 제거된다. → 체관
✖뿌리에서 흡수한 물이 벗겨 낸 나무줄기의 위쪽으로 <u>이동하지 못한다.</u>
  └ 이동한다.
⑤벗겨 낸 나무줄기의 위쪽에서 광합성으로 만들어진 양분이 이동하지 못하고 위쪽에 쌓인다.

바로 알기 ② 나무줄기의 바깥쪽 껍질을 벗겨 내면 광합성으로 만들어진 양분이 이동하는 통로인 체관이 제거되어 잎이 달린 식물의 위쪽에서 만들어진 양분이 아래로 이동하지 못한다. 따라서 양분이 벗겨 낸 줄기의 위쪽에 쌓이게 되어 줄기 윗부분이 뭉툭하게 부풀어 오른다.

③, ④ 물관은 체관보다 줄기의 안쪽에 있어 껍질을 벗겨 낼 때 제거되지 않으므로 뿌리에서 흡수한 물이 이동하는 데 영향을 주지 않는다.

2주차	누구나 합격 전략	52~53쪽

01 A: 물, B: 이산화 탄소, C: 포도당, D: 녹말, E: 산소

02 ②, ⑤   03 ㄱ   04 ③   05 ②

06 ③   07 ①, ③   08 ②   09 ⑤

10 (다) → (나) → (라) → (가)

01 광합성 과정

자료 분석 + 광합성 과정

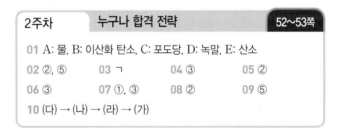

광합성에 필요한 물질 중 물은 뿌리에서 흡수되어 물관을 통해 이동하며, 이산화 탄소는 기공을 통해 공급된다.

광합성으로 생성된 산소는 일부 호흡에 사용되고, 나머지는 기공을 통해 공기 중으로 방출된다.

광합성으로 생성된 포도당은 녹말로 전환되어 일시적으로 저장된다.

광합성은 식물이 빛에너지를 이용하여 물과 이산화 탄소를 원료로 포도당과 산소를 만드는 과정이다. 이때 포도당은 녹말로 바뀌어 엽록체에 일시적으로 저장된다.

02 광합성 과정

② 기공은 산소(E), 이산화 탄소(B), 수증기 등 기체가 이동하는 통로이다.

⑤ 산소(E)는 물질의 연소에 필요한 물질이므로 꺼져가는 성냥 불똥을 갖다 대면 불이 다시 타오른다.

바로 알기 ① 파란색의 BTB 용액을 노란색으로 변하게 하는 것은 이산화 탄소(B)이다. BTB 용액은 염기성에서는 파란색, 중성에서는 초록색, 산성에서는 노란색을 나타내므로, 파란색의 BTB 용액에 이산화 탄소가 조금 녹아 들어가면 초록색으로 변하고, 이산화 탄소가 더욱 많이 녹아 들어가면 노란색으로 변한다.

③ 아이오딘 – 아이오딘화 칼륨 용액과 반응하여 청람색을 나타내는 것은 녹말(D)이다.

④ 엽록체에 저장되었던 녹말(D)은 주로 밤에 설탕으로 바뀌어 체관을 통해 식물의 각 기관으로 이동한다.

03 광합성에 영향을 미치는 환경 요인

자료 분석 + 이산화 탄소의 농도와 광합성량

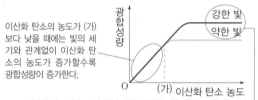

이산화 탄소의 농도가 (가)보다 낮을 때에는 빛의 세기와 관계없이 이산화 탄소의 농도가 증가할수록 광합성량이 증가한다.

이산화 탄소의 농도가 일정 수준 이상일 때는 강한 빛일 때가 약한 빛일 때보다 광합성량이 많고, 이산화 탄소의 농도가 높아져도 광합성량은 일정하게 유지된다.

선택지 분석

㉠ 빛의 세기는 광합성량에 영향을 미친다.

✗ 이산화 탄소의 농도가 (가)보다 낮을 때 이산화 탄소의 농도는 광합성량에 영향을 미치지 ~~않는다.~~ → 미친다.

✗ 이산화 탄소의 농도가 (가)보다 높아지면 광합성량이 ~~감소한다.~~
→ 강한 빛에서는 광합성량이 증가하다가 일정하게 유지되고,
약한 빛에서는 일정하게 유지된다.

ㄱ. 이산화 탄소의 농도가 일정 수준 이상일 때 빛의 세기에 따라 광합성량이 다르다.

바로 알기 ㄴ. 이산화 탄소의 농도가 (가)보다 낮을 때 강한 빛과 약한 빛에서 모두 이산화 탄소의 농도가 높아질수록 광합성량이 증가한다.

ㄷ. 이산화 탄소의 농도가 (가)보다 높아지면 광합성량이 증가하다가 이산화 탄소의 농도가 일정 수준 이상이 되면 이산화 탄소의 농도가 증가해도 광합성량이 더 이상 증가하지 않고 일정하게 유지된다.

04 공변세포와 기공

자료 분석 + 공변세포와 기공

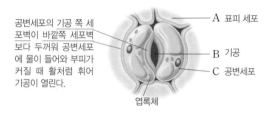

공변세포의 기공 쪽 세포벽이 바깥쪽 세포벽보다 두꺼워 공변세포에 물이 들어와 부피가 커질 때 활처럼 휘어 기공이 열린다.

A 표피 세포
B 기공
C 공변세포
엽록체

ㄱ. B는 기공으로 기체가 드나드는 통로이다.

ㄴ. 공변세포(C)의 기공 쪽 세포벽이 바깥쪽 세포벽보다 두꺼워 공변세포에 물이 들어와 부피가 커질 때 활처럼 휘어 기공(B)이 열린다.

바로 알기 ㄷ. 표피 세포(A)에는 엽록체가 없어 광합성이 일어나지 않고, 공변세포(C)에는 엽록체가 있어 광합성이 일어난다.

05 증산 작용

자료 분석 + 증산 작용을 확인하는 실험

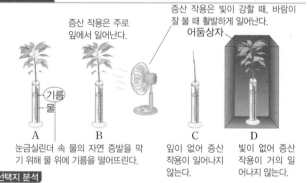

증산 작용은 주로 잎에서 일어난다.

증산 작용은 빛이 강할 때, 바람이 잘 불 때 활발하게 일어난다.
어둠상자

A 눈금실린더 속 물의 자연 증발을 막기 위해 물 위에 기름을 떨어뜨린다.
기름
물

C 잎이 없어 증산 작용이 일어나지 않는다.

D 빛이 없어 증산 작용이 거의 일어나지 않는다.

선택지 분석

✗ 눈금 실린더에 남아 있는 물의 양은 A>C이다. → A<C

㉡ A~C 중 증산 작용이 가장 활발하게 일어나는 것은 B이다.

✗ 햇빛이 증산 작용에 미치는 영향을 알아보기 위해서는 ~~C와 D~~를 비교해야 한다. → A와 D

ㄴ. 빛이 있고 바람이 잘 부는 B에서 증산 작용이 가장 활발하게 일어난다.

바로 알기 ㄱ. 증산 작용이 활발할수록 눈금 실린더에 남아 있는 물의 양이 적다. 따라서 잎이 있어 증산 작용이 일어나는 A가 잎이 없어 증산 작용이 일어나지 않는 C보다 남아 있는 물의 양이 적다.

ㄷ. 햇빛이 증산 작용에 미치는 영향을 알아보기 위해서는 빛 이외의 다른 조건이 같은 A와 D를 비교해야 한다.

06 식물의 호흡

ㄱ. 석회수는 페트병 (가)에서 호흡으로 생성된 이산화 탄소와 반응하여 뿌옇게 흐려진다.

ㄴ. 실험 결과 (가)의 기체를 통과시킨 석회수는 뿌옇게 흐려지고, (나)의 기체를 통과시킨 석회수는 흐려지지 않은 것으로 보아, (가)의 시금치에서는 빛이 없어 광합성이 일어나지 않고 호흡만 일어나 이산화 탄소가 방출되었음을 알 수 있다.

👁 바로 알기 ㄷ. 이 실험을 통해 시금치의 호흡 결과 이산화 탄소가 생성됨을 확인할 수 있다.

07 광합성과 호흡

파란색 BTB 용액에 입김을 불어 넣으면 날숨에 포함된 이산화 탄소가 녹아 들어가 산성이 되기 때문에 노란색이 된다. BTB 용액 속의 이산화 탄소 농도가 감소하면 BTB 용액이 점차 파란색으로 변한다.

① 빛이 있을 때 식물은 광합성과 호흡을 모두 한다.

③ BTB 용액에 입김을 불어 넣는 까닭은 이산화 탄소를 공급하기 위해서이다.

👁 바로 알기 ② 빛이 있는 A에서는 광합성이 호흡보다 활발하게 일어나므로 노란색 BTB 용액은 초록색을 거쳐 파란색이 되며, 빛이 없는 B에서는 호흡만 일어나 이산화 탄소가 방출되므로 BTB 용액은 노란색 그대로 유지된다.

④ B의 검정말은 빛이 차단되어 광합성을 할 수 없으므로 광합성에 필요한 기체가 무엇인지 확인할 수 없다.

⑤ 알루미늄박은 빛을 차단하는 역할을 한다. 따라서 온도와 상관이 없으므로 온도에 따른 광합성량을 알 수 없다.

08 광합성과 호흡

② 광합성에서 이산화 탄소가 흡수되고 산소가 방출되며, 호흡에서 산소가 흡수되고 이산화 탄소가 방출된다. 두 기체의 출입은 기공을 통해 일어난다.

👁 바로 알기 ① 식물은 광합성을 하지만(빛이 있을 때) 동물은 광합성을 못 한다. 호흡은 동물과 식물에서 모두 일어난다.

③ 광합성은 무기물인 이산화 탄소와 물을 유기물인 포도당으로 합성하는 과정이고, 호흡은 유기물인 포도당을 무기물인 이산화 탄소와 물로 분해하는 과정이다.

④ 호흡은 빛이 있을 때와 없을 때 모두 일어나지만, 광합성은 빛이 있을 때만 일어난다.

⑤ 호흡은 살아 있는 식물의 모든 세포에서 일어나고, 광합성은 엽록체가 있는 세포에서만 일어난다.

09 광합성 산물의 이용

ㄱ, ㄴ, ㄷ. 광합성 결과 생성된 포도당은 녹말의 형태로 일시적으로 엽록체에 저장된 후 주로 밤에 설탕으로 전환되어 체관을 통해 각 기관으로 이동한다. 각 기관으로 이동한 설탕은 세포에서 포도당으로 전환되어 호흡으로 소모되거나 단백질 등으로 전환되어 생장하는 조직과 기관의 성분으로 사용되고, 남은 양분은 뿌리, 줄기, 열매 등에 설탕, 포도당, 단백질, 지방, 녹말 등의 다양한 형태로 저장된다.

10 광합성 산물의 생성, 이동, 저장

뿌리에서 고구마가 만들어질 때 가장 먼저 광합성에 의해 합성된 포도당(다)은 곧바로 녹말로 바뀌어 잎에 일시적으로 저장되어 있다가(나) 주로 밤에 설탕으로 전환되어 체관을 통해 뿌리로 이동하며(라), 뿌리에서 설탕이 다시 녹말로 바뀌어 고구마가 된다(가).

2주차	창의·융합·코딩 전략		54~57쪽
1 ㄷ	2 ④	3 ①	4 효민
5 (1) 해설 참조 (2) 해설 참조		6 ②	7 ⑤
8 ①			

1 광합성

자료 분석 + 인공 광합성

〈인공 나뭇잎(silk leaf)〉

미국항공우주국(NASA)은 오래 전부터 장거리 우주 여행을 할 때 우주인에게
　　　　　　　　　　　　　　우주에는 공기가 없으므로 지속적으로 산소 공급이 필요하다.
산소를 공급할 수 있는 다양한 방법을 찾아 왔다. 최근에는 영국의 한 엔지니어가 식물의 광합성에 착안하여 인공 광합성을 하는 인공 나뭇잎을 개발하였다.
　　　　녹말(포도당)이 생성되지 않고, 알코올 등 액체 연료가 생성된다.
인공 나뭇잎은 실크 단백질에 엽록체를 섞어서 만든 것으로, 식물의 잎처럼 물과 이산화 탄소를 흡수하여 산소를 만들어 낼 수 있다.
　　　자연 광합성과 인공 광합성의 공통점: 물, 이산화 탄소, 빛에너지 이용, 산소 발생

인공 나뭇잎은 산소를 지속적으로 공급하기 위한 방법으로 개발된 인공 광합성의 과정을 활용한 예이다.

ㄷ. 제시된 자료를 통해 인공 광합성에 의해 알코올과 같은 액체 연료가 생성되는 것을 알 수 있으며, 이는 태양 에너지에 의해 에너지를 생산하는 친환경적인 에너지 생산 방법이라고 볼 수 있다.

🔍 바로 알기 ㄱ. 인공 광합성의 과정을 설명한 것으로, 서론의 이론적 배경 부분에 들어갈 내용이다.

ㄴ. 우주에서 식물을 키우기 어려워 인공 나뭇잎을 개발하여 산소를 공급하는 것이 가능해졌다는 것을 제시된 자료를 통해 알 수 있다.

2 광합성에 영향을 주는 환경 요인

그래프를 통해 광합성에 영향을 주는 빛의 세기, 온도, 이산화 탄소의 농도가 모두 적절해야 광합성이 잘 일어날 수 있다는 것을 알 수 있다. 애플리케이션을 제작할 때에는 실제 재배 중인 식물의 환경을 체크한 후, 적절한 수준이 아니라고 판단할 때는 이를 조절할 수 있어야 재배의 효과를 거둘 수 있다.

🔍 바로 알기 • 학생 A - 빛의 세기가 강하더라도 이산화 탄소의 농도나 온도가 맞지 않으면 광합성이 잘 일어나지 않는다. 그렇기 때문에 빛의 세기, 온도, 이산화 탄소의 농도를 모두 나타내야 한다.

3 광합성에 영향을 주는 환경 요인

자료 분석 + 광합성에 영향을 주는 환경 요인

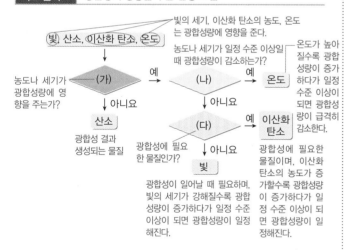

선택지 분석

① (가): 농도나 세기가 광합성량에 영향을 주는가?

✘ (나): 농도나 세기가 높을수록 광합성량이 증가하는가? → 감소하는가?

✘ (나): 농도나 세기가 일정 수준 이상일 때 광합성량이 일정해지는가?
　　　　　　　　　　　　　　　　　　　└→ 감소하는가?

✘ (다): 광합성 결과 생성되는 물질인가? → 광합성에 필요한 물질인가?

✘ (다): 농도나 세기가 일정 수준 이상일 때 광합성량이 감소하는가?

① 산소는 광합성 결과 생성되는 물질이며, 빛, 이산화 탄소, 온도는 광합성량에 영향을 미치는 환경 요인이다.

🔍 바로 알기 ② 온도, 빛의 세기, 이산화 탄소의 농도 모두 일정 수준까지는 세기나 농도가 증가할수록 광합성량이 증가한다. 하지만 온도가 일정 수준 이상일 때에는 광합성량이 급격히 감소하고, 빛의 세기, 이산화 탄소의 농도가 일정 수준 이상일 때에는 광합성량이 일정해진다.

③ 온도가 일정 수준 이상일 때 광합성량이 감소하기 때문에 (나)에는 '농도나 세기가 일정 수준 이상일 때 광합성량이 감소하는가?'가 적절하다.

④ 이산화 탄소는 광합성에 필요한 물질이다.

⑤ 빛의 세기와 이산화 탄소의 농도는 일정 수준 이상일 때 광합성량이 일정해진다.

4 증산 작용

자료 분석 + 증산 작용에 영향을 주는 요인 확인 실험

빛을 차단하면 증산 작용이 거의 일어나지 않아 바람이 증산 작용에 미치는 영향을 알기 힘들다.

A 눈금실린더 내 물이 자연 증발하는 것을 막는다. B A와 B에서 바람의 유무를 달리 하기 위해 B에만 선풍기로 바람을 일으킨다.

• 효민 - A, B 모두 암실에 있어 빛이 차단되어 있으면 증산 작용이 거의 일어나지 않으므로 빛이 비치는 곳으로 옮겨 증산 작용이 일어날 수 있는 조건을 만들어 주어야 한다.

🔍 바로 알기 • 승우 - 비닐봉지를 씌우면 증산 작용으로 방출되는 수증기가 비닐 안에 맺혀 습도가 높아져 증산 작용이 잘 일어나지 않는다. 또한, 잎에서 증산 작용이 일어나므로 B의 잎에 비닐봉지를 씌우면 선풍기 바람이 닿지 않아 증산 작용에 미치는 바람의 영향을 확인할 수 없다.

• 지은 - 암실에 둔 채로 실험을 하면 A와 B 모두에서 증산 작용이 거의 일어나지 않는다.

• 윤후 - 기름은 눈금실린더 안의 물이 자연 증발하는 것을 막고 눈금실린더 안의 물의 높이 감소가 증산 작용에 의해서만 일어나는 것을 전제로 하기 위해 물 위에 떨어뜨리는 것이므로 제거하면 안 된다.

- 은송 – 증산 작용은 잎에서 일어나므로 A와 B에서 모두 잎을 제거하면 둘 다 증산 작용이 일어나지 않는다.

5 기공을 통한 기체 출입

고무풍선으로 들어가는 공기의 양이 늘어날수록 고무풍선의 바깥쪽이 더 많이 늘어나 고무풍선이 활처럼 휘게 되면서 고무풍선 사이의 공간이 열리게 된다. 이는 공변세포로 물이 들어와 공변세포의 바깥쪽이 안쪽보다 많이 늘어나게 되면서 기공이 열리게 되는 과정을 의미한다.

(1) 고무풍선은 공변세포에 해당하며, 공변세포의 기공 쪽 세포벽은 바깥쪽 세포벽보다 상대적으로 두꺼우므로 이를 표현하기 위해 고무풍선 안쪽에 절연 테이프를 길게 붙인다.

모범 답안 안쪽에 절연 테이프를 길게 붙인다.

채점 기준	배점(%)
재료(절연 테이프)와 위치(안쪽)를 모두 옳게 서술한 경우	100
재료(절연 테이프)는 옳게 썼으나, 위치(안쪽)를 옳게 서술하지 않은 경우	50

(2) 고무풍선은 공변세포를 의미하고, 주입되는 공기는 공변세포에 들어오는 물을, 고무풍선 사이의 공간이 열리는 것은 기공이 열리는 것을 의미한다.

모범 답안 ㉠ 공변세포로 들어오는 물, ㉡ 기공이 열림

채점 기준	배점(%)
'공변세포로 들어오는 물', '기공이 열림'을 모두 옳게 서술한 경우	100
'공변세포로 들어오는 물'과 '기공이 열림' 중 한 가지만 옳게 서술한 경우	50

6 광합성과 호흡

- 은혜 – 식물의 생장이 일어나기 위해서는 광합성이 지속적으로 일어나야 하며, 광합성이 지속되기 위해서는 이산화 탄소, 물, 빛이 계속 공급되어야 한다. 테라리엄의 유리병 안에서는 식물이 빛이 있을 때 광합성과 호흡을 모두 할 수 있으므로 호흡을 통해 생성된 이산화 탄소와 물을 광합성에 이용할 수 있어 유리병 내부가 식물이 자랄 수 있는 환경으로 유지된다.

바로 알기 • 승환 – 식물의 생장을 위해서는 흙 속의 양분도 필요하지만, 이것만으로 지속적인 생존은 불가능하다.

- 권율 – 세균이 생태계의 분해자 역할을 하지만, 식물의 생존을 위해 필수적인 것은 아니다.

- 서아 – 식물의 생장에 수분이 필요하지만 생장을 촉진하는 환경 요인이라고 볼 수는 없다.

- 채린 – 광합성을 지속적으로 해야 유리병 안에서 생존이 가능하며, 빛 이외에도 이산화 탄소와 물이 공급되어야 한다.

7 식물의 광합성, 증산 작용, 광합성 산물의 이동

지료 분석 Ⅰ 광합성, 광합성 산물의 이동, 증산 작용 속도가 다른 두 나무의 비교

〈과학자의 결론〉
- (가)가 (나)에서보다 광합성 속도가 빠르다.
  └ 광합성 속도: (가)>(나) ⇨ 시간당 이산화 탄소 흡수량, 산소 방출량: (가)>(나)
- (가)가 (나)에서보다 여러 기관에서 세포 분열이 활발하게 일어나고 있다.
  └ 세포 분열을 위한 양분 이동(설탕의 형태로 체관을 통해 이동) 속도: (가)>(나)
- (가)가 (나)에서보다 증산 작용이 더 활발하게 일어난다.
  └ 증산 작용: (가)>(나) ⇨ 잎의 수분 생성량: (가)>(나) ⇨ 증산 작용의 역할:
  (가) >(나) – 수분 상승, 식물체 내 수분량 조절, 식물과 주변 온도 낮춤
- 이외의 모든 생명 활동에서는 (가)와 (나)에서 차이가 없다.

선택지 분석
① 영희: 나무 그늘에 앉아 더위를 식히려면 (가)가 (나)보다 적당하겠군.
  └ 식물과 주변 온도를 낮추는 증산 작용의 효과: (가)>(나)
② 철수: 잎에 비닐봉지를 씌워 보면 (가)가 (나)보다 비닐봉지 안이 더 빨리 뿌옇게 되겠지. → 잎의 수분 생성량: (가)>(나)
③ 민수: 체관 내부를 관찰할 수 있다면 (가)가 (나)보다 체관 내부에 설탕이 더 많겠어. → 세포 분열을 위한 양분 이동 속도: (가)>(나)
④ 영수: 줄기와 잎맥의 내부를 관찰할 수 있다면 (가)가 (나)보다 물이 더 빨리 위쪽으로 이동하겠군. → 수분 상승 속도: (가)>(나)
✖ 경훈: (가)가 (나)보다 시간당 이산화 탄소 흡수량과 산소 방출량이 적겠어.
  └ 광합성 속도는 (가)>(나)이므로 이산화 탄소 흡수량, 산소 방출량은 (가)>(나)이다.

광합성으로 이산화 탄소가 흡수되고 산소가 방출되며, 광합성으로 생성된 녹말은 설탕의 형태로 체관을 통해 이동하여 여러 기관으로 운반되어 세포 분열 등의 생명 활동에 이용된다. 증산 작용은 식물체 내의 수분량 조절, 체온 조절, 물 상승의 원동력 제공 등의 역할을 한다.

① 증산 작용으로 물이 증발할 때 주변의 열을 빼앗아 가므로, 증산 작용이 활발한 (가)가 (나)보다 주변의 온도가 낮다.

② 증산 작용은 잎의 기공을 통해 물이 수증기 상태로 빠져나가는 현상이므로, 증산 작용이 활발한 (가)가 (나)보다 잎에 씌운 비닐봉지 안이 습기로 인해 더 빨리 뿌옇게 흐려진다.

③ 식물의 세포 분열을 위한 양분은 저장된 녹말이 설탕의 형태로 전환되어 체관을 통해 이동하여 각 기관에 전달되기 때문에 광합성 속도가 빠른 (가)가 (나)보다 체관 내부에 설탕이 많다.

④ 증산 작용은 뿌리에서 흡수한 물이 위쪽으로 상승하도록 하는 원동력이므로, 증산 작용이 활발한 (가)가 (나)보다 물이 더 빨리 위쪽으로 이동한다.

바로 알기 ⑤ 광합성 과정에서 이산화 탄소가 흡수되고, 산소가 방출된다. 광합성 속도는 (가)가 (나)보다 빠르므로 이산화 탄소 흡수량과 산소 방출량은 (가)가 (나)보다 크다.

8 광합성 산물의 이동, 사용, 저장

자료 분석 + 광합성 산물의 이동, 사용, 저장 과정 표현하기

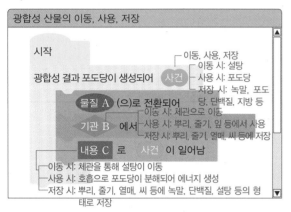

광합성 산물의 이동, 사용, 저장

시작
광합성 결과 포도당이 생성되어 **사건**
┌ 이동, 사용, 저장
├ 이동 시: 설탕
├ 사용 시: 포도당
└ 저장 시: 녹말, 포도
　당, 단백질, 지방 등

물질 A (으)로 전환되어
기관 B 에서
┌ 이동 시: 체관으로 이동
├ 사용 시: 뿌리, 줄기, 잎 등에서 사용
└ 저장 시: 뿌리, 줄기, 열매, 씨 등에 저장

내용 C 로 **사건** 이 일어남
┌ 이동 시: 체관을 통해 설탕이 이동
├ 사용 시: 호흡으로 포도당이 분해되어 에너지 생성
└ 저장 시: 뿌리, 줄기, 열매, 씨 등에 녹말, 단백질, 설탕 등의 형
　태로 저장

선택지 분석

사건	물질 A	기관 B	내용 C
① 이동하기	설탕	체관	체관을 따라 설탕이 이동
✗ 사용하기	녹말 포도당	뿌리	호흡으로 에너지 생성
✗ 저장하기	포도당	뿌리	체관을 따라 포도당이 이동 열매, 뿌리, 줄기, 씨 등에 광합성 산물 저장
✗ 이동하기	녹말 설탕	물관 체관	물관을 따라 녹말이 이동 체관을 따라 설탕이 이동
✗ 저장하기	설탕	뿌리	호흡으로 에너지 생성 열매, 뿌리, 줄기, 씨 등에 광합성 산물 저장

광합성 결과 생성된 포도당은 엽록체에 녹말로 일시적으로 저장
되었다가 이동할 때는 설탕으로 전환되어 체관을 따라 이동한다.
광합성 산물은 포도당의 형태로 호흡에 이용되어 에너지를 생성
하며, 사용하고 남은 양분은 녹말이나 단백질, 설탕 등의 다양한
형태로 전환되어 뿌리, 줄기, 열매 등에 저장된다.

기말고사 마무리 신유형·신경향·서술형 전략 **60~63쪽**

1 ④　　**2** ④　　**3** ④　　**4** ③
5 (1) A, D (2) 해설 참조　　**6** (1) A, C, E, F / B, D, G, H
(2) 해설 참조　　**7** (1) 해설 참조 (2) 해설 참조　　**8** (1) 해설 참조
(2) 해설 참조

---

1 계절에 따른 별자리의 변화

자료 분석 + 황도 12궁

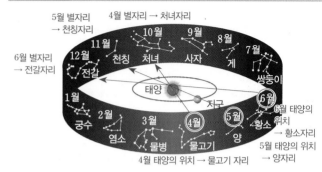

・태양의 연주 운동: 지구의 공전으로 인해 지구상의 관측자에게 태양이 별자리
사이를 하루에 약 1°씩 서에서 동으로 움직이는 것처럼 보이는 겉보기 운동
・지구상에서는 태양의 반대편에 있는 별자리가 관측되므로, 태양의 연주 운동
에 의해 한밤중에 관측되는 별자리는 계절에 따라 달라진다.

B. 황도 12궁은 태양이 연주 운동하며 별자리 사이를 지나가는 길
에 있는 월별 별자리로, 6월에는 태양이 황소자리 부근을 지난다.

C. 태양이 양자리 부근에 있는 5월의 한밤중 남쪽 하늘에서는
그 반대편에 있는 천칭자리를 볼 수 있다.

바로 알기 A. 4월의 한밤중에는 태양이 물고기자리 근처에 있
으므로 한밤중 남쪽 하늘에서는 처녀자리를 볼 수 있다.

2 빛의 세기와 광합성

자료 분석 + 빛의 세기에 따른 광합성량의 변화 확인 실험

(가) 20 °C의 1 % 탄산수소 나트륨 수용액을 수조에 넣는다. →광합성에 적절한 온도와 이산화 탄소 농도 유지
(나) 그림과 같이 검정말을 깔때기에 넣고, 그 위에 1 % 탄산수소 나트륨 수용
액을 가득 담은 시험관을 설치한다.
(다) 수조에서 30 cm 떨어진 위치에 LED 전등을 두고 일정 시간 빛을 비춘다.
(라) 1분 동안 발생하는 기포 수를 센다.
(마) 　　　? 　　　→광합성으로 생성되는 산소

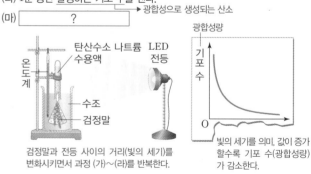

검정말과 전등 사이의 거리(빛의 세기)를
변화시키면서 과정 (가)~(라)를 반복한다.

빛의 세기를 의미하며, 값이 증가
할수록 기포 수(광합성량)
가 감소한다.

광합성 결과 산소가 발생하므로 발생하는 기포 수는 광합성량을
의미한다. '빛의 세기에 따른 광합성량의 변화'를 확인하는 실험

목표대로 실험 결과를 나타내기 위해서는 그래프의 찢어진 X축 변인이 빛의 세기를 의미해야 한다. 빛의 세기는 LED 전등의 밝기로 조절할 수 있지만 그래프를 보면 변인의 값이 커질수록 광합성량을 의미하는 기포 수가 감소하고 있다. 따라서 전등의 밝기가 아닌 검정말과 전등 사이의 거리로 해야 거리가 멀어질수록 빛의 세기가 감소하면서 기포 수가 감소하는 결과를 나타낼 수 있다.

3 태양의 활동과 영향

ㄱ. 태양 활동이 활발한 극대기에는 흑점 수가 많아지고 홍염과 플레어가 자주 발생한다.

ㄴ. 강해진 태양풍에 의해 인공위성이나 GPS가 교란되어 고장 나거나 제 기능을 못할 수 있다.

바로 알기 ㄷ. 태양 활동이 활발해지면 강한 태양풍으로 오로라가 평상시보다 더 넓은 지역에 발생한다.

4 식물의 광합성, 증산 작용, 호흡

자료 분석 + 광합성, 증산 작용, 호흡 확인 실험

[탐구 1] 빛이 있을 때 광합성 가능
하루 동안 빛을 받은 검정말 잎을 탈색시킨 후, 아이오딘 반응을 시켜 현미경으로 관찰하였더니 엽록체가 청람색으로 변했다. 엽록체에서 광합성 결과 생성된 포도당이 녹말로 저장되어 있음을 확인

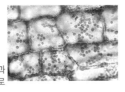

[탐구 2]
식물을 그림과 같이 장치한 다음 햇빛이 비치는 창가에 두었더니 일정 시간이 지난 후 (가)에서만 비닐봉지 안이 뿌옇게 흐려졌다.
잎에서 증산 작용으로 물(수증기) 방출

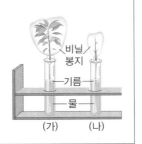

비닐봉지 / 기름 / 물 / (가) (나)

[탐구 3] 빛이 없어 광합성을 하지 못하고 호흡만 한다.
시금치를 넣은 페트병 (가)와 빈 페트병 (나)를 어두운 곳에 놓아두었다가 페트병 속의 공기를 석회수에 통과시켰더니 (가)의 기체를 통과시킨 석회수만 뿌옇게 변했다. 시금치의 호흡으로 이산화 탄소 발생

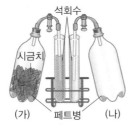

석회수 / 시금치 / (가) 페트병 (나)

[탐구 1] 빛이 있을 때 엽록체에서 광합성이 일어나며, 아이오딘 반응으로 광합성 결과 녹말이 생성되었음을 확인할 수 있다.

[탐구 2] 식물의 잎에서 증산 작용이 일어나 시험관 속의 물이 수증기의 상태로 기공을 통해 방출되며, 비닐봉지 안에 수증기가 맺혀 뿌옇게 흐려진다.

[탐구 3] 석회수는 이산화 탄소와 반응하여 뿌옇게 흐려진다. (가)의 페트병 속 기체를 통과시킨 석회수가 뿌옇게 흐려진 것으로 보아 식물을 어두운 곳에 두면 광합성이 일어나지 않고 호흡만 일어나 이산화 탄소가 방출됨을 확인할 수 있다.

5 일식과 월식

자료 분석 + 일식과 월식이 일어나는 조건

[자료 1] 일식이 일어날 때 태양, 달, 지구의 위치 관계

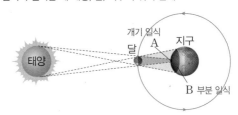

태양 / 달 / 개기 일식 A 지구 / B 부분 일식

[자료 2] 월식이 일어날 때 태양, 지구, 달의 위치 관계

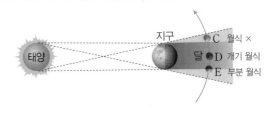

태양 / 지구 C 월식 × / 달 D 개기 월식 / E 부분 월식

(1) 개기 일식은 달의 본그림자에 있는 관측자만 볼 수 있고, 개기 월식은 지구의 본그림자에 달 전체가 들어갈 때 볼 수 있다.

(2) 지구는 달보다 지름이 약 4배 더 크며, 따라서 달 그림자보다 지구 그림자가 더 크다. 실제로 개기 일식이 지속되는 시간은 7~8분 정도이지만, 월식은 1시간 30분 정도 지속된다.

모범 답안 일식은 달의 본그림자가 닿는 곳에서만 관측할 수 있지만, 월식은 달보다 큰 지구 그림자에 달이 들어가므로 지구의 밤이 되는 전 지역에서 관측할 수 있다. 따라서 월식이 지속되는 시간이 일식이 지속되는 시간보다 훨씬 길다.

채점 기준	배점(%)
일식과 월식의 지속 시간을 그림자의 크기를 근거로 옳게 서술한 경우	100
일식이 지속되는 시간이 월식이 지속되는 시간보다 짧다는 것을 알고 서술한 경우	60

BOOK 2

6 태양계 행성의 특징

자료 분석 + 태양계 행성의 분류

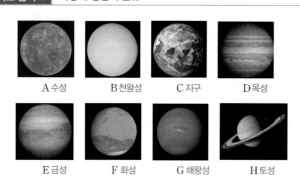

| A 수성 | B 천왕성 | C 지구 | D 목성 |

| E 금성 | F 화성 | G 해왕성 | H 토성 |

(1) A, C, E, F는 지구형 행성, B, D, G, H는 목성형 행성에 속한다.

(2) 지구형 행성의 표면 성분은 흙이나 암석인 반면, 목성형 행성의 표면 성분은 수소, 헬륨 등의 기체이다. 그래서 지구형 행성이 목성형 행성보다 질량과 반지름은 작지만 평균 밀도가 크다.

모범 답안 지구형 행성은 목성형 행성보다 질량과 반지름이 작고, 평균 밀도는 크다. 지구형 행성은 위성이 없거나 적지만 목성형 행성은 위성이 많으며, 지구형 행성에는 고리가 없고 목성형 행성에는 고리가 있다.

채점 기준	배점(%)
지구형 행성과 목성형 행성의 질량, 반지름, 평균 밀도, 위성 수, 고리 유무를 모두 옳게 비교하여 서술한 경우	100
지구형 행성과 목성형 행성의 질량, 반지름, 평균 밀도, 위성 수, 고리 유무 중 3가지 이상을 옳게 비교하여 서술한 경우	60

7 광합성 산물의 이동

㉠은 물관, ㉡은 체관이다. 광합성 산물인 설탕은 체관을 통해 이동한다.

(1) 줄기에는 물관과 체관이 있으며, 설탕과 같은 유기 양분은 체관을 통해 이동한다. 줄기 껍질을 벗겨 낼 때 체관이 제거되어 광합성으로 생성된 양분이 아래로 이동하지 못하게 되고 벗겨 낸 줄기의 윗부분(A)에 양분이 축적되어 부풀어 오른다.

모범 답안 껍질을 벗겨 낼 때 체관이 제거되어 광합성으로 생성된 양분이 이동하지 못하고 쌓인 것이다.

채점 기준	배점(%)
체관이 제거되었다는 것과 양분이 쌓여 부풀었다는 것을 연결하여 옳게 서술한 경우	100
체관이 제거되었다는 것과 양분이 쌓여 부풀었다는 것 중 한 가지만 서술한 경우	50

(2) 설탕은 줄기의 체관을 통해 이동하며, 진딧물이 설탕을 포함한 수액을 빨아먹기 위해서는 체관에 침을 꽂아야 한다. [탐구 1]에서 껍질을 벗겨 낼 때 체관이 제거된 것으로 보아 체관은 줄기의 바깥쪽 부분에 위치하고 있음을 알 수 있다.

모범 답안 ㉡, 침을 꽂은 부위에서 설탕이 검출된 것으로 보아 침을 꽂은 부위는 체관임을 알 수 있다. [탐구 1]에서 줄기의 바깥쪽 껍질 부분을 벗겨 낼 때 체관이 제거된 것으로 보아, 줄기의 바깥쪽 껍질 부분에 체관이 위치한 것을 알 수 있다.

채점 기준	배점(%)
㉡이 침을 꽂은 부위이고, [탐구 1]에서 체관이 줄기의 바깥쪽 부분임을 알 수 있다는 것을 모두 옳게 서술한 경우	100
㉡이 침을 꽂은 부위라는 것과 [탐구 1]에서 체관이 줄기의 바깥쪽 부분임을 알 수 있다는 것 중 한 가지만 옳게 서술한 경우	50

8 광합성과 호흡

(1) 초록색 BTB 용액은 BTB 용액 속 이산화 탄소의 농도가 감소하면 파란색이 되며, 검정말의 광합성량이 호흡량보다 많을 때 이산화 탄소의 흡수량이 방출량보다 많다.

모범 답안 초록색 BTB 용액과 검정말을 시험관에 넣고 입구를 고무마개로 막은 후 햇빛이 잘 드는 곳에 둔다. 강한 빛에서는 검정말의 광합성량이 호흡량보다 많기 때문에 BTB 용액 속의 이산화 탄소가 검정말의 광합성에 사용되면서 BTB 용액의 색깔이 파란색으로 변한다.

채점 기준	배점(%)
실험을 옳게 설계하고, 그렇게 설계한 까닭을 광합성량과 호흡량을 바탕으로 옳게 서술한 경우	100
실험을 옳게 설계하였으나, 그렇게 설계한 까닭을 옳게 서술하지 못한 경우	50

(2) 초록색 BTB 용액은 BTB 용액 속 이산화 탄소의 농도가 증가하면 노란색이 된다. 빛이 없을 때 검정말은 광합성을 하지 못하고 호흡만 하므로 호흡에 의해 이산화 탄소가 방출된다.

모범 답안 초록색 BTB 용액과 검정말을 시험관에 넣고 입구를 고무마개로 막은 후 알루미늄박으로 시험관을 감싼다. 빛이 없을 때 검정말은 광합성을 하지 못하므로 호흡에 의해 방출된 이산화 탄소에 의해 BTB 용액의 색깔이 노란색으로 변한다.

채점 기준	배점(%)
실험을 옳게 설계하고, 그렇게 설계한 까닭을 호흡만 하여 이산화 탄소가 방출되는 것으로 옳게 서술한 경우	100
실험을 옳게 설계하였으나, 그렇게 설계한 까닭을 옳게 서술하지 못한 경우	50

01 태양의 연주 운동

자료 분석 + 태양의 연주 운동과 별자리의 위치 변화

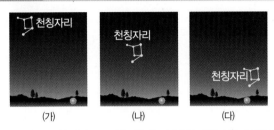

(가)　　　　(나)　　　　(다)

- 해가 진 직후 15일 간격으로 서쪽 하늘을 관측하면 태양과 별자리의 위치가 변하는 것을 볼 수 있다.
- 별자리를 기준으로 태양은 서쪽에서 동쪽으로 이동한다.
- 태양을 기준으로 별자리는 동쪽에서 서쪽으로 이동한다.

---

⑤ 지구가 태양 주위를 서에서 동으로 공전함에 따라, 지구의 관측자에게는 태양이 하루에 약 1°씩 서에서 동으로 별자리 사이를 이동하는 것처럼 보이는데, 이러한 태양의 겉보기 운동을 태양의 연주 운동이라고 한다.

👁 **바로 알기** ① 이 그림은 해가 진 직후 서쪽 하늘의 모습을 나타낸 것이다.

② 지구의 공전에 의한 태양과 별자리의 연주 운동을 확인할 수 있다.

③ 15일 동안 천칭자리는 약 15° 만큼 이동하였을 것이다.

④ 별자리를 기준으로 태양은 서에서 동으로 이동한다.

02 달의 공전과 위상 변화

자료 분석 + 달의 위치에 따른 위상 변화

A 위치에서 달은 그믐달 모양으로 보인다.

03 일식

선택지 분석

◯ 부분 일식 때보다 태양의 코로나를 자세히 관측할 수 있다.

✗ 개기 일식이 일어나면 지구에는 달의 본그림자가 닿는 지역이 ~~없다.~~ 있다

✗ 부분 일식보다 더 ~~넓은~~ 지역에서 관찰할 수 있다. 좁은

ㄱ. 개기 일식이 일어나면 광구의 가장자리까지 완전히 가려지므로 태양의 코로나를 잘 관측할 수 있다.

👁 **바로 알기** ㄴ. 개기 일식은 달의 본그림자가 닿는 지역에서 볼 수 있다.

ㄷ. 달의 반그림자보다 본그림자가 닿는 지역이 더 좁으므로 부분 일식을 관찰할 수 있는 지역보다 개기 일식을 관측할 수 있는 지역이 더 좁다.

04 태양의 연주 운동

자료 분석 + 태양의 연주 운동과 황도 12궁

- 지구가 공전함에 따라 태양이 보이는 위치가 달라지므로 계절에 따라 밤하늘에 보이는 별자리가 달라진다.
- 태양이 지나는 쪽 별자리는 보이지 않고, 태양의 반대편에 있는 별자리가 한밤중 남쪽 하늘에서 보이게 된다.

---

(1) 한밤중 남쪽 하늘에서 사자자리가 보이는 시기는 태양이 물병자리를 지나는 3월이다.

(2) 별자리는 태양을 기준으로 하루에 약 1°씩 동에서 서로 이동한다.

모범 답안 지구가 태양 주의를 공전함에 따라 천구상에서 태양의 위치가 조금씩 달라지면서 태양 반대쪽에 위치하게 되는 별자리도 달라진다.

채점 기준	배점(%)
밤하늘에 보이는 별자리가 계절에 따라 달라지는 것을 지구 공전에 의한 태양의 위치 변화로 자세히 서술한 경우	100
밤하늘에 보이는 별자리가 계절에 따라 달라지는 것의 원인을 지구의 공전으로만 서술한 경우	60

05 별의 일주 운동

선택지 분석

✗ 지구 공전에 의한 겉보기 운동이다. → 자전
ㄴ 별들은 시계 반대 방향으로 원운동한다.
✗ 지구에서 거리가 먼 별일수록 느리게 움직인다. → 별까지의 거리는 관련 없음

ㄴ. 지구가 서쪽에서 동쪽으로 자전함에 따라 별들은 북극성을 중심으로 시계 반대 방향으로 원운동한다.

👁 바로 알기 ㄱ. 별의 일주 운동은 지구 자전에 의한 겉보기 운동이다.
ㄷ. 천구상에서 별의 일주 운동은 별까지의 거리와 관련이 없다.

06 태양의 연주 운동과 별자리의 위치 변화

⑤ 별자리는 하루에 약 1°씩 동쪽에서 서쪽으로 움직여간다. 따라서 3개월 전에는 남쪽 하늘에서 서쪽으로 90° 위치에 있는 물고기자리가 남쪽 하늘에서 관측되었을 것이다.

07 달의 위상 변화

자료 분석 + 달의 공전과 위상 변화

• 달의 위상은 약 한 달을 주기로 변한다.
• 달은 매일 서쪽에서 동쪽으로 조금씩 움직인다.

선택지 분석

①달이 뜨는 위치는 매일 서에서 동으로 이동한다.
✗음력 3일경 달의 위상은 그믐달이다. → 초승달
③음력 7~8일경 태양, 지구, 달은 직각을 이룬다.
④음력 15일경에 달이 가장 오랫동안 관측된다.
⑤달의 모양은 약 한 달을 주기로 변화한다.

① 달이 지구 주위를 공전함에 따라 매일 약 13°씩 서에서 동으로 움직여간다.
③ 음력 7~8일경 달의 위상은 상현달로 지구를 중심으로 태양과 달은 직각의 위치에 있다.
④ 음력 15일경 해가 진 직후 달이 동쪽 하늘에서 떠오르므로 서쪽으로 질 때까지 가장 오랫동안 관측이 가능하다.
⑤ 달이 약 한 달에 한 바퀴씩 지구 주위를 공전하므로 달의 위상은 약 한 달을 주기로 변화한다.

👁 바로 알기 ② 음력 3일경 달의 위상은 초승달이다.

08 일식

일식이 일어날 때 태양은 오른쪽부터 가려지고, 이후 오른쪽부터 서서히 보이기 시작하여 본래의 모습으로 되돌아온다.

모범 답안 A, 달은 태양의 오른쪽에서 왼쪽으로 이동하기 때문에 개기 일식이 일어날 때 태양은 오른쪽부터 가려지기 시작하여 점점 더 많은 부분이 가려진다. 그러다가 태양 전체가 가려진 후에는 다시 태양의 오른쪽부터 서서히 보이기 시작한다.

채점 기준	배점(%)
태양이 가려지고, 다시 보이기 시작하는 방향을 정확히 알고 달의 움직임으로 그 이유를 정확히 서술한 경우	100
태양이 가려지고, 다시 보이기 시작하는 방향만을 옳게 서술한 경우	50

09 태양계 행성

① 금성에는 이산화 탄소로 이루어진 두꺼운 대기가 있다.
② 토성은 태양계에서 목성 다음으로 큰 행성이다.
③ 해왕성의 빠른 자전으로 인해 대기의 소용돌이인 대흑점이 관측된다.
⑤ 금성, 토성, 해왕성, 목성 중에서 지구로부터 가장 멀리 떨어져 있는 행성은 해왕성이다.

👁 바로 알기 ④ 자전축과 공전 궤도면이 거의 나란한 행성은 천왕성이다.

10 천체 망원경의 구조와 기능

자료 분석 + 망원경의 구조와 기능

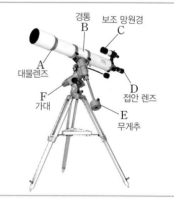

① 대물렌즈의 지름이 클수록 빛을 더 많이 모을 수 있다.
② 경통은 대물렌즈와 접안렌즈를 연결하는 통이다.
③ 보조 망원경은 배율이 작아 시야가 넓으므로 관측할 대상 천체를 찾을 때 사용한다.
④ 접안렌즈를 바꾸면 망원경의 배율이 달라진다.

👁 바로 알기 ⑤ E는 균형추로 경통부와 무게 균형을 맞추어 망

원경의 작동이 원활하도록 돕는다.

11 태양의 활동과 영향

태양 활동이 지구에 미치는 영향

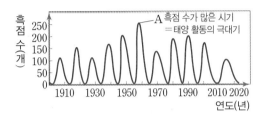

A 시기는 태양 활동의 극대기로, 흑점 수가 늘어나고 태양풍이
강해지면서 지구에 여러 가지 영향을 준다.

👁 바로 알기 ④ 태양풍이 심할 경우 북극 항로 운항이 불가능해
지고, 비행기 승객이 방사선에 노출될 수 있다.

12 내행성과 외행성

공전 궤도가 지구 안쪽에 있는 금성과 수성은 태양으로부터 일정
한 각도 이상 벗어나지 못한다.

모범 답안 금성은 지구보다 안쪽 궤도를 공전하는 내행성이기 때
문에 태양으로부터 일정한 각도 이상 벗어나지 않는다. 한밤중에
관측하기 위해서는 금성이 지구를 중심으로 태양의 반대쪽에 있
어야 하는데, 금성은 그 위치로 올 수 없기 때문이다.

채점 기준	배점(%)
금성이 태양으로부터 일정 각도 이상 벗어나지 못하는 것과 한밤중에 관측할 수 있는 행성의 위치를 근거로 자세히 서술한 경우	100
금성이 태양으로부터 일정 각도 이상 벗어나지 못하는 것으로만 서술한 경우	50

13 망원경을 이용한 천체 관측

천체 망원경의 사용법

- 망원경은 넓고 평평하며 주변에 불빛이 없는 곳에 설
  치한다.
- 보조 망원경으로 먼저 관측 대상 천체를 찾은 다음
  주 망원경으로 관측한다.
- 접안렌즈를 교체하면 배율이 조정되며, 먼저 저배율로
  관측한 다음 고배율로 자세히 관측한다.

선택지 분석

ㄱ 태양을 관측할 때에는 반드시 필터 또는 투영판을 사용해야 한다.
ㄴ 관측을 하기 전에 보조 망원경과 주 망원경의 방향을 일치시킨다.
✗ 접안렌즈를 바꿔가며 고배율부터 시작하여 점차 저배율로 관측한다.
　　　　　　　　　　　　　　저배율부터 시작

ㄱ. 태양빛은 매우 강하기 때문에 망원경으로 관측하면 눈이 상
할 수 있으므로 반드시 필터를 장착하거나 투영판을 사용해야
한다.

ㄴ. 망원경을 설치할 때 보조 망원경과 주 망원경의 방향을 일치
시켜야 하며, 이를 보조 망원경 정렬(파인더 정렬)이라고 한다.

👁 바로 알기 ㄷ. 관측을 할 때에는 저배율부터 관측하여 점차 고
배율로 배율을 조정하며 자세히 관측한다.

14 태양의 자전

태양의 자전과 흑점의 위치 변화

- 흑점의 이동 방향은 지구에서 볼 때 동쪽에서 서쪽이다.
  ➡ 태양이 서쪽에서 동쪽으로 자전하기 때문이다.
- 흑점의 이동 속도는 저위도에서 고위도로 갈수록 느리다.
  ➡ 태양 표면이 기체 상태이기 때문이다.

ㄱ. 지구에서 관측할 때 태양 표면의 흑점은 동에서 서로 이동한다.
ㄷ. 태양 표면의 흑점이 이동하는 속도는 저위도에서 고위도로
갈수록 느리다.

👁 바로 알기 ㄴ. 태양 표면의 흑점이 이동하는 것으로부터 태양
이 시계 반대 방향(서에서 동)으로 자전하고 있음을 알 수 있다.

15 내행성과 외행성

내행성과 외행성의 공전 궤도와 특징

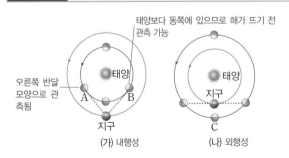

(가) 내행성　　　　　　(나) 외행성

선택지 분석

① A에서 내행성은 오른쪽이 밝은 반달 모양으로 보인다.
② B 위치에 있는 내행성은 해가 뜨기 전 동쪽 하늘에서 볼 수 있다.
③ C 위치에 있을 때 외행성을 가장 오랜 시간 동안 관측할 수 있다.
✗ 내행성은 지구와 가장 가까이 있을 때 보름달 모양으로 보인다. → 멀리
⑤ 내행성과 달리 외행성은 한밤중에 남쪽 하늘에서 관측할 수 있다.

내행성은 지구 공전 궤도보다 안쪽에서 태양 주위를 공전하므로 태양에서 일정 각도 이상 벗어날 수 없다. 따라서 한밤중에 관측이 불가능하며, 위치에 따라 크기와 모양이 변한다.

바로 알기 ④ 내행성이 가장 가까이 있을 때에는 햇빛이 비치는 쪽의 반대쪽을 지구에서 보게 되므로 그 모습을 볼 수 없다.

16 태양의 대기

자료 분석 + 태양 대기에서 관측되는 특징

(가) 홍염

(나) 플레어

- 홍염은 흑점 주변에서 채층의 물질이 코로나까지 뻗어 올라갔다 내려오는 불꽃 기둥이다.
- 플레어는 흑점 주변에서 강한 폭발이 일어나 막대한 양의 물질과 에너지가 방출되는 현상이다.

홍염과 플레어는 태양의 대기에서 나타나는 현상이다.

모범 답안 (가) 홍염: 광구 표면에서 채층을 뚫고 코로나 영역까지 뻗어 나가는 가스의 흐름으로 고리 형태를 띠기도 한다.
(나) 플레어: 주로 흑점 주변에서 일어나는 강한 폭발 현상으로 막대한 양의 물질과 에너지를 방출한다.

채점 기준	배점(%)
홍염과 플레어 모두 명칭과 설명을 정확히 서술한 경우	100
홍염과 플레어 중 하나의 명칭과 설명을 정확히 서술한 경우	50

01 ④	02 ③	03 ③	04 ㄱ, ㄷ
05 ③, ④	06 ③	07 해설 참조	08 ③
09 온유	10 ③	11 ㄱ, ㄷ	12 ④
13 해설 참조	14 ③		

01 광합성 과정

광합성에 필요한 물질인 ㉠은 이산화 탄소이고, 광합성 결과 생성되는 물질인 ㉡은 산소이다.

ㄴ. 빛의 세기와 온도, 이산화 탄소의 농도는 광합성에 영향을 주는 환경 요인이다. 이산화 탄소의 농도가 증가할수록 광합성량이 증가하다가 일정 농도 이상이 되면 일정하게 유지된다.

ㄷ. 산소는 연소 반응을 촉진하는 물질이므로 꺼져가는 불씨를 다시 타오르게 할 수 있다.

바로 알기 ㄱ. 탄산수소 나트륨 수용액은 이산화 탄소를 공급할 수 있는 물질이다. 석회수에 이산화 탄소를 공급하면 흰색 침전물이 형성되어 뿌옇게 흐려진다.

02 광합성 산물

자료 분석 + 광합성 산물 확인 실험

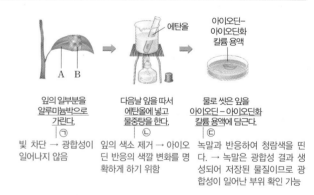

잎의 일부분을 알루미늄박으로 가린다. ㉠ 빛 차단 → 광합성이 일어나지 않음

다음날 잎을 따서 에탄올에 넣고 물중탕을 한다. ㉡ 잎의 색소 제거 → 아이오딘 반응의 색깔 변화를 명확하게 하기 위함

물로 씻은 잎을 아이오딘-아이오딘화 칼륨 용액에 담근다. ㉢ 녹말과 반응하여 청람색을 띤다. → 녹말은 광합성 결과 생성되어 저장된 물질이므로 광합성이 일어난 부위 확인 가능

아이오딘-아이오딘화 칼륨 용액은 녹말 검출 용액으로, 녹말과 반응하여 청람색으로 변한다. 광합성이 일어난 A의 엽록체에는 녹말이 있고, 빛이 차단되어 광합성이 일어나지 않은 B의 엽록체에는 녹말이 없다. 따라서 잎에 아이오딘-아이오딘화 칼륨 용액을 떨어뜨리면 A 부분만 청람색으로 변한다.

광합성은 빛이 있을 때 일어나며, 광합성으로 생성된 포도당은 녹말로 전환되어 엽록체에 일시적으로 저장된다.

ㄱ. 알루미늄박으로 가린 부분은 빛이 차단되어 광합성이 일어나지 않는다.

ㄷ. 아이오딘 반응은 녹말 검출 반응이며, 광합성이 일어난 부분

에서는 녹말이 검출되어 청람색으로 나타난다.

👁 **바로 알기** ㄴ. 잎을 에탄올에 넣어 물중탕하는 과정은 잎의 색소를 제거하여 아이오딘 반응의 색깔 변화를 명확하게 관찰하기 위한 것이다.

03 빛의 세기와 광합성

자료 분석 + 빛의 세기에 따른 광합성량 확인 실험

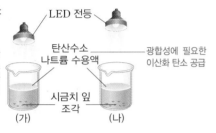

- 비커와 전등과의 거리: (가)<(나)
- 빛의 세기: (가)>(나)

시금치 잎 조각에서 광합성이 일어나면 산소 기체가 기포로 나타나면서 시금치 잎을 밀어 올려 떠오르게 한다.

LED 전등

탄산수소 나트륨 수용액 — 광합성에 필요한 이산화 탄소 공급

시금치 잎 조각

(가)   (나)

시금치 잎에서 광합성이 일어나면 산소가 기포의 형태로 발생하여 시금치 잎 조각을 위로 밀어 올려 떠오르게 한다.

ㄷ, ㄹ. (가)는 (나)보다 전등과의 거리가 가깝기 때문에 빛의 세기가 강하다. 이에 따라 (나)보다 (가)의 시금치 잎 조각에서 광합성이 활발하게 일어나 산소가 더 많이 발생하므로 시금치 잎 조각이 모두 떠오르는 데 걸리는 시간은 (가)가 (나)보다 짧다.

👁 **바로 알기** ㄱ. 시금치 잎 조각은 광합성 결과 발생한 산소에 의해 떠오른다.

ㄴ. 탄산수소 나트륨 수용액은 광합성에 필요한 이산화 탄소를 공급하기 위해 넣는다.

04 온도와 빛의 세기가 광합성에 미치는 영향

자료 분석 + 온도와 빛의 세기에 따른 광합성 속도

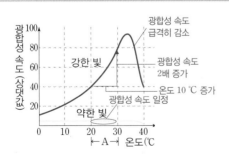

광합성 속도 급격히 감소

강한 빛

광합성 속도 2배 증가

온도 10 ℃ 증가

광합성 속도 일정

약한 빛

ㄱ. 약한 빛에서는 온도와 큰 관계없이 광합성 속도가 낮게 유지된다.

ㄷ. 구간 A에서 온도가 20 ℃에서 30 ℃가 되는 동안 강한 빛에

서 광합성 속도는 2배 증가하였다.

👁 **바로 알기** ㄴ. 강한 빛일 때 온도가 올라갈수록 광합성 속도는 증가하다가 어느 정도 이상일 때는 광합성 속도가 급격히 감소한다.

05 공변세포와 기능

선택지 분석

✘ A의 부피는 낮보다 밤에 더 커진다. → 밤보다 낮

✘ A의 세포벽은 기공 쪽보다 바깥쪽이 두껍다. → 기공 쪽이 바깥쪽보다

③ A는 표피 세포가 변형된 것으로, 엽록체가 있다.

④ B로 산소, 이산화 탄소, 수증기가 출입한다.

✘ B를 통한 증산 작용은 낮보다 밤에 활발하게 일어난다.
                                    → 밤보다 낮에

A는 공변세포, B는 기공이다. 공변세포(A)는 기공 쪽 세포벽이 바깥쪽 세포벽보다 두꺼워 물이 들어오면 바깥쪽 세포벽이 더 많이 늘어나 세포가 휘어지면서 기공이 열리게 된다.

③ 공변세포(A)는 표피 세포가 변형된 것으로, 표피 세포와 달리 엽록체가 있어 광합성이 일어난다.

④ 기공(B)으로 기체인 산소, 이산화 탄소, 수증기가 출입한다.

👁 **바로 알기** ① 공변세포(A)의 엽록체에서 광합성이 활발하게 일어나면 공변세포로 물이 들어와 공변세포의 부피가 커진다. 광합성은 빛이 있는 낮에 활발하게 일어나기 때문에 공변세포의 부피는 빛이 있는 낮에 더 커진다.

② 공변세포(A)의 세포벽은 기공 쪽이 바깥쪽보다 두껍다.

⑤ 기공(B)을 통한 증산 작용은 낮에 광합성이 활발하게 일어나 기공이 열릴 때 활발하게 일어난다.

06 증산 작용

③ A는 증산 작용이 일어나는 기공을 바셀린으로 막았고, B에서는 기공을 막지 않았으므로 증산 작용이 일어난다. B의 무게가 더 가볍게 된 사실을 토대로 증산 작용으로 물이 빠져나갔다는 것을 확인할 수 있다.

👁 **바로 알기** ① 이 탐구는 광합성을 확인하는 탐구가 아니며, A와 B에 모두 빛을 공급하였으므로 빛의 영향을 알 수 없다.

② A와 B에 모두 빛을 공급하였으므로 증산 작용에 미치는 빛의 영향을 알 수 없다.

④ 이 실험으로는 잎의 앞면과 뒷면에서 일어나는 광합성 작용을 알 수 없다.

⑤ 봉숭아 잎의 앞면보다 뒷면에 기공이 많으므로 증산 작용은 잎의 앞면보다 뒷면에서 더 활발하게 일어난다.

정답과 해설

07 증산 작용

증산 작용은 잎의 기공을 통해 물이 수증기 상태로 빠져나가는 현상으로, 공변세포에서 광합성이 일어나면 기공이 열리고 열린 기공을 통해 증산 작용이 일어난다. 증산 작용이 활발하게 일어날수록 눈금실린더 안의 물의 높이가 낮아지며, 비닐봉지 안에 수증기가 많이 맺혀 뿌옇게 흐려진다. 어둠상자에 넣어 둔 B에서는 공변세포에서 광합성이 일어나지 않아 기공이 열리지 않으므로 기공을 통한 증산 작용이 일어나지 않는다.

모범 답안 A: 낮아짐, 물방울이 맺힘, 열림, B: 변화 없음, 변화 없음, 닫혀 있음

채점 기준	배점(%)
A와 B의 물의 높이, 비닐봉지 안, 기공 상태에 대해 모두 옳게 쓴 경우	100
A와 B의 물의 높이, 비닐봉지 안, 기공 상태에 대한 설명 중 두 가지에 대해 옳게 쓴 경우	60
A와 B의 물의 높이, 비닐봉지 안, 기공 상태에 대한 설명 중 한 가지에 대해 옳게 쓴 경우	30

08 하루 동안 식물의 기체 교환

자료 분석 + 하루 동안 식물의 기체 교환

| (가) | (나) | (다) |

- 빛이 강한 낮
- 광합성과 호흡이 모두 일어난다.
- 광합성량 > 호흡량
➡ 광합성량이 호흡량보다 많아 광합성만 일어나는 것처럼 보인다.

- 아침, 저녁
- 광합성과 호흡이 모두 일어난다.
- 광합성량＝호흡량
➡ 광합성량과 호흡량이 같아 식물 전체로는 기체 출입이 없는 것처럼 보인다.

- 빛이 없는 밤
- 호흡만 일어난다.
➡ 빛이 없어 호흡만 일어난다.
- 산소 흡수, 이산화 탄소 방출

ㄱ. (가)는 이산화 탄소 흡수량이 방출량보다 많고, 산소 방출량이 흡수량보다 많으므로 광합성이 호흡보다 활발하게 일어나는 시기인 낮이다.

ㄴ. (나)는 이산화 탄소 흡수량과 방출량이 같고, 산소 방출량과 흡수량이 같아 아침, 저녁 등 외관상 기체 출입이 없는 시기이다. 이 시기는 광합성량과 호흡량이 같다.

바로 알기 ㄷ. (다)는 빛이 없어 광합성이 일어나지 않아 호흡에 의한 이산화 탄소 방출과 산소 흡수만 있는 밤이다. 광합성량과 호흡량이 같은 상태를 나타낸 것은 (나)이다.

09 광합성과 관련된 식물의 구조

공변세포에는 엽록체가 있으며, 엽록체는 광합성이 일어나는 기관이다.

바로 알기 은혜, 서율 – 식물의 광합성은 식물 세포의 엽록체에서 일어나며, 엽록체가 있는 공변세포에서만 일어나는 것은 아니다.

10 광합성과 호흡

자료 분석 + 광합성과 호흡 확인 실험

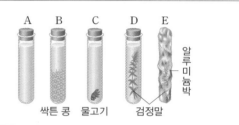

시험관	장치
A	그대로 막는다. 아무 처리를 하지 않음
B	싹튼 콩을 넣고 막는다. 싹이 틀 때 호흡 활발
C	물고기를 넣고 막는다. 동물의 호흡
D	검정말을 넣고 막는다. 광합성량(빛 공급) > 호흡량
E	검정말을 넣고 막은 후 알루미늄박으로 감싼다. 검정말의 광합성 차단(빛 차단), 호흡만 가능

[탐구 결과]

시험관	A	B	C	D	E
색깔 변화	변화 없음	노란색 이산화 탄소 증가	노란색 이산화 탄소 증가	파란색 이산화 탄소 감소	노란색 이산화 탄소 증가

초록색 BTB 용액에서 이산화 탄소가 감소하면 파란색을 띠고, 이산화 탄소가 증가하면 노란색을 띤다.

ㄱ. A에서 초록색 BTB 용액에 빛을 공급하고 그대로 두었을 때는 색깔 변화가 없는데, D에서 검정말을 넣었을 때는 파란색으로 변했으므로 검정말이 광합성을 하여 BTB 용액 내 이산화 탄소가 감소했다는 것을 알 수 있다.

ㄴ. B, C, E에서 BTB 용액의 색깔이 노란색이 되었으므로 각각 싹튼 콩, 물고기, 검정말에서 호흡이 일어나 이산화 탄소가 방출되었다는 것을 알 수 있다.

바로 알기 ㄷ. D에서 BTB 용액이 파란색으로 변했으므로 이산화 탄소 흡수량이 방출량보다 많다는 것을 알 수 있으며, 이는 광합성량이 호흡량보다 많다는 것을 의미한다.

11 광합성과 호흡

싹튼 콩의 건조 질량 측정 결과

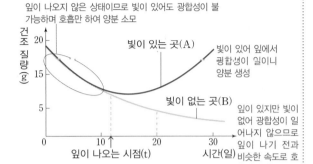

잎이 나오지 않은 상태이므로 빛이 있어도 광합성이 불가능하며 호흡만 하여 양분 소모

빛이 있는 곳(A)

빛이 있어 잎에서 광합성이 일어나니 양분 생성

빛이 없는 곳(B)

잎이 있지만 빛이 없어 광합성이 일어나지 않으므로 잎이 나기 전과 비슷한 속도로 호흡하여 양분 소모

잎이 나오는 시점(t)

• 광합성으로 양분이 생성되면 건조 질량이 증가하고, 호흡으로 양분이 소모되면 건조 질량이 감소한다.

잎이 나오기 전 싹튼 콩에서는 호흡만 일어나서 가지고 있던 양분이 소모되므로 건조 질량이 감소한다. 잎이 나온 후에는 빛이 있는 곳에서는 호흡량보다 광합성량이 더 많아 양분이 생성되므로 건조 질량이 증가하지만, 어두운 곳에서는 호흡만 일어나 양분이 소모되므로 건조 질량이 감소한다.

ㄱ. 잎이 나오는 시점(t) 이후 잎에서 빛에 의해 광합성이 일어나 광합성량이 호흡량보다 많아져 건조 질량이 증가한다.

ㄷ. 잎이 나오는 시점(t) 이전에는 잎이 없어 빛과 상관없이 광합성이 일어나지 않는다. 이 때문에 A와 B에서는 호흡만 일어나 양분의 소모로 건조 질량이 감소한다.

👁 바로 알기 ㄴ. 잎이 나오는 시점(t) 이후 빛이 있으면 광합성이 일어나 양분이 생성되고, 빛이 없으면 잎이 있어도 광합성이 일어나지 않는다. 빛은 광합성에 영향을 주며, 호흡에는 영향을 미치지 않는다.

12 광합성 산물의 생성과 이동

A는 포도당, B는 녹말, C는 설탕이다. 광합성으로 만들어진 포도당(A)은 곧바로 녹말(B)로 바뀌어 엽록체에 일시적으로 저장되고, 주로 밤에 설탕(C)으로 바뀌어 식물의 각 기관으로 이동한다.

ㄴ. 녹말(B)은 물에 잘 녹지 않고 설탕(C)은 물에 잘 녹는다.

ㄷ. 아이오딘-아이오딘화 칼륨 용액은 녹말 검출 용액으로, 녹말과 반응하여 청람색으로 변한다.

👁 바로 알기 ㄱ. 낮에는 광합성 산물이 녹말(B)로 바뀌어 엽록체에 일시적으로 저장된다.

13 호흡량

빛의 세기에 따른 이산화 탄소 흡수량

빛의 세기가 0일 때의 이산화 탄소 방출량은 호흡량과 비례한다.

빛의 세기(lux)		0	4000	8000	12000	16000
이산화 탄소 흡수량 (mg/분)	A	-15	-5	5	15	25
	B	-40	-20	0	20	40

(이산화 탄소 흡수량 (-): 이산화 탄소 방출량을 의미)

• 식물은 빛이 있을 때는 광합성과 호흡을 하고, 빛이 없을 때는 호흡만 한다. 이산화 탄소는 광합성을 할 때 흡수되고 호흡할 때 방출되는데, 빛이 있을 때 이산화 탄소 출입량은 광합성과 호흡을 모두 고려한 값이지만 빛의 세기가 0인 상태에서는 호흡만 하므로 이 시기의 이산화 탄소 방출량은 호흡량에 비례한다.

• 빛의 세기가 0일 때 이산화 탄소 방출량은 A에서 15, B에서 40인 것으로 보아 B의 호흡량이 A보다 많은 것을 알 수 있다.

B의 호흡량이 A보다 많다. 빛이 없을 때는 광합성을 하지 않고 호흡만 하므로 빛의 세기가 0일 때 이산화 탄소 방출량이 많은 B가 A보다 호흡량이 많다.

채점 기준	배점(%)
B의 호흡량이 A보다 많다는 사실과 빛의 세기가 0일 때의 이산화 탄소 방출량으로 그 까닭을 옳게 서술한 경우	100
B의 호흡량이 A보다 많다는 사실은 서술하였으나 빛의 세기가 0일 때의 이산화 탄소 방출량으로 까닭을 옳게 서술하지 못한 경우	50

14 광합성량과 호흡량

평지와 고랭지에서의 광합성량과 호흡량 비교

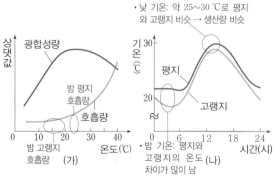

• 낮 기온: 약 25~30 ℃로 평지와 고랭지 비슷 → 생산량 비슷

광합성량

밤 평지 호흡량

호흡량

밤 고랭지 호흡량

(가)

평지

고랭지

• 밤 기온: 평지와 고랭지의 온도 차이가 많이 남 (나)

• 밤에 평지는 고랭지보다 온도가 높아 호흡량이 많다.

• 생산량은 광합성량 - 호흡량인데, 밤에는 광합성을 하지 않으므로 밤에는 호흡량이 적어야 생산량이 많아진다. ⇨ 고랭지가 생산량이 많음

ㄱ 온도가 높아질수록 호흡량이 증가한다.
✗ 이 식물의 밤 동안 호흡량은 평지보다 고랭지에서 더 많다. → 고랭지 → 평지
ㄷ 이 식물을 여름철에 고랭지에서 재배하면 평지보다 생산량을 늘릴 수 있다.

식물의 생산량은 광합성량이 많고 호흡량이 적을 때 많다. 호흡량은 온도가 낮을수록 적은데, 여름철 낮에는 평지와 고랭지의 온도 차이가 크지 않지만, 밤에는 온도가 평지보다 고랭지가 낮아 고랭지의 호흡량이 적다. 따라서 식물의 생산량은 고랭지가 평지보다 많다.

ㄱ. (가)에서 광합성량은 온도가 높아질수록 증가하다가 30 ℃ 전후에서 감소하고, 호흡량은 온도가 높아질수록 증가한다.

ㄷ. (가)와 (나)를 참고하여 보면, 고랭지에서 낮의 생산량은 평지와 비슷하지만, 밤의 호흡량이 평지보다 적어 전체적인 생산량이 평지보다 많다. 이는 고랭지의 낮 기온이 평지와 비슷하나, 밤 기온이 평지보다 낮기 때문에 발생하는 현상이다.

바로 알기 ㄴ. 온도가 높을수록 호흡량이 많은데, 밤 기온이 고랭지보다 평지가 높으므로 이 식물의 밤 동안 호흡량은 고랭지보다 평지에서 더 많다.